エブリデイ・ユートピア

EVERYDAY UTOPIA
KRISTEN R. GHODSEE

クリステン・R・ゴドシー
高橋璃子 訳

河出書房新社

エブリデイ・ユートピア　もくじ

【凡例】本文内の引用において、邦訳があるものについては邦訳を参照しましたが、一部本文に合わせて変更した箇所があります。

エブリデイ・ユートピア

トムとベティへ

はじめに

現在のイタリア南部、クロトンという海辺の町で、古代ギリシャの哲学者ピタゴラスが弟子たちと一緒に共同生活を始めました。紀元前6世紀、およそ2500年前のことです。

ピタゴラスといえば三平方の定理で知られていますが（直角三角形の斜辺の長さの二乗が残り二辺の長さの二乗を足した数に等しいという定理です）、彼はまた、ユートピア思想のいわば曾祖父でもありました。日々の生活の記録は失われた部分も多いのですが、現存する資料を見るかぎり、ピタゴラス派の人々はきわめて調和的な共同生活を営みながら数学や天文の研究に打ち込んでいたようです。

紀元3世紀の哲学者イアンブリコスによると、ピタゴラス派は「全員がすべてのものを等しく共有し、誰も自分だけのものを持たなかった」といいます。[*1] 財産を共有していたおかげで暴動や反乱にも縁がなく、平和で協力的な暮らしを満喫していました。またピタゴラスは、フェミニストの先駆者だったといえるかもしれません。弟子のテアノは、現在知られる限りで世界初の女性数学者です。「聡明で優れた女性」だったテアノは、紀元前490年頃にピタゴラスが亡くなると共同体のリーダーの地位を受け継ぎました。ピタゴラス派の人々は男女を知的にも精神的にも対等に見ていたようです。当時のギリシャの女性が一般に、子を産む道具同然に扱われていたのとは大違いです。

すべてのものを女性も男性も等しく共有するというピタゴラス派の方針は、哲学者プラトンに影響を与えたのではないかとイアンブリコスは指摘します。実際、プラトンの主著『国家』で描かれる理想の共同体（理想国家とも訳されますが、クロトンのような共同体を大規模にしたものと考えられます）ではすべての財産が共有され、男性も女性も等しく指導者になれます。

この二つの主要概念（財産の共有と男女の平等）は、２５００年以上にわたって私たちの暮らしを再考するためのインスピレーションでありつづけています。ほかにも数多くのアイデアをこれからご紹介しますが、遠い古代から現代まで、世界各地の多種多様なコミュニティがそうした理想を実現しようと試行を重ねてきました。それなのに西暦２０２３年現在、私たちの家庭や人づきあいが、いまだに格差と性差別に満ちているのはいったいなぜなのでしょう？

この本を書きはじめたのは、新型コロナウイルスのパンデミックが始まってまもない頃でした。学校が一斉に閉鎖され、国の機能がいかに家庭での無償労働に依存しているかが浮き彫りになりました。子どものいる人、とくに母親の負担は大変なものでした。世界中の女性が厳しい現実に直面し、そして気づきました——ここ数十年のフェミニズムの進展にもかかわらず、家庭内で女性に期待される役割はほとんど変わっていなかったのです。子どもや老親（ろうしん）の世話、病気の家族の看病は、母親や妻や娘に押しつけられます。困難な状況下で家族をつなぎとめる感情労働（オンラインでの誕生日会やお葬式の手配、不安や悩みに耳を傾ける精神的ケア）も、やはり女性の役目でした。どれほど多くの「聡明で優れた女性」が、突然ふくれあがったケア労働の重圧に押しつぶされたことでしょう。

パンデミックの最初の半年間、あらゆる統計が女性の雇用の壊滅的状況を露(あら)わにしました。2020年9月までに、男性の4倍の数の女性が職を失いました。休校で家にいる子どもを見てくれる人がおらず、やむなく仕事を離れた人が少なくありません。アメリカの女性政策研究所のC・ニコル・メイソンは、子どものいる女性が次々と職を失っている状況をシーセッション(女性不況)と名づけました。[*2] 同年7月24日、イギリスのガーディアン紙も「英国のワーキングマザーはコロナによる育児危機のスケープゴートだ」という記事を大きく掲載しました。[*3] 同じ7月に発表された英国国家統計局の報告では、コロナ禍で増加した家事育児の3分の2を女性が負担しているだけでなく、その大半が「非養育ケア」であったと指摘されています。つまり父親が子どもと遊んでいるあいだに母親が料理や掃除、おむつ替え、洗い物など周辺の用事をしていたのです。[*4] なかでも5歳未満の子どもがいる家庭では、女性が男性より平均で約80%も多く家庭内のケアを受け持っていました。

世の中が好調なときでさえ、女性は自分の夢や野心を犠牲にして無償労働に従事しています。国の経済を支える労働者・納税者・消費者を産み育てるための膨大な労働を、タダでやらされているのです。女性が無償で家庭内労働を引き受ければ、国は保育や介護、医療、教育にかかる公的支出を削減できます。その結果として減税の恩恵にあずかるのは、大半が富裕層です。そして今回のような危機が来れば、女性は「母性本能」があるからと自己犠牲を強いられ、無策な国の尻拭いをさせられます。

でも本当は、こんなふうでなくてもよかったはずです。

2000年以上の長きにわたり、人々は家族の形を再創造しようと夢見てきました。女性のためだけでなく、男性のためにもです。多くのユートピア思想家が友情や愛や相互扶助の精神で結びついたコミュニティを構想し、家庭内に押し込められていた労働を全員で支える方法を考えました。家事や住居、ときには持ち物をシェアし、次世代の人間を育てる責任を公平に分けあおうという試みです。新型コロナのパンデミックで人々の働き方が急激に変化し、公衆衛生のために政府の役割が拡大されるのを目の当たりにしながら、人々の私生活はどのように変われるのだろうと私は考えはじめました。数々のユートピアの試みは、新たな暮らしを作る手がかりになるのではないかと。

本書は専門的な分析ではなく、幅広い読者に向けた入門書です。今とは違う未来を考えるための豊かな知的伝統に出会うきっかけになればと思います。文学や映画、テレビやその他のポップカルチャーにも言及しますが、主に扱うのは政治や哲学や神学のテキスト、そして過去と現在のさまざまなコミュニティによる実践です。見渡せば、いたるところで人々が新たな暮らしに挑戦しています。デンマークで成功しているコハウジング、コロンビアやポルトガルで人気のエコビレッジ、タンザニアで自立教育として提唱された革新的な教育のビジョン。実在する共同体の例を多く入れたのは、どんなに奇抜に見えるアイデアも、現実を変える力になることを示すためです。ラディカルな理想をただの夢物語だと否定する必要はありません。夢を実践に落とし込んでいる人たちが、すでに世界中にいるのですから。

本書ではドイツの社会学者カール・マンハイムにならい、「ユートピア」という言葉をかなり広い意味で使います。すでに特定の活動に関わっている人からすると、自分たちの世界観がユートピアと呼ばれるのは嫌な気がするかもしれません。しかし私の狙いは、「ユートピア」という言葉があたかも「非現実的」と同義であるかのように語られる世間の風潮に対抗することです。本書のユートピアはけっして夢物語という意味ではなく、人々の私的生活を変革するような思想や実践を指します。今ある社会の慣習に縛られず、人々が調和して暮らせる社会を目指す試みを広く射程に入れます。信仰によるユートピア共同体をここに含めたのは、社会を変えるための想像力が文化や時代を超えるだけでなく、政治的にもあらゆるスペクトラムで存在することを示したかったからです。

それほど広範な内容を一般向けの本にまとめるなど無謀だ、と眉をひそめる研究者の方もいるかもしれません。実際ユートピア思想や実践については、何世紀にもわたって詳細に研究され論じられてきたわけです。しかしどんな本であれ、すべてを論じつくすことはできません。本書を書く過程でも、どこで深く踏み込み、どこを割愛するかを厳しく選定しなくてはいけませんでした。より深く知りたい方は、巻末の註や読書案内をぜひ参考にしていただければと思います。また世界各地の読者に届けたいので、アメリカの話に偏らないようにしています。たとえば１９６０年代のヒッピー・ムーブメントは有名ですが、本書では詳しく論じません。それよりも、今まであまり注目されてこなかった世界各地の試みを紹介していきたいと思っています。

多様な時代や文化を扱っているため、時とともに変化する言葉のニュアンスについても慎重に考える必要がありました。本書で「女性」や「母親」という言葉を使うとき、主に前提としているのは今の英語圏でシスジェンダー女性と呼ばれる人たちです。昔から女性は家庭のなかで、いわゆるケア労働（料理や掃除、子どもを作り育てるための身体的ふれあい、そのほか家族が健康で快適に暮らすための家庭内労働）を過度に担わされてきました。私はそんな女性の立場を改善するためのユートピア思想にとりわけ興味があります。といっても、それ以外のジェンダーを軽視するつもりはまったくありません。この社会のジェンダー役割、偶発的な歴史のなかの社会経済的慣習によって作られ維持されているその枠組みを超える発想が必要であることを、すべての読者に実感してもらえたらと思います。本書で紹介するさまざまなアイデアは、稼ぎ手の役割に苦しんでいる男性の方を含め、あらゆる人の役に立つはずです。

1891年、オスカー・ワイルドはこう言いました。「ユートピアを含まない世界地図は、一瞥にも値しない」

本書では古くからのユートピア思想を再発見し、異なる歴史的・文化的コンテクストのなかに位置づけようと試みています。それらのビジョンには欠点もありますし、突飛に感じられる部分もあるでしょう。すべてを無批判に推すつもりはありませんし、昔のことだからといって間違いが許されるとも思いません。ですが、古代から現代にいたる多様な思想や実践を広く組みあわせて俯瞰的なパノラマ地図を描きだせば、21世紀の数々の課題に対処するための新たな暮らしを設計するのに大いに役立つはずです。

過去の思想を振り返り検証しながら、悪いところは捨て、良いところを取り入れればいいのです。どのように暮らし、物を所有し、家族を選び、子どもを育てるのか。今のやり方を疑い、別の道を探索してみましょう。日々の暮らしに変化を起こせば、孤独や孤立を防ぎ、二酸化炭素排出量を減らして地球環境を守り、社会の不平等や不公正を改善し、蔓延するストレスや鬱や不安を軽減し、若い世代の夢や目標を育(はぐく)み支える力になります。

2500年前のクロトンの数学者たちも理解していたように、進歩のためにはユートピア思考が不可欠です。目指すのが宇宙の謎の解明であれ、ケア労働の公平な分担であれ、既存の枠組みにとらわれていては前に進めません。

さあ、想像力を解き放ちましょう。

第1章　未踏の知に向けて勇敢に踏みだす

幼少期の記憶をたどると、屋外の巨大スクリーンの前でブランコに乗り、前に後ろに揺れている場面が浮かんできます。1977年、カリフォルニア州サンディエゴにあるドライブインシアターでのことでした。アレック・ギネスの出る新作映画が公開されると聞きつけて、父が家族みんなを赤いシボレー・インパラに押し込み、夜のお出かけに繰りだしたのです。

オープニングの音楽に合わせて文章がスクロールして消えていき、宇宙船に突入してきた敵と激しい戦闘が始まると、私はぽっかり口を開けたまま画面に釘づけになりました。レイア姫が物陰から出てきてストームトルーパーを一人撃ち倒し、ダース・ベイダーの前で堂々と顔を上げて「私は元老院議員。外交使節としてオルデランへ行くところです」と言ったとき、幼い私の胸は憧れでいっぱいになりました。それから映画が終わるまで、私は車のボンネットに寝そべり、はるか彼方の銀河系で繰り広げられる物語をじっと見上げていました。そこではお姫様は王子様に救われるだけの無力な存在ではなく、反乱軍を従えた強気な政治家なのです。

レイア姫に心奪われる前、私のヒーローはリンダ・カーター演じるテレビドラマ版のワンダーウーマンでした。パイロット版が放映されたのが1975年11月、私が5歳半のときで、翌年6歳の誕生日を迎える頃に第1シーズンの最初の2話が公開されました。母によると、私はワンダーウーマンの金属製のお弁当箱と水筒を持ち、洋服の下にもワンダーウーマンの下着セットを身につけて小学校に通っていたそうです。きっとアマゾン族の戦士気分で足し算や引き算と格闘していたのでしょう。

そんなわけで幼い私の理想像は、黄金の鷲のビスチェとサテンのタイツに身を包んだワンダーウーマンと、優雅な白いローブをまとったお団子ヘアのレイア姫のあいだを行き来していました。ワンダーウーマンの故郷セミッシラのモデルとなったのはギリシャ神話に出てくる黒海沿岸の古代都市テミスキュラ、そこには女性だけの戦士集団アマゾンが住むと考えられていました。DCコミックスの世界ではウィリアム・モールトン・マーストンの手によって孤島の都市国家へと翻案され、アマゾン族は平和と永遠の命を謳歌する自立した女性たちとして描かれています。フェミニストのユートピアと言ってもいいでしょう。女王ヒッポリタの娘であるプリンセス・ダイアナ（ワンダーウーマン）は最強の戦士となってパラダイス島を離れ、第二次世界大戦の枢軸国軍との戦いに参戦していきます。[*1]

一方、ジョージ・ルーカスの創造した銀河系では、レイア・オーガナは姫でありながらタフで気が強く、それでも周囲から生意気だと叩かれたりしません。恋愛や家族愛のためでなく自らの政治的信念のために行動し、正義のためなら命を投げだす覚悟があります。レイアの属する反乱同盟では、中年の女性（モン・モスマ）が血気盛んな武装組織のトップに立つのはごく当たり前のこと。女性も男性も力を合わせてナチス的な帝国軍の支配に立ち向かっていくのです。

私は子どもながらに、ワンダーウーマンやレイア姫がヒーローとして活躍できるのは、ここではない別の世界だからだと理解していました。私が幼少期を過ごしたのは１９７０年代の基地の街サンディエゴで、伝統的な性別役割分担がまだ根強く残っていました。ハーバードやイェールなどの名門大学がようやく女子学生の受け入れを始めた頃です。教育における性差別を禁止したタイトルナイン法、つまり「合衆国に住むいかなる人も、単に性が違うという理由のみで、政府から財政的援助を受けている教育プログラムや活動において参加を拒否されたり、利益を否定されたりあるいは差別にさらされることはない」という法律が成立したのが１９７２年です。同年、性別にかかわらず市民に平等な権利を保障する「男女平等憲法修正条項」が両院を通過しましたが、必要な批准を得られずに不成立となっています。強い女性のロールモデルがほとんどない時代だったので、私はフィクションの世界を味方につけるしかありませんでした。架空のブラスター銃と防弾ブレスレットで武装して、不確かな将来を夢想する日々でした。

いじめられたり自信をなくしたとき、家族の争いに傷つき、あるいは小学校にうんざりしたとき、私は多くの子どもがそうするように空想の世界へ逃げ込みました。やがて思春期の半ば頃になると、周りの友人が空想の世界から卒業していくのを不思議な気持ちで眺めました。みんな勉強やスポーツやバイトで忙しく、大学進学や恋愛で頭がいっぱいのようです。高校の終わりが近づいても相変わらず夢想にふけっているのは私くらいのものでした。しかし私は模擬国連のメンバー、架空の国連を演じるクラブ活動で事務総長まで務める筋金入りのナードです。空想するのは私にとっては正式な課外活動でした。弱肉強食の現実政治と強欲な資本主義がもてはやされた１９８０年代にあって、私は異なる世界の可能性を想像しつづけました。他国の政治経済システムを学ぶうちに視野が広がり、いま私が生きている現実はけっして唯一の可能性ではないのだと理解できました。

世界を不変ではなく可変のものとして捉えはじめたとき、目の前の現実の問題点がずっとクリアに見えてきました。そして、より奔放な解決策を考えられるようになったのです。

社会の夢は混沌から生まれる

私がユートピアの入り口となる作品に初めて出会ったのが、冷戦のさなか、激動の1960年代の直後だったのは偶然ではないと思っています。歴史的に見ても、政治が不安定な時代には多くのユートピア思想が生まれました。いま現在、ユートピア思想がふたたび勢いを得ているのもうなずける話です。

何千年も前から、数多くの哲学者や神学者、改革者、作家その他の先見的な人たちは、〈ここではないどこか〉を夢見てきました。理想の世界像によって今ある社会の欠陥を炙(あぶ)りだし、新たな社会関係の構築を促(うなが)していったのです。理想社会を描いた初期の作品でもっとも影響力があるのは、おそらくプラトンの『国家』でしょう。私がレイア姫に夢中になった時点から数えて約2350年前の著作です。

『国家』が書かれたのはペロポネソス戦争の余波が色濃く残る時期でした。古代ギリシャの歴史家トゥキュディデスが「史上最大規模の戦争」と呼ぶこの戦争は古代ギリシャ世界全域を呑み込み、ペルシア戦争以降続いていた平和で豊かな黄金時代に終焉を告げました。[*2] 戦争で破壊された多くの犠牲のひとつが、アテネの民主政です。プラトンが生まれ育った時期、ペロポネソス戦争に大敗したアテネでは「三十人僭主(せんしゅ)」と呼ばれる支配者たちが権力を握り、民主政を廃して寡頭(かとう)政治を敷きました。かって豊かだった故郷の政治が荒れ果て、経済が崩壊していくのをプラトンは目の当たりにしました。目の前の世界が大きく変わりゆくなかでプラトンは『国家』を執筆し、理想社会の設計図を描きだしたのです。

それから十数世紀が経った1516年、イングランドの人文主義者で政治家のトマス・モアがユートピアという言葉を考案しました。モアの著作は一般に『ユートピア』と呼ばれますが、正式には『社会の最善政体とユートピア新島についての楽しく有益な小著』という長いタイトルです。ユートピアという言葉の由来については、ギリシャ語で「無い」という意味の接頭辞と「場所」を組み合わせて「どこにもない場所」の意味になったとされますが、一方で「良い」という意味の接頭語と組み合わせても同じ読みができて、この場合は「良い場所」という意味になります。意図的にどちらにもとれるようにしているのです。全文ラテン語で書かれたこの本が英語に翻訳されたのは、著者のモアがヘンリー8世によって処刑され、亡くなった後のことでした。権力者の怒りを買って殺されそうな内容なので、あえて訳さずにおいたのでしょう。

トマス・モアが『ユートピア』を書いたのは、クリストファー・コロンブスやアメリゴ・ヴェスプッチの航海から30年も経っていない頃です。「新大陸」発見の知らせは当時の人々に新世界への夢を抱かせ、同時に今まで当たり前だと思っていた制度の普遍性をめぐって激しい議論を巻き起こしました。口うるさい世襲の地主が農奴に過酷な労働を課し、腐敗したローマ・カトリック教会が権力を握る旧態依然としたヨーロッパ社会は、突如として自らの無知に直面させられたのです。海の向こうに前人未踏の大陸があるくらいなら、今とはまったく違う社会、人間がもっと豊かに暮らせる社会の形もありうるのかもしれないと。

地理的にも思想的にも人々の世界観が大きく揺れ動いたその時期に、モアはラファエル・ヒスロデイという語り手を生みだしました。ヒスロデイはアメリゴ・ヴェスプッチと共に南米のブラジルにあたる地域を冒険し、そこからユートピア島に辿りついて5年間暮らした設定です。ヒスロデイの語るユートピア島の暮らしは、より平等で公正な社会の可能性を当時の知識人たちに突きつけました。貧富の差だけでなく、性別による格差も少ない社会です。プラトンほどフェミニスト的ではありませんが――プラトンは男性も女性もまったく同等に戦士や哲学者となって国を率いる資質があると考えていました――トマス・モアの描いたユートピアは当時のヨーロッパ社会よりもずっと女性の自由が大きい社会でした。

イタリアの哲学者トマソ・カンパネッラも、著書『太陽の都』で独自のユートピアのビジョンを描いています。この本に影響を与えたのが、ポーランドの天文学者コペルニクスの1543年の著書『天球の回転について』でした。マルティン・ルターが宗教改革を打ちだしてまもなく、コペルニクスは地動説という爆弾で西洋の常識を吹き飛ばしました。カンパネッラは地動説の強力な擁護者であるガリレオ・ガリレイと親交があり、彼の活動を支持していました。カンパネッラ自身は地球が太陽のまわりを回っているという考えに否定的だったのですが（イタリアの自然哲学者ベルナルディーノ・テレジオの唱える宇宙観のほうに惹かれていました）、それでも『ガリレオの弁明』を書いて同じイタリア人であるガリレオを力強く擁護し、自然界の真実はありのままに明かされるべきだと常々主張していました。こうした態度が教会の怒りを買い、カンパネッラは異端者として27年近くを監獄で過ごすことになります。

アメリカ先住民との接触、そして天体運動の新たな理解が追い風となり、ヨーロッパは啓蒙時代に

トマス・モアのユートピアの地図

突入しました。理性と科学の台頭を前に王権神授説や封建制といった硬直した考え方が音を立てて崩れだし、やがて1789年にはフランス革命が勃発します。貴族が処刑され、市民は自由・平等・友愛を求めて闘いました。この衝撃的なできごとを受けて、新たなユートピア作品が続々と登場してきます。

社会が急速に変化し、どんな旧習も変えられるという機運が開けたこの時期に、フランスの思想家シャルル・フーリエは「情念引力」という理論を打ちだしました。彼の理論はユートピア社会主義（空想的社会主義）と呼ばれる思想の基礎となり、この思想に感化されて世界中でさまざまなインテンショナル・コミュニティが生まれました。インテンショナル・コミュニティとは人々が自発的に集まり、共通の社会的、政治的、あるいは精神的な目的にあわせて生活を営

トマス・モアの肖像

む共同体のことです。たとえばフランスではファミリステール（社会宮殿）と呼ばれる共同生活の試みが生まれ、１００年以上にわたって存続しました。これについては次章で詳しく見ていきます。

18世紀末から19世紀の動乱に突き動かされ、他の思想家たちも社会の生産と再生産の新たな形を夢想しはじめました。ロバート・オーウェンやアンリ・ド・サン＝シモンがフーリエに影響され、ユートピア社会主義を推進していきます。ペルー系フランス人のフローラ・トリスタンは、女性の解放なしに労働者の解放はありえないと論じました。家庭における夫と妻の関係が、資本家と労働者の抑圧的関係の映し鏡だと最初に見抜いたのもトリスタンでした。また帝政ロシアでは、１８６１年の農奴解放令を受けて生産体制が変化するなかでニコライ・チェルヌイシェフスキーが『何をなす

トマソ・カンパネッラの肖像

べきか』（1863年）を書き、後のボリシェヴィキのメンバーに大きな影響を与えます。ウラジーミル・イリイチ・ウリヤノフ、別名レーニンもこの本の愛読者でした。『何をなすべきか』の主人公ヴェーラ・パーヴロヴナの4番目の夢には、女性が解放され労働者がみずからの労働の果実を勝ちとったユートピアのビジョンが描かれています。「未来は明るく美しいと皆に伝えなさい」とチェルヌイシェフスキーは書きます。「それを愛し、実現に向けて努力し、手元にたぐり寄せ、できるだけ多くを現在の暮らしに取り入れなさい」[*3]

19世紀後半には、社会主義者、社会民主主義者、ニヒリスト、コミュニスト、アナキストといった人たちが初期産業資本主義の社会的・イデオロギー的構造に異を唱え、1日14時間の苛酷な労働や搾取的な児童労働に反対の声を上げはじめました。1892年にはロシアの思想家ピョートル・クロポトキンが『麵麭（パン）の略取』を出版し、協力と相互扶助という人間本性にもとづく分散型の経済を提案しました。クロポトキンは1897年の文章でこう述べます。「誰もがこの豊かさあふれる生活を手に入れられるように闘おう。この闘争のなかにこそ、他の何よりも大きな喜びが見いだされるだろう」[*4]。また1908年には、レーニンのライバルであり医師・哲学者・SF作家だったアレクサンドル・ボグダーノフが小説『赤い星』を発表し、火星に作られた進歩的社会で男も女も力を合わせてユートピア的生活を営む様子を描きました。

大西洋を挟んだアメリカでは、1960年代後半の大規模な社会運動――学生運動、性の革命、公民権運動、ベトナム反戦運動――にインスパイアされて、生活や世界観の新たな選択肢を描く新世代のユートピア作品が生まれました。1974年にはアーシュラ・K・ル＝グウィンがボグダーノフの『赤い星』を下敷きにして『所有せざる人々』（原書の副題は「多義的なユートピア」）を書き上げます。惑星アナレスに暮らす性的に自由なアナキスト共同体には、クロポトキンからの影響も色濃く見られます。冷戦のさなかにあって、ル＝グウィンは優秀な物理学者シェヴェックがアナレスから母星ウラスに旅する設定を使い、西側の資本主義と東側の共産主義の双方が抱える多くの欠陥をフィクションの形で炙りだしました。またアーネスト・カレンバックの1975年の著書『エコトピア』は、環境をテーマにしたエコロジカル・ユートピア作品の草分けとしてカルト的な人気を得ました。この作品の舞台はアメリカ西海岸の一部地域が分離独立してできた架空の国で、環境サステナビリティと完全な男女平等が最優先政策に掲げられ、街には公共の資源回収ボックスやシェア自転車が普及しています。実現可能な未来の青写真として、70年代以降の環境活動家に多大な影響を与えました。ワンダーウーマンのテレビ放映が始まり、スター・ウォーズの第一作目が公開されたのも同じ70年代でした。ジョージ・ルーカス監督自身、反乱同盟の描写は北ベトナムのコミュニストに影響されたと語っています。[*5]

冷笑家はいつだって笑うもの

私は世界の女性運動を研究するX世代の学者です。25年間研究・執筆・教育に携わるなかで、女性を無償ケア労働から解放し、男性を稼ぎ手の役割から解放するような社会関係を構築する方法について考えてきました。大学では幅広い講座を受け持ち、アメリカの超絶主義やキリスト教完全主義、英国やフランスのユートピア社会主義、ドイツや東欧のコミュニズムやアナキズムの考え方を紹介しています。また母親および教員として、若い世代が硬直したジェンダー役割や古くさい成功の定義に息苦しさを感じる様子を目にしてきました。

２０１７年から２０１８年にかけて、著書『あなたのセックスが楽しくないのは資本主義のせいかもしれない』を執筆しました。さまざまな資料や証言をもとに、女性の経済的状況については資本主義よりも社会主義のほうがうまくいっていたのではないかと論じる本です。仕事・子育て・リーダーシップ・性生活・社会活動に焦点を当て、社会主義の政策がいかに現代女性の自立と幸福に貢献できるかを紹介しています。子育てや教育、介護、医療、福祉に対する公的な支援を増やし、社会的セーフティネットを拡充する方向で国の資源を分配すれば、これまで稼ぎ手の役割を背負ってきた男性を含めて、あらゆる人がもっと生きやすくなるはずです。

多くの読者にとって、資本主義のオルタナティブを検討し、それが個人の生活にもたらす影響を考えるのは新鮮な体験だったようです。とくに若い人から熱烈な支持を得ました。反響は世界に広がり、ポルトガル語、日本語、インドネシア語、アルバニア語、ポーランド語、タイ語など、これまで15か国語で翻訳出版されています。ただし、反発する意見も多くありました。社会主義の方向に少しでも進めば、行きつく先はパンを求める行列や強制収容所（グラーグ）だというのです。

出版から5年間、対話を重ねて見えてきたことがあります。多くの人は現在の経済システムが抱える重大な欠陥については認めますが、それに替わる方法を提示するとすぐに「非現実的だ」とはねつけるのです。そこには政治的想像力に対する根強い疑念がありました。「ユートピア的」なアイデアなどまじめに取りあうものではないと思っているようです。

こういう抵抗に出会ったのは、もちろん私が最初ではありません。いつの時代にも、よりよい世界のビジョンを馬鹿にする人はいました。とりわけ女性の暮らしを改善しようとすると手厳しく批判されます。プラトンの描いた理想の共同体は、喜劇作家アリストファネスの冷笑的な作品に対する反論だったのかもしれません。アリストファネスが紀元前391年頃に書いた喜劇『女の議会』では、主人公である主婦のプラクサゴラ（公共心があるという意味の名前）が女性の手で政治権力をつかみとろうとアテネの女性たちに呼びかけます。「誰もがあるものすべてを持てるようにして、全員で共有しよう。誰もが平等な暮らしを享受できるようにしよう。そこには金持ちも貧乏人もいない。広大な農地を持つ地主もいなければ、自らの棺（ひつぎ）を埋める土地すら持たない貧しい農民もいない」[*6]。彼女の弁論に説得されたアテネ市民は公共利用のために財産を寄付しようとするのですが、ここでアリストファネスは「ケチな男」を登場させて水を差します。この男は何も差しださずに、受けとるだけ受けとろうとします。いわゆるフリーライダー問題です。現代でも、公共的な政策を提示すると「不正をする奴がいたらどうするんだ」と反対する人が必ず現れます。公共の利益よりも一部の人の不正を気にする態度は何千年も前からあるのです。

懐疑派の強い抵抗はありつつも、古代ギリシャから現在まで、夢を語る声は途切れることなく続いてきました。ロシア生まれの米国のアナキストであるエマ・ゴールドマンはこう言います。「現存する条件の中で偉大な変革をなそうとする試みや、人類の新たな可能性を探る崇高なビジョンはすべて、ユートピアに分類されてきた」[*7]。ドイツの社会学者カール・マンハイムは、現状維持的なイデオロギーへの対抗手段としてユートピアが必要だと論じています。マンハイムのいうイデオロギーとは、目に見えないけれど至るところにある社会的・文化的・思想的な構造であり、特定の体制を支えて権力側の人間を守るものです。「ある秩序を代表する人々は、かれらの立場から見て原理的に実現不可能と思われる存在の構想すべてをユートピアと見なすだろう」とマンハイムは1929年に書いています[*8]。今ある体制から利益を得ている人にしてみれば、現状を脅（おびや）かすような考えはすべて「ユートピアにすぎない」と一蹴したほうが都合がいいのです。また世の中の規範的なイデオロギーに浸かって生きていると、それ以外の選択肢が想像できなくなります。そして多くの人はそのまま追従します。

今あるやり方しか知らないとき、私たちは現状を肯定しがちです。行動経済学ではこれを「現状維持バイアス」と呼びます。何かを変える選択をしたら、今よりもっと悪くなるかもしれない。その責任をとりたくないから、何も変えないでおこうというわけです。[*9] 心理学者ダニエル・カーネマンとエイモス・トヴェルスキーの有名な理論によると、人は何か行動を起こして悪い結果になると、何もせずに悪い結果になったときよりも大きな後悔を感じます。人は後悔を嫌いますから、何もしないほうがずっと楽なのです。現状に甘んじれば――たとえそれが嫌な現状であったとしても――後悔する可能性は減ります。[*10] 認めたくないかもしれませんが、私たちは夢見ることを恐れているのです。あるいは疲弊し、逃避しているのです。

現状を打破する発想には、勇気が必要です。

だからこそ、別の未来を描くユートピア思想は、社会が混迷している時期に現れるのでしょう。世の中の秩序が崩れ、固定的で不変だと信じていた現実から人々が解き放たれるからです。戦争、パンデミック、自然災害、科学的な大発見といったできごとは、世界に一貫性を与えていたイデオロギーに亀裂を入れます。ちょうど映画『トゥルーマン・ショー』のジム・キャリーが、人生すべてリアリティ番組だったと気づくように。『マトリックス』のキアヌ・リーブスが、今まで見ていた世界はコンピューターによる仮想現実だったと気づくように。急激な変化は私たちの知覚している現実を揺るがし、思いもしなかった可能性に目を開かせます。『エコトピア』の著者アーネスト・カレンバックは、2008年のインタビューでこう述べます。「今あるものと根本的に異なる世界を想像するのは難しい。しかし異なるビジョンがなければ、そこで行き止まりだ[*11]」

私たちは自分自身の根深い現状維持バイアスに抗い、冷笑や無気力という心の防衛機制を手なずける必要があります。夢を見られなければ、進歩は不可能だからです。新型コロナのパンデミックが起こる以前、ベーシックインカムなど不可能だと誰もが思っていました。「政府が金を配るなんてありえない」と言われました。それでも2020年のパンデミックを受けて、多くの国がそれを実行に移したのです。

「ユートピアの消滅は、停滞状態をもたらす」とマンハイムは警告します。「人間は物質と変わらなくなり……ただ刺激に反応する生物になる[*12]」

過去のユートピアの多くが失敗に終わったことは否定できません。しかし忘れてならないのは、そうした試みが多数派からの執拗な攻撃を受けていた事実です。現状維持バイアスは強力です。長年の伝統に抗うと激しい反発に遭います。村人による襲撃からカトリックの異端審問までその例には事欠きません。本書でこれから紹介する人たちも、嘲笑され、迫害され、追放され、破門され、投獄され、あるいは殺されてきました。ユートピアは内部に矛盾があるから長続きしないんだと言う人もいますが、もし放っておいても勝手に崩壊するのなら、なぜ権力者は躍起になってそれを潰そうとするのでしょう？

この本は何か特定のユートピア思想や実践を推進するものではありません。それよりも、歴史を通じて何度でも挫(くじ)けず立ち上がってきたユートピアの軌跡を伝えたいと思っています。世の中の状況に応じて、人はさまざまなユートピアを求めてきました。今から新しい挑戦に身を投じようとしている人も少なくありません。どんなにリスクがあろうと、どれほど多くの試みが失敗に終わろうと、どれだけユートピアは危険だと諭(さと)されようと、それでも人は新たな生き方を夢見ることをやめないのです。

パンデミックで社会が混乱し、気候危機の不穏な影響が現れ、世界中に孤立と絶望感が広がる現在、私たちはふたたびユートピアの夢を見るべき地点に立っています。人類の存続がかかっているといっても過言ではありません。

クレイジーな人が世界を変える

ここ10年で、ポジティブな未来を描く本が続々と登場しました。一見途方もないそれらの政治的・経済的変化は、徐々に現実的な可能性として議論されはじめています。フランスの経済学者トマ・ピケティは、所得格差を解消するために、資本に対する世界的な累進課税を提唱しました。[*13] オランダのジャーナリストであるルトガー・ブレグマンは「現実主義者のための」ユートピアとして、国境開放や週15時間労働の実現を論じました。[*14] ギリシャ系アメリカ人のエンジニアであるピーター・ディアマンディス（人類に有益な技術開発に賞金を出すXプライズ財団の創設者）と科学ジャーナリストのスティーブン・コトラーは、人工知能とロボット工学のめざましい進歩に着目し、食糧不足や高齢化、気候変動といった問題への解決策を提案しています。またイギリスのジャーナリストであるアーロン・バスターニは著書『ラグジュアリーコミュニズム』のなかで、安価な再生可能エネルギーや小惑星採掘、ゲノム編集などの技術によって、あらゆる人が健康と余暇を楽しめるポスト欠乏社会がやってくると論じました。

こうした新たなユートピア論を見ていて私が面白いと感じるのは、その関心が主に公的な領域に向いていることです。国の経済を批判する一方、私たちの私的な生活については何も問題ないかのようです。ですが、私たちがどこに住み、どうやって子どもを育てるのか、物とどう関わるか、友人や家族やパートナーといかに付き合うかは、税制やエネルギー価格や雇用と同じくらい重要な問題です。次世代の育成を担う私生活の領域は、政治と経済を直接的に支える場です。そこを変えずに、どうして政治と経済を変えられるでしょう。

政治経済システムは人々の富や力を蓄積し、分配するものです。「人々」がいなければそのシステムは回りません。だからこそプラトンやトマス・モア、シャルル・フーリエといった思想家は、政治的な改革や革命を成功させるために、家族やコミュニティの営みを考え直していったのです。続く各章で見るように、過去のユートピア思想家たちは親密圏の変化こそが強靭で調和した社会の構築につながると信じていました。

私生活の領域を見直そうと提案すると、他のどんな分野より激しい抵抗を受けるのも事実です。なぜ多くの現代人がこの種の変化を恐れるのか、私はいつも不思議に思っていました。人類学者のウェイド・デイヴィスはこう言います。「あなたの生まれ落ちた世界は絶対的な現実ではなく、現実のひとつのモデルにすぎない。それは特定の知的および適応的な選択の結果であり、どれほど成功していようと、何世代も前の祖先が選んだものにすぎないのだ」[*15]。日々の生活を送りながら、歴史の流れの外に出て現実を観察するのは簡単ではないかもしれません。もしも私たちの祖先が別の「知的および適応的な選択」をしていたら、ものごとはどう変わっていたのか。その選択の結果はどんな光景なのか。過去を見失ったとき、私たちは別の選択肢があったこと、選ばれなかった道筋が存在した事実さえ忘れてしまいます。そして今ある現実が不動のものに思えてきます。どうせ現実は変わらない、変わったとしても悪くなるだけだと、自分に言い聞かせるようになるのです。

　営利企業やシンクタンクでは、現実的な制約を気にせずあらゆるアイデアを出しあうブレインストーミングが広く取り入れられています。そのように常識にとらわれない発想は、ブルースカイ思考（青空思考）とも呼ばれます。画期的な技術や製品を生みだして消費者の心をつかむためには、上司の言うことをきくだけでなく、起業家の頭で考えなければいけません。だからビジネスや科学の世界ではブルースカイ思考が推奨されます。それなのに生活の領域で今までにない発想をすると、危険だからやめておけと言われるのです。

　アップルコンピュータ（現アップル）社はブルースカイ思考の好例でしょう。１９８０年代の急成長のあと、業績が低迷したアップルは共同創業者のスティーブ・ジョブズを会社に呼び戻して復活を図ります。90年代後半、ジョブズの復帰とともに同社が展開した「シンク・ディファレント」（Think Different）キャンペーンは、ブルースカイ思考の精神を強く印象づけるものでした。今や伝説となった当時のテレビコマーシャルでは、ジョブズ本人のナレーションが流れるなか、モノクロの映像でマハトマ・ガンジーやマーサ・グレアム、マーティン・ルーサー・キング・ジュニア（キング牧師）、フランク・ロイド・ライト、アルフレッド・ヒッチコック、マリア・カラス、ジョン・レノンとオノ・ヨーコといった人たちが映しだされます。「クレイジーな人たちがいる。はみだし者、反逆者、厄介者。四角い穴に丸い杭（くい）を打ち込むように、ものごとを違った目で見る人たち」。ジョブズはそう語り、「現状を尊重しない」人が「人類を進歩させる」のだと言います。「彼らをクレイジーだと言う人もいるが、我々は天才だと思う。世界を変えられると思えるほどにクレイジーな人たちこそが、実際に世界を変えるのだから[*16]」

ユートピア的な思考には世界を変える力がある、と明確に肯定するメッセージでした。そんなパワフルな思考を、アップル製品の開発だけに留めておく理由があるでしょうか？

学問の世界では、ブルースカイ思考が地球工学の分野を支えています。地球工学とは、地球の気候システムを技術的にハックして気候変動の有害な影響を防ぐ研究分野です。[*17] たとえばケンブリッジ大学の気候修復センターは、海の緑化やカーボンリサイクル、北極と南極の再氷結、硫酸塩エアロゾルを大気中に散布して気温上昇を防ぐなどの技術を提案しています。[*18] シリコンバレーでは新たな夢想家たちが不老長寿テクノロジーの開発を進めています。[*19] 人工生命の研究者たちは想像力の限界を押し広げ、複雑系から意識ある存在が生まれるしくみの解明に取り組んでいます。[*20] テック系の起業家は「さっさと動いて破壊せよ」の精神で、社会全体のコストを考慮せずに利益を追求していきます。イノベーションの莫大な利益が少数の手に集まっていく社会経済システムさえ脅かさなければ、民主主義も壊しかねない勢いです。

もちろん、型破りな発想なら何でもいいわけではありません。20世紀の歴史は、ユートピアの夢がひどく間違った方向に進む実例を見せてくれました。しかしそこから学ぶべきは、夢を諦めて現状に甘んじろというメッセージではないはずです。世の中には、今あるシステムから都合よく利益を得ている人たちがいます。その大半は男性で、白人で、例外なくお金持ちです。その人たちにしてみれば型破りな政治的発想は脅威ですから、全力で人々の不安を煽ろうとします。個々の家族の負担を減らすようなアイデアなど、考えるだけでも危険だと思わせておきたいのです。でも惑わされてはいけません。昔ながらのアイデアを新たな形で試してみれば、女性の重荷を減らせるだけでなく、強靭で豊かなコミュニティを通じてあらゆる人の暮らしを改善できるはずです。

前作では国の政策や経済システムに焦点を当てましたが、本書ではさらに視野を広げ、コミュニティ主導の自律的な取り組みを広く紹介していきます。その思想的背景はさまざまで、なかには明確に宗教的なものもあります。ユートピア共同体の驚くべき多彩さにふれることで、連綿と続いてきたユートピア思想のしなやかさを実感していただけたらと思います。キリスト教やユダヤ教、ヒンドゥー教、仏教その他の宗教から、アナキスト、平和主義者、社会主義者、フェミニスト、環境活動家まで、実に多彩な人たちが家庭とコミュニティについてよく似た考えを提示してきました。背後にある思想は違っても、基本的には同じところを目指す取り組みが、2500年前から現在までずっと続いているのです。

家父長制の2つの父ワード

家庭生活の再編をめざすユートピアのビジョンを理解するためには、そこに立ちはだかる支配的イデオロギー、すなわち家父長制を知ることが不可欠です。

家父長制（patriarchy）は「父の支配」を意味するギリシャ語に由来します。長男など特定の条件を満たす人が家父長となり、それ以外の人を抑圧する装置として長く機能してきました。家父長制は労働者や消費者としての公的な生活を規定し、同時に私的な生活のごく親密な部分まで制御しています。ただし「父の支配」は単に上から誇示されるだけでなく、家族をめぐる社会の慣習によっても支えられてきました。家父長制の土台として重要な2つの慣習が「父系制」（父方の家系を引き継ぐ制度）と「父方居住」（妻が生家を出て夫の家に住む制度）です。この両者は今でも世界中の人々の暮らしに浸透し、伝統的家族のイメージが比較的薄い現代の文化圏にもはっきりとその影響を残しています。「#くたばれ家父長制」を実現するためには、父系制と父方居住という2つの強敵を避けては通れないのです。

父系制とは、父方の家系を優位に置く一連の社会的慣習を指します。たとえば旧約聖書の創世記第5章と第11章には、アダムからノアへ、セムからアブラムへの「系図」がそれぞれ綴られ、そこには父とその長男の名前だけが延々と記されています。また現代でも、西洋風の結婚式では父親が娘を新郎に「引き渡す」場面がよく見られますが、これも父系制の伝統の表れです。２０１５年の数字でアメリカ人女性の7割、２０１６年の数字でイギリス人女性の9割が結婚で夫の姓に改姓しているのも父系制のなごりです。[*21] 異性愛カップルの子どもがたいてい父親の姓を名乗るのも同じ理由です。２０１８年にアメリカの出産・育児情報サイト「ベビーセンター」が実施した調査によると、異性愛カップルの子どもが母親の姓を名乗る割合はたった4％でした。[*22] 10か月も妊娠したあとで大変な思いをして子どもを産むのは母親のほうなのに、おかしな話です。ベルギーでは２０１４年になるまで、婚姻関係にあるカップルの子どもは父親の姓を継がなければならないと法的に決められていました。[*23] クリスマスカードに「アンダーソン家より」と書かれていたら、それは曾祖父から祖父へと、祖父から父へと代々受け継がれた父系制の苗字が家族全員を表しているという意味です。

歴史的にいって父系制は、結婚するときに、女性の身体に対する権利が父親から夫へと移ることを意味していました。たとえばフローラ・トリスタンが生きていたのは１８０４年に公布されたナポレオン法典の時代ですが、この広範な民法典のもとでは、結婚した女性は夫に従わなければならず、夫と一緒に住み、夫が転居するときは必ずついていき、資産も賃金もすべて夫に渡して管理を一任する決まりになっていました。[*24] １８１６年には離婚が合法から再び非合法になり、フランスの女性はどんなに横暴な夫にも耐えるしかなくなりました。フローラ・トリスタンが悲惨な結婚からなんとか逃れられたのは、夫が刑務所に入ったあとのことです。夫は娘を何度も性的に虐待し、さらに白昼堂々パリの街中でトリスタンを至近距離で銃撃して逮捕されたのです。終身刑の夫と別れたあと、トリスタンはユートピア社会主義者として名を馳せます。彼女は単婚制の縛りのなかで妻を夫に従属させる制度が、女性の貞節を守り「嫡出子」に財産を継がせるためのものだと理解していました。革命後のフランスで力を持った有産階級は、新たな家族法によって自分の息子に私有財産を確実に継がせようと目論んだのです。どこの馬の骨ともしれない男の息子に自らの富と特権を取られないよう、財産を持つ男性はなんとしても妻の貞節を守りたかったわけです。

　妻を夫の従属物とする法律は今でも世界中に存在しますし、欧米諸国でもそれが撤廃されたのはここ１５０年ほどの話です。イギリスで既婚女性に財産の所有と売買が認められたのは、１８８２年に既婚女性財産法が施行されたときでした。アメリカでは１９０７年の移民法の定めで、移民と結婚した女性は自動的に市民権を失い、夫が市民権を得たときにあらためて帰化申請をする必要がありました。[*25]この規定が完全に廃止されたのは１９４０年になってからです。また西ドイツでは１９５７年まで、女性が外で働くには夫の許可が必要でした。働く場合でも家事の妨げにならない程度に限るという規定があり、この規定は１９７７年になるまで存続していました。[*26]

　アメリカで女性参政権が認められたのは１９２０年のことですが、１９７５年まで既婚女性は夫の姓で投票するという決まりがありました。また運転免許証やパスポートに旧姓を使う権利をめぐっても長い闘いがありました。[*27]日本では２０２１年６月に、夫婦同姓を強制する法律を最高裁が合憲と判断しています。[*28]法律上は夫婦いずれの姓を選んでもかまわないのですが、現実には夫の姓を名乗る夫婦が96%を占めます。こうした父系制の圧力に対抗するため、ギリシャなどの国やカナダのケベック州では、結婚後に女性が夫の姓を名乗ることを全面的に禁止しました。[*29] カナダには白人入植者が母系制の先住民に父系制の命名規則を押しつけた歴史があります。「先住民の法ではなく、欧州の財産法に準拠する形での遺産分割を定める」ための制度でしたが、２００８年から２０１５年にカナダ真実和解委員会の働きかけによって先住民の伝統的な名前が取り戻され、姓を持たない単名の使用も認められるようになりました。[*30]

父方居住は、結婚するときに女性が元の家族を離れて夫の世帯に入る慣習です。多くの場合、夫の家族と一緒に住んだり、その近くに居を構えたりします（『高慢と偏見』の主人公エリザベス・ベネットも、生家のあるロングボーンを離れてダーシー氏の住むペンバリーに移り住みました）。アジアやアフリカの多くの地域では、今でも妻が夫の親と同居して義両親に奉仕する慣習があります。ギリシャでは１９８３年に家族法が改正されるまで、既婚女性の法律上の居住地は自動的に夫の家になっていました。先進工業国では親とは同居せずに新たな世帯を作る人が増えていますが（新居住と呼ばれます）、父親を世帯の長とする父系制のなごりで、今でもやはり男性に稼ぎ手の役割が期待されています。２０１７年の米国の調査では、男性の72%、女性の71%が「良い夫」の条件として家族を養える経済力を挙げました。[*31] 国際的なアウトソーシングや機械化で雇用が不安定化する厳しい状況下で、男性は大きなプレッシャーに晒されています。女性の稼ぎ手の割合も年々上がってきたとはいえ、共働きの異性婚世帯の約71%で夫の稼ぎが妻を上回っています。[*32]

男性が妻や恋人の仕事の都合で転居することが少ないのも、父方居住の伝統によって説明がつきます。フルタイムで大学に勤める研究者９０４３人を対象にした２００８年の調査によると、大学勤務のパートナーがいる人が36%、異業種にパートナーがいる人が36%でしたが、たがいのキャリアの兼ね合いに苦労しているのは圧倒的に女性でした。男性が自分のキャリアを優先する一方、女性は「研究者としてのキャリアの意思決定に、パートナーの雇用状態や雇用機会が大きく影響する」と答える人が多くいました。他大学からの仕事のオファーを断る理由の第1位が、「転勤先ではパートナーの仕事が見つからないから」でした。[*33]自分の給料や福利厚生、研究費、昇進のチャンスよりも、パートナーの仕事を優先していたのです。大学の世界でそれなりの昇給を得るためには新たな大学に移るのが一般的なので、女性が自分の都合で移動しない傾向は男女間の賃金格差の悪化要因にもなります。

　大学勤務に限らず、女性はパートナーの都合で別の都市や国に移動する傾向が高くなっています。転居をともなう転職を考えるとき、給料が高いほうのキャリアを優先するのが合理的だからです。そうして女性がパートナーの都合で仕事を離れると、女性は離職率が高いから頼りにならないという偏見を生み、企業はより安定した働き手である男性に高い給料を払おうと考えるかもしれません。また、パートナーの都合で慣れ親しんだ土地を離れる女性は、それまでの社会的なつながりを失います。家族や友人と離ればなれになり、育児のサポートも得られなくなる可能性があります。そうして孤立すると、転居先で新たなキャリアを築くことはなおさら難しくなります。

　あまりに多くの女性が、高い学歴やスキルを持ちながら、家庭との両立が難しいせいでキャリアを諦めています。２０１６年の米国の調査では、家庭外での仕事をしていない女性の78%が、家事と育児で忙しいから働けないと答えています。[*34]男性よりも平均所得が低く、無償のケア労働を期待される女性たちが、セーフティネットの乏しい社会を生き抜くために「上昇婚」を志向するのも無理はありません。どうせ稼げないなら、所得の高い男性と結婚して生活を支えてもらおうということです。この傾向は家庭での男性の地位を高め、父系制と父方居住のさらなる強化につながります。そのうえ、妻の所得が夫を上回っている家庭でさえ、家事と育児の負担は女性に偏りがちです。だから多くの女性は、今とは違う家族の形を切望するのです。[*35]

父方居住は数あるやり方のひとつにすぎません。世界にはかつて、もっと多様な家族の営みが根づいていました。しかし何世紀にもわたる西洋の植民地支配によって家父長的な家族の形が世界中に拡散され、今では母系社会の数は30に満たなくなっています。そのひとつはチベット仏教を信仰するモソと呼ばれる人々で、夫も妻も転居する必要のない魅力的な母系制の伝統を保っています。

モソ人の社会では、祖母たちが多世代にわたる大家族を取り仕切ります。女性は母方の家系を通じて財産を相続・所有し、母方の親戚と一緒に暮らします。男性は母方の祖母の家に住みながら、一種の「通い婚」をします。夜だけ相手のところに行って関係を持つのです。男性も女性も好きなだけ多くの相手と交わり、そこに後ろめたさはありません。子どもの父親が誰だかわからないことも普通にあります。そもそも「父親」という概念自体がほぼ存在せず、男性は親としての責任を期待されないのです。それよりも大事なのはおじさんとしての役割、つまり女きょうだいの子育てを支える役目です。正式な結婚がないので、男性も女性も好きな相手と付き合えばよく、魅力を感じなくなったらいつでも関係を解消できます。離婚にともなう経済的ダメージや子どもへの影響を心配する必要はありません。

こうしたモソ人の家族形態がかなりラディカルに見えるとしたら、それは私たち自身のなかに父系制と父方居住の伝統が根深く居座っている証拠です。

政治的なことは個人的なこと

父系制と父方居住という2つの伝統は、女性と子どもを男性の所有物とみなす社会関係を維持する役目を果たしています。ユートピア思想家たちは古くから、家父長的な家族の経済的条件を憂慮し、新たな家族のしくみが必要だと考えていました。哲学者プラトンも、奴隷を所有する核家族という古代ギリシャの家族観を批判しています。大きな共同家族で暮らし、子育ては保育士にまかせたほうが人々の暮らしはよくなるというのです。プラトンの描く理想社会では、各家庭がお金の問題に頭を悩ませる必要はありません。「子供の養育や、家人たちを養うために必要な金稼ぎなどにあたって味わう、さまざまの困惑や気苦労だとか――借金をしたり、支払いを断わったり、八方手をつくしてかき集めてきて、妻や家人たちにあずけて家計のやりくりをまかせたり」といった苦労は存在しないのです。[*36]

個々の家族の利害を考えていたら公共の利益のために働く意識が低くなる、とプラトンは見抜いていました。だから家族のしくみを再考して「人間たちが金銭や子供や親族を所有することによって起すいっさいの争いごと」をなくそうとしたのです。「もし彼らが真の意味での守護者であろうとするならば、この人たちは家も土地もどんな持ちものも、いっさい自分だけのものとして私有してはならない、国を守る仕事の報酬として他の人々から暮しの糧(かて)を受け取って、みなで共通に消費しなければならない……各個別々のものを『私のもの』と呼ぶことによって、国を引き裂くようなことがないように」[*37]

最近の例では、物理学者で数学者のフリーマン・ダイソンが、家父長的家族の経済的要求に悩んだ体験を語っています。ダイソンは彗星上で生育できる遺伝子組み換え植物や、恒星をすっぽり覆う人工の生命圏といった壮大なアイデアで知られる物理学者ですが、２０１２年に学生から「科学以外で苦労した問題」について質問されたとき、「社会主義の思想を持ちながら資本主義社会に適応すること」と答えています。ダイソンは第二次世界大戦中の英国で暮らしたあと米国に移住しましたが、そのときの経験を次のように語っています。

戦時中の英国では、社会主義がうまくいっていたんです……お金は重要ではなかった。食料も衣服も石けんも、生活に必要なものはみんな同じだけ配給を受けていた。安っぽいものでしたが、ほかに買えるものもない。ガソリンも手に入らないので、公務以外では車だって使えません。社会主義者にとってはなかなか素敵な生活でしたよ、戦争が続いているうちはね。……家族を持ってからは、父親の責任を果たすために、社会主義者としての原則を曲げなければなりませんでした。妻子を養うにはお金が必要で、お金は多ければ多いほどいいわけです。子どものためにいい地域に住んで、いい学校に入れて、と考えるうちに、平等という理念が薄れていくんです。[*38]

夢想家たちは古くから、より調和した社会を築くためには、個々の家族を経済活動の単位として考えることをやめなければならないと理解していました。妻や子どものために他者を排除する結果になるからです。さらに重要なのは、物質的な欠乏が社会の分断を招く点です。公的な支援の欠如によって住宅・医療・教育といった重要なリソースが不足しているとき、政治家は庶民を簡単に分断して支配できます。誰もが基本的なニーズを満たすのに必死ですから、他人はみんな競争相手となり、協力して社会全体を底上げしようという発想ができなくなります。自分の家族だけを見ていたら、実際に暮らしが楽になるような公的な政策の可能性も見逃してしまいがちです。

家族も私有財産もない社会というプラトンの理想は少々過激に見えるかもしれませんが、重要なのはそうしたユートピア的発想が貴重な思考のツールになるということです。夢はたとえ実現しなくても「こんな可能性があるんだ」という想像力を広げてくれます。想像力の幅が広がれば、実際に達成できる世界の景色も変わってきます。いわゆる「オヴァートンの窓」が広がるのです。はるか遠い地点を示したおかげで、実際に社会がいくらか良いほうに動いた例は少なくありません。プラトンの理想は、後の章に出てくる多くの夢想家に影響を与えました。フランスのシャルル・フーリエ、アメリカのジョン・ハンフリー・ノイズ、ドイツのクララ・ツェトキン、イスラエルのキブツのメンバーなど、多くの人が共同育児を推進しています。先鋭的な集団育児の試みは失敗に終わった例も多いのですが、それらは公立の保育園に子どもを預けることが可能なのだと私たちに気づかせてくれました。結婚についても同様です。結婚制度は今でも残っていますが、昔のように解消不可能なものではなくなりました。配偶者に重大な過失がなくても離婚できるというのは、かつては小惑星採掘と同じくらい遠い話だったのです。

近年のグローバルな動向は、人々の認識に揺さぶりをかけています。もはや惰性で生きよう、現状に甘んじようとする傾向は通用しなくなってきました。若い世代は既存の家族の形を実際に変えはじめています。それは暗黙のうちに、父系制と父方居住の伝統に挑む行為です。クィアな関係性やポリアモリー、友情による結びつきも受容されてきていますし、家父長制の束縛をゆるめる方向で家族や教育、キンシップ（類縁関係）のあり方を再創造している若者たちもいます。[*39] ラディカルな政治的意図を抜きにしても、住空間のシェアやコワーキングスペース、リモートワークの普及によって暮らしや働き方が多様化し、所帯を持って会社で働くという従来の大人のイメージが変化してきました。計画的な共同生活に惹かれる人もいれば、結婚やマイホームといった慣習を避けて生きる人もいます。いずれの傾向も、女性に押しつけられがちな家事・育児や介護の負担を軽減させる効果が期待できます。

　環境問題への懸念から、20代や30代の人のあいだで「出産ストライキ」の風潮も高まっています。[*40] 現在の世界で子どもを作るのは、地球環境に対して無責任ではないかという考え方です。また社会心理学者のイーライ・フィンケルは、結婚が「全か無か」の極端な選択にならないように、「その他の重要な他者」を持つことが重要だと説いています。[*41] アメリカの一部の州では、親が3人いる家族が法的に認められました。さらに生殖技術が進めば、子どもの作り方も大きく変わってくるでしょう。人工子宮の実用化まであと10年もかからないと考える科学者もいます。[*42] 社会が急速に変化する今だからこそ、家父長制を存続させている社会的・文化的信念に注意を払い、それが日々の生活にどう影響しているのかを知っておく必要があります。私たちが「自然」だと思っている伝統は、数千年にわたる父系制・父方居住の実践によって形作られたものであり、一握りの権力者（通常は男性）の支配力を強化してきました。今こそ、それを変えるときです。

　本書では、住まい、育児、教育、物の共有、家族の定義を変える新たな選択肢を探っていきます。父系制と父方居住を無自覚になぞる信念や慣習が弱まれば、時代遅れで抑圧的な「女らしさ・男らしさ」のステレオタイプから自由になれます。それは今より生きやすく民主的な社会の可能性を切り開き、伝統的な家族に見られる権威と支配の関係性から社会全体を解放することにつながります。多忙な労働は減り、友人は増え、家族はもっと幸せに暮らせるはずです。

さらに本書はディストピアへの根強い恐怖についても考察し、困難はあっても断固として希望を持つ姿勢を論じていきます。最近では楽観的な人をお花畑だと馬鹿にして、シニカルに冷笑する態度がもてはやされるようです。「世界を変えよう、世界は変えられる」と一生懸命呼びかけるよりも、諦観した様子で世の終わりを嘆いているほうがスマートに見えるのでしょう。でも歴史を振り返れば、希望を持つ人たち、過激な夢を見る人たち、クレイジーな発想をする人たちこそが社会を進歩させてきました。「希望を持つとは、未来に身を捧げることだ」とフェミニストで歴史家のレベッカ・ソルニットは言います。「未来への献身が、現在を生存可能な場所にするのだ[*43]」

ユートピア思想の歴史を振り返り、その現代的な実践について学ぶことは、「変化は危険だ」と言い立てるイデオロギーから私たちの手に政治的想像力を取り戻すための大事な一歩になります。ユートピアの概念は道を切り開く力となり、新たな暮らしに踏みだす勇気と好奇心と確信を与えてくれるでしょう。

キング牧師と宇宙大作戦

私が生まれたのは1970年、世の中の常識が大きく揺れ動いた時期でした。ワンダーウーマンの制作陣はパラダイス島のプリンセスを第二次世界大戦の時代に投げ込みましたが、この最強の女性戦士の登場が女性のためのフェミニスト雑誌「ミズ」の創刊と時を同じくしていたのは偶然ではありません。1972年の創刊号の表紙に大きく書かれたコピーは〈ワンダーウーマンを大統領に〉でした。

それから11年後、私のもう一人のヒロインであるレイア姫は金属製のビキニ姿で、巨大なナメクジのような悪党ジャバ・ザ・ハットにとらわれていました。しかし自分を縛っていたその鎖で、みずからジャバ・ザ・ハットを絞め殺すのです。

ペンシルベニア大学は１９７４年になるまで女性の入学を制限していましたが、今では女性の私が正式な教授となり、学科長も務めています。セクシズムにも負けずにここまで来られたのは、ワンダーウーマンとレイア姫のおかげかもしれません。女性が抑圧されない世界がありうるのだと、あの二人が教えてくれたからです。フィクションのキャラクターではありますが、二人はたしかに私の世界を変えてくれました。

もうひとつ、リアルタイムでは見られなかったのですが、私が生まれる数年前に重要なＳＦ作品が誕生しています。ユートピアを描いたポップカルチャーとしてもっとも長期にわたり絶大な影響力を誇る『スタートレック』シリーズです。１９６６年に放映開始されたシリーズの生みの親であるジーン・ロッデンベリーは、人類があらゆる紛争を乗り越えて宇宙規模の平和を築いたポジティブな未来を創造しました。地球は「異なる世界と種族が普遍的な自由、権利、平等の原則を共有する恒星間規模の連合」である惑星連邦の一員となっています。[*44] アフリカ系の通信士官ウフーラを演じた女優ニシェル・ニコルズは２０１１年のインタビューで、マーティン・ルーサー・キング・ジュニア（キング牧師）に初めて会ったときのことを回想しています。キング牧師はスタートレックの大ファンだと言い、この番組だけは子どもたちに夜更かしして見せてやっているのだと話しました。当時ニコルズは番組を離れて舞台の道に進もうかと考えていたのですが、キング牧師がそれを止めました。ニコルズは次のように振り返ります。

「ステレオタイプ的でない役を手に入れたのは君が初めてじゃないか、とキング牧師が言ったんです。尊厳と知性のある立派な役柄だと。そしてこうおっしゃいました。『簡単に手放さないでください、とても重要な役なのだから。我々はそこを目指してデモ行進をしているんです。テレビでそんな光景が見られるなんて思いもしなかったんですよ[*45]』」

　黒人女性であるニコルズが宇宙船エンタープライズ号のブリッジで活躍する姿は、当時の視聴者たちに差別のない平等な未来の可能性を見せてくれました。のちに続編に出演したウーピー・ゴールドバーグも、２０１４年のインタビューでこう語っています。「子どもの頃に番組を見て、わあ、未来にも私たち（黒人）はいるんだ、と思いました。ウフーラが教えてくれたんです[*46]」

「想像力は知識よりも重要である」と、アルベルト・アインシュタインは１９３１年に言いました。「知識には限りがあるが、想像力は全世界を包み込む。想像力は進歩を促し、進化を生む[*47]」

　私たちは新しい時代の入り口に立っています。ロッデンベリーが描いたポジティブな未来をめざして、次世代の人類により良い世界を残そうと多くの人が努力しています。父系制や父方居住のような古い考え方はその役には立ちません。新たなアイデア、新たな夢、別の未来を想像する勇気が必要です。今こそスティーブ・ジョブズが言ったように、考え方を変える時です。

　はるか彼方の銀河系に別の世界を夢見ることができるなら、その実現に向けて勇敢に踏みだすこともきっと可能です。日々の暮らしを、ユートピアに変えていきましょう。

第2章 家庭とは壁のあるところ？

こんな暮らしを想像してみてください。同世代の気の合う人たちが何百人も集まり、共通の目的を持って一緒に生活している。ルームメイトが一人か二人、ほかにも毎日顔を合わせる仲間が大勢。居間やバスルームはみんなでシェアし、食事は広い食堂で、ずらりと並んだビュッフェから各自好きなものを取る。必要なものはすべて徒歩圏内にそろっている――図書館、フィットネス、コンサートホール、美術館、スポーツ競技場、それに講堂。

学生時代にそんな寮生活を経験した人は、よく「人生で一番楽しい時期だった」と語ります。なにしろ社交の場には事欠きません。親しい友人と部屋の床に座って話し込んだり、中庭で盛大なパーティーを開いたり。初めて親元を離れて暮らす学生にとって、大学での共同生活は生涯つづく友情を育んでくれる場所です。学生時代が懐かしく思えるのは、若かったからだけでなく、共同生活が楽しかったからではないでしょうか。

私が初めてそんな学生生活を味わったのは1988年のことでしたが、1年いただけでカリフォルニア大学サンタクルーズ校を退学してしまいました。もうすぐ核戦争で世界が終わると思ったからです。夏のあいだ3つの仕事を掛け持ちしてお金を貯め、ヨーロッパへの片道チケットを買いました。そのあとも旅の資金を稼ぐ必要があるので、ビザなしでイギリスの裕福な家の住み込みベビーシッターになりました。上流階級のイギリス人の暮らしは未知の世界でした。ロンドンの広々としたフラットと、オックスフォードシャーにある巨大な邸宅を行き来する日々です。贅沢な暮らしでしたが、なんだか孤独で寒々しい気もしました。父親と母親と三人の子どもは、別々の個室でぽつんと過ごしています。赤ちゃんが夜中の3時に泣きだしても、目覚めて様子を見にいくのは私ひとり。ご両親の指示で、アルコール入りの咳止めシロップを少量与えて眠らせます。家のなかでは無駄な会話は嫌がられ、子どもたちは上品な発音を練習するとき、口が大きく開きすぎないように奥歯で鉛筆を噛まされます。

　そんな環境で4か月ほど働いてからイギリスを離れた私は、今度は学生寮を思わせるコミュニティで生活することになりました。その場所はイスラエルのキブツ・ハツェリム。ネゲヴ砂漠にあるベエルシェバの街の近くで共同生活を営むキブツ（農業共同体）です。大学と違うのは、授業のかわりにいろんな仕事を交代でこなすことでした。果樹園でアボカドを摘み、食堂の業務用食洗機に食器を出し入れし、農地用の灌漑（かんがい）パイプの工場で夜のシフトにつきます。ベビーシッターをしていた孤独な日々にくらべると、そこでの生活は人とのつながりに満ちていました。1946年に創設され、ソ連から逃れてきたポーランド系ユダヤ人の住処（すみか）となったキブツ・ハツェリムは、共同体の精神と実践が体現された場所でした。誰もが親戚のようにつながりあい、子どもたちは親以外のたくさんの大人に世話されて育ちます（アロペアレンティング、または代理養育と呼ばれます）。郊外の家で個々の家族単位で暮らすアメリカ式の習慣に慣れきっていた私は、そのとき初めて、自分たち家族がどれほど孤立していたかに思い至りました。

ちょっと本を置いて、まわりを見回してみてください。いま自宅にいるなら、こう考えてみてください。どうして私たちは、顔も知らない家主から部屋を借り、あるいは返済に何十年もかかる借金をして自分の家を買い、隣人と切り離された空間に住んでいるのでしょう？　住まいを探すとき、どんな暮らし方が理想的か考えてみたことがあるでしょうか。それとも便利そうな地域の物件リストから予算内のものを拾いだしただけでしょうか。もしも私たちが当たり前だと思っているマンションや戸建ての暮らしが、特定の経済システムによって作られた文化的規範だとしたらどうでしょう。数十平米の空間とプライバシーのために大金を払うべきだと、そう思い込まされているのだとしたら？

地球の人口が80億人を超えた今、私たち一人ひとりが個別の住宅に住むのは本当に持続可能な営みでしょうか。もしも私たちが食べたり眠ったり持ち物を保管したりするその空間こそが、家族とは何であり何を所有するべきかという特定の思想を強化しているとしたらどうでしょう？

ポスト工業社会に暮らす現代人のあまりに多くが、限られた住居の選択肢のなかで、孤独というパンデミックに苦しんでいます。２０１８年のイギリスの調査によると、９００万人のイギリス人（人口の約13％）が「頻繁に、あるいはつねに」孤独を感じており、子どもを持つ親では半数以上が孤立していると答えました。[*1] 同じ年にアメリカのシグナ社が発表した「孤独指数」レポートでは、日常的に誰かと「対面での有意義な交流」があると答えたのは全体の53％にすぎませんでした。[*2] とりわけZ世代の若者は、どの年齢層よりも高いレベルで孤独を感じています。しかもこの数字は、新型コロナのパンデミックが始まる以前の話です。コロナ禍で同級生と顔を合わせる機会が減ると、若者の社会的交流の機会はさらに少なくなりました。孤独が精神的・身体的健康を悪化させることはよく知られています。それなのに多くの人が、今も個別の住居を手に入れたいと願っています。

私たちの住まいは、住宅の設計それ自体からして、各種のケア労働を家庭で（主に女性の手で）提供すべきという社会規範の強化に加担しています。各自が自分だけのキッチンで料理や洗い物をし、自分だけの洗濯機を週に何度かだけ回し、あるいは自分だけのちっぽけな庭で芝刈りをします。まとめてやったほうが規模の経済で効率化できるにもかかわらずです。歴史を見ても、また近年ノルウェーから日本まで世界中でおこなわれている研究を見ても、集団で暮らすほうが孤独感が減って日々の生活に余裕ができ、環境負荷も少なくなることは明らかです。なのになぜ、孤立した暮らしを続けるのでしょう?

過去数千年のあいだ、さまざまな民族・宗教・文化的伝統を持つ人たちが、血縁によらない家族やコミュニティを形成して暮らしてきました。伝統的なロングハウス（長屋）、修道院などの宗教的な生活、大学寮や計画的な団地。少数の血縁者や法的な家族だけでの暮らしを拒んできた人は少なくないのです。きわめて個人主義的な米国でさえ、その歴史を見れば集団的な暮らしの試みがあふれています。

住宅の設計には「こうあるべき」という生活のイメージが反映されます。そして現代の住宅はおおむね、過去の父系制と父方居住の慣習を引きずっています。[*3] 細かい敷地に区切られた戸建てや、広いけれども隔絶されたタワーマンションの部屋、そういうものが社会的・金銭的な成功の証しなのだと私たちは教え込まれてきました。でも多くの人にとって、それは理想の暮らしとは程遠いものなのです。

現在、新たな共同生活を模索するコミュニティが世界中に登場しています。田舎から都会まで、伝統的なものから先進的なものまでその形はさまざまです。目的はコスト削減や責任の分担のほか、何らかの理念を掲げる場合もあります。環境保護、フェミニズム、アナキズム、キリスト教、仏教。あるいはただ、孤立した生活のネガティブな影響を軽減するために集まる人もいます。プライバシーのために大金を払うのではなく、社会的なつながりを最大限に増やす方向で暮らしを再編したら、どんなことが起こるでしょうか？

床下の骨が語ること

集団居住のユートピア的ビジョンは多くの場合、遠い祖先の暮らしを想像するところから始まります。でも時には、想像だけでなく考古学的資料に頼れることもあります。

トルコで現在も発掘が続いている古代都市チャタルホユックの遺跡は、世界でも最古の大規模集落で、狩猟採集から農耕に移行したばかりの人々が築いたとされます。チャタルホユックに人が住んでいたのは新石器時代、紀元前7400年から6200年頃で、住人8千人が泥レンガ造りの住居に暮らしていました。四角い住宅はぎっしりと連なり、まるで都市全体がひとつの巨大な家のようです。[*4] ドアはなく、屋根の開口部から家に出入りできるようになっていて、住人はつながりあった屋上で交流したり仕事をしたりしていました。道路もなく密集した大規模集落が長く続いた事実は、チャタルホユックの住民が何世代にもわたって安定した豊かな暮らしを享受していたことを示唆します。

2011年、発掘調査で驚くべき事実が明らかになりました。チャタルホユックの住民は炉の下に死者を埋葬する習慣があり、部屋の中からよく住民の骨が見つかります。同時期にひとつの家の炉に埋められた人たちは血縁者だろうと初めは思われたのですが、詳しく見てみると歯の形が似ていません。さまざまな家の埋葬者を調べたところ、どうやらチャタルホユックでは血縁関係のない人たちがひとつの家で暮らしていたようなのです。つまり家族の概念が広く、「公式な」家族と「実質的な」家族の両方が含まれていたと考えられます。[*5]

人類学者のマリン・A・ピラウドとクラーク・スペンサー・ラーセンは次のように述べます。「これらの結果から推測できるのは、ひとつの家の中に埋葬する基準が、生物学的な近さと最小限の関連しかないということだ。そのかわりに、遺伝的関係で定義されない別の親族の定義によって生活が営まれていた可能性がある」[*6]。9000年前に生きていた祖先たちには、近い血縁者だけで家族を作るべき理由がとくになかったようです。そんな発想すらなかったのかもしれません。

チャタルホユックの遺跡からは、住民がきわめて平等な社会を築いていた様子も見てとれます。階級の格差を示すような痕跡はほとんどありませんし、女性も男性も同等に栄養を摂れていました。個々の住居の大きさや形にも差がありません。ちなみに現在のイランやイラク、シリアにあたる場所にある6000年前のメソポタミアの遺跡には、社会的階層や不平等を示す証拠が山ほどあります。ウルクやウルなどの都市では、農業の普及とともに支配者や祭司の階級が生まれ、住民の富を税金のように徴収していました。個々の住居の広さには社会的地位の違いが反映され、富と権力を持つ人は大きな宮殿に住んでいました。その富と権力は、血縁による親族関係を通じて次の世代へ受け継がれたと考えられています。

紀元前5世紀に最盛期を迎えた古代ギリシャでも、政治的・経済的エリートは血縁集団の単位で暮らしていました。ギリシャ語で「家族」を意味する「オイコス」は建築物としての「家」を意味する言葉でもあり、住居がひとつの家族を収容するものだったことがわかります。プラトンは、オイコスの制度が人を利己的にすると説きました。「私有の土地や、家屋や、貨幣を所有するようになるときは、彼らは国の守護者であることをやめて、家産の管理者や農夫となり、他の国民たちのために戦う味方であることをやめて、他の国民たちの敵としての主人」になるだろうと。[*7] そして守護者が自分の利益よりも公共の利益を考えるようになるためには、「戦地の兵士たちのように」共同生活を送るのがいいと提案しました。

語源学によると、英語で家族を意味するファミリーの語源はラテン語のファムルスで、使用人や奴隷を意味する言葉でした。古代ローマではそこから派生したファミリアが家族の単位とされていましたが、その言葉が指すのは血縁関係にある親子だけではありません。使用人や奴隷も含めて、ひとつの世帯で暮らす全員がその家の家長のものであり、まとめてファミリアと呼ばれていたのです。それとは別に、核家族を指す言葉としてドムスがあり、上流階級が一家族で住む邸宅もドムスと呼ばれていました。一方、庶民が住んでいたのはインスラ（島）と呼ばれるアパートメントです。インスラでは家族単位で部屋を借りますが、中庭部分は共用でした。プラトンが理想とした共同生活は、古代ローマの時代にはすでに、格差社会における社会的地位の低さを表すものとなっていたのです。こうした集合住宅に対する古くからの偏見は、現代にもまだ残っています。

信仰生活と学生寮

しかしいつの時代にも、チャタルホユックのような非血縁の共同生活を志向する少数者はいました。道徳的信念を共有するコミュニティで自給自足の生活を送り、日々の物質的な気苦労から距離を置こうとした人たちもいます。ブッダの初期の弟子は、紀元前5世紀から前4世紀頃に修行生活を始めました。当初はそれぞれ孤独に隠遁（いんとん）していたようですが、ゴータマ・ブッダの死後、雨期を乗りきるために集団で協力する人たちが出てきます。やがて集団生活が定着し、精神的な求道者による世界最古の部類のインテンショナル・コミュニティが形成されました。生活のリソースを安定させるために始まった共同生活は、ブッダの中道の教えを実践する生活様式になっていきます。

初期のキリスト教徒は、禁欲的な生活によって神との霊的なつながりを見出そうとしました。初期の修道士は洞窟や小屋でひとり隠者の生活を送っていましたが、紀元318年から323年頃、聖パコミオスがエジプトのタベンニシに最初の修道院を創設します。孤独に祈りを捧げていた隠者とは異なり、修道院では財産をすべて仲間と分けあい、男女別の修道院長の監督のもとで規律正しい生活を送りました。紀元530年にはヌルシアの聖ベネディクトゥスがローマとナポリの中間にあるモンテ・カッシーノの山の上にベネディクト修道院を設立し、ヨーロッパにおける修道院の伝統を確立します。修道院はイタリアを起点に中世ヨーロッパ全体に広がり、財産を放棄して禁欲的に修道に身を捧げる人々の共同生活の場となりました。修道士は自分の子どもを持つことはありませんでしたが、新約聖書のヤコブの手紙には信仰者の責任として「みなしごや、やもめが困っているときに」世話をすべきだと書かれています。[*8] 何世紀ものあいだ、修道会のメンバーは親代わりや家族代わりとなって、頼る人のない子どもや女性の面倒を見てきました。

ベネディクト会の成功を受けて、1098年には厳しい戒律で知られるシトー会の修道院が創設されました。最盛期を迎えた15世紀には、ヨーロッパ全土に750ものシトー会修道院があったと言われています。しかしやがて定住せずに各地を旅して貧しい人々と暮らす托鉢（たくはつ）修道会（ドミニコ会とフランシスコ会）が台頭し、また1521年にマルティン・ルターがカトリック教会から破門されて宗教改革が始まったことで、ヨーロッパの修道院の伝統は廃（すた）れていきました。イギリスではヘンリー8世によって修道院が弾圧される以前、およそ900の修道院が存在し、修道士4千人、キャノン（聖職者）3千人、托鉢修道士3千人、修道女2千人ほどが暮らしていたと歴史家ジョージ・W・バーナードは推定しています。[*9]

中世の修道院では自給自足を目指して、農地や家畜小屋、作業場や台所を保有していたほか、パンやビール、陶器や小麦粉も自前で生産していました。ユートピア的な修道院の設計図としてももっとも有名なのは、820年から830年頃に描かれた「ザンクト・ガレンの修道院平面図」でしょう。[*10] 数百人規模の巨大な修道院の設計図で、スイスでも有数の国宝です。子牛皮に描かれた図面には、カロリング朝時代の理想の修道院が表現されています。教会、宿舎、食堂に加えて、庭園や厩舎、果樹園、写字堂、診療所、パン工房、醸造所、それにさまざまな工房も敷地内にあります。これが修道院の理想として描かれたのか、それともザンクト・ガレンに建設する予定の具体的な建築物の設計図として描かれたのかは、専門家のあいだでも未だに意見がわかれます。いずれにせよ、物理的な親密さと自給自足を実現するために熟慮されたデザインは、後々までユートピア共同体の設計にそのこだまを響かせることになります。

南ドイツの実験的な考古学者たちは現在、中世の工法と材料を用いて、ザンクト・ガレンの設計図に基づく実物大の修道院の建設を進めています。バーデン＝ヴュルテンベルク州にあるカンプス・ガリと呼ばれる修道院です。２０２２年７月に訪問したとき、そこで働く若い職人さんの話を聞くことができました。その人はドイツで高収入の仕事についていたのですが、キャリアを捨ててカンプス・ガリにやってきました。金属の釘のかわりに丹念に乾燥させた木製のダボを使い、透明なガラスの代わりに半透明の白い革を使って窓を作るなど、産業化以前の建築技術を学びたかったからだといいます。かれらは現場に住んではいないのですが、中世の修道院の繁栄を支えた社会的エコシステムを再現しようと努めていました。朝にはみんなで集まり、紀元５１６年に書かれた修道士の共同生活の指針である「聖ベネディクトゥスの戒律」について議論するそうです。[*11]

　ヨーロッパの高等教育機関の多くはカトリック教会と結びついていたため、中世に作られた大学の設計は修道院の共同生活をそっくり反映していました。オックスフォード大学で講義が始まったのは11世紀後半ですが、当初は修道会の建物が学生寮として使われていました。[*12]オックスフォード大学に最初の寄宿制カレッジ（ユニバーシティ、ベリオール、マートン）が建てられたのは、１２４９年から１２６４年頃になってからです。中世の大学は修道院に影響を受けつつ、独自のユートピア共同体を築いていきました。ユートピアの父として有名なトマス・モアもオックスフォード大学の出身です。モアは１４９２年にオックスフォード大学カンタベリー・カレッジに入学しました。モアの描いたユートピア島では、すべての家族が大食堂で共同で食事をし、みんな鍵のない均一な家に住んでいて、「誰でもどの家にでも自由に出入り」できます。[*13]こうした発想の元になったのが、大学での寮生活だったのかもしれません。大学では私物を手放す必要はありませんが、学生たちは広い共有スペースで礼拝をし、勉強し、食事をし、眠りました。食事しながら講義の話をし、敷地内を散歩しながら神学の議論に没頭できる、そんな特別な空間が学問を志す仲間たちの絆を強めていったのです。

もちろん、当時の有名な修道院や大学は圧倒的に男性中心の世界でした。修道女となった女性は閉鎖的な女子修道院で厳しい修道院長の支配のもとで暮らし、資源へのアクセスは男性管理者の手に握られていました。女子修道院はたいてい男性の修道院よりもずっと貧しく、修道女になる人の家族に持参金や管理費を請求することもありました。また女性の場合、男性の修道士よりも規則が厳格で、とくに修道院を出入りする自由はありませんでした。しかし西暦１１９０年頃になると、厳格な修道院とは別の形で、女性同士の共同生活を送る人たちが出てきます。ベギン会と呼ばれる女性だけの自治組織で、現在のベルギー、オランダ、ドイツ北部の都市部で集団生活を営みました。神に誓いを立てて世俗から離れて暮らす修道女と

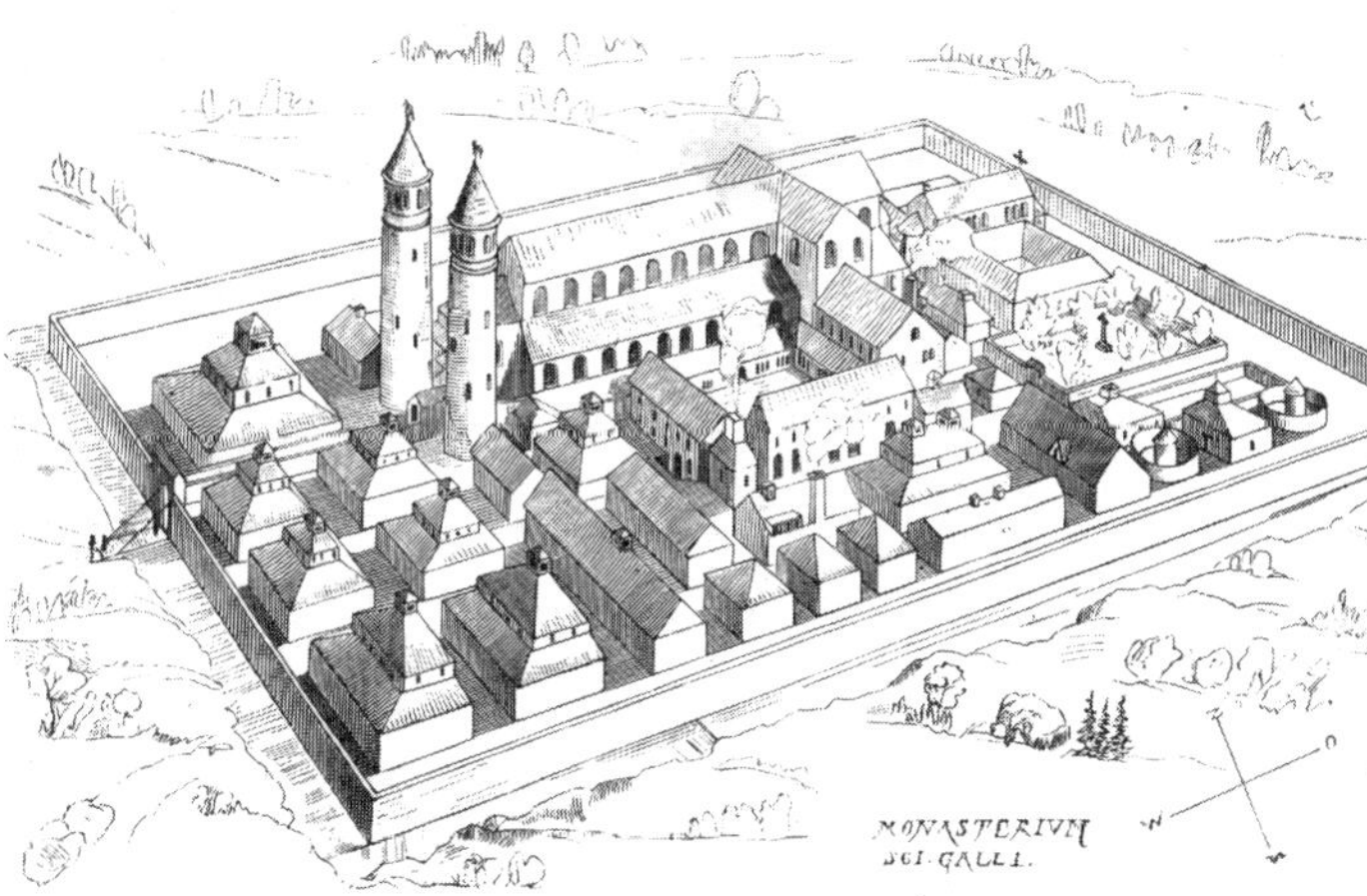

* Kloster Sanct Gallen nach dem Grundrisse vom Jahre 830. (Lasius).

ザンクト・ガレンの修道院平面図（９世紀）に基づく
建物の復元図

は対照的に、ベギン会の女性は地域のなかで信仰生活を送ります。約4世紀にわたる各地のベギン会の暮らしを詳述した2001年の書籍『女性の都市』（Cities of Ladies）によると、ベギン会の世俗修道女は同時代の女性がまず得られないほどの自律と独立を謳歌していたそうです（ちなみに『女性の都市』というタイトルは、クリスティーヌ・ド・ピザンが1405年に書いた女性のためのユートピア作品『女の都』をアレンジしたものです）[*14]。中世の女性たちが移動を厳しく制限されているのを尻目に、ベギン会の女性は付き添いなしで堂々と街を歩き、病人の家に上がって看護をしていました。

ヨーロッパ北部の人々はベギン会の女性の信心深さを崇め、弱者を献身的に世話するその様子を称えました[*15]。ベギン会の会院のなかには子どもたちの学校を運営したり、レースや織物を作ったり、ビールを醸造するところもありました。通常の修道院と同じく、ベギン会院も自給自足の経済を目指していました。ただし伝統的な女子修道院と違って、ベギン会ではいつでも会を去る自由がありました。なかには結婚して出ていく人もいました。また修道院では財産はすべて共有ですが、ベギン会では所有権が保たれ、出ていくときは自分の財産を持っていくことができました。

13世紀のベギン会の女性でもっとも有名なのは、アントワープのハーデウィッヒとマクデブルクのメヒティルトの二人です。二人とも幅広い神秘主義の著作を書き、その独特の信仰共同体について、またキリスト教の家父長制的なヒエラルキーのなかで不信の目を向けられながら世俗の修道女として生きる困難について綴りました。ハーデウィッヒは若いシスターたちに向けた手紙のなかで、中世社会の抵抗に負けずに神の仕事に従事するよう励ましています。「相手への印象が良かろうと悪かろうと、善良な仕事に宿る真実を放棄してはいけません。神のご意志にもとづく営みであれば、嘲笑の目が向けられても堂々と受けとめればいいのです。……いとしい神が人として生きられたときに受けた苦痛を思えば、どんな苦痛も嘲(あざけ)りも喜んで耐えるに値するでしょう[*16]」

独身女性や夫に先立たれた女性がどんどんベギン会の仲間に加わっていくなかで、キリスト教の男性社会は自立した女性たちの力強い連帯に脅威を覚えるようになります。正式な修道誓願がなかったこともあり、カトリック教会はベギン会を異端とみなして、1311年のヴィエンヌ公会議でベギン会の解散を命じました。にもかかわらず、ベギン会の暮らしはカトリック教会の後ろ盾なしで何世紀も続いていきます。ビールや布、レースなどの生産物を求める顧客は途絶えませんでしたし、看護師や教師としての需要もつねに高かったからです。今では13のベギン会会院がユネスコの世界遺産に登録されています[*17]。最後のベギン会修道女として知られる女性は、2013年に92歳で亡くなりました[*18]。

ファランステールへ行け！

カトリックの修道院は世俗から離れて瞑想や思索に耽る人に住処を提供しましたが、フランス革命後に現れたユートピア社会主義者はむしろ世間のほうを向き、万人のために世界を変えたいと考えました。フランク・マニュエルとフリッツィー・マニュエルの著書『西欧世界におけるユートピア思想』にはこう書かれています。「ニュートンは彼らのお気に入りのヒーローだった。ニュートンが物理的な宇宙に関して達成したことを、社会という宇宙でやり遂げたいと彼らは考えていた[*19]」

ユートピア社会主義者といえばロバート・オーウェン、アンリ・ド・サン＝シモン、それにシャルル・フーリエの3人がとくに有名ですが、なかでもフーリエは生活の新たな形について大胆なビジョンを打ちだしました。フェミニズムという言葉の生みの親ともいわれるフーリエは、1808年の著書で次のように述べます。[20]「女性の権利の拡大はすべての社会進歩の基本原則である」[21]、「男性の幸福は女性たちの自由の度合いに比例する」[22]、「解放された女性は、肉体の強さに関するものを除けば、あらゆる精神的・身体的機能において男性に勝るだろう」[23]

1772年に生地商人の家に生まれたフーリエは、社会全体が「混沌から普遍的調和へと移行する」ための さまざまな理論を提唱していきます。[24]なかには「北極の氷が溶けだして海がレモネード風味になる」などの奇妙なアイデアもありましたが、[25]女性の権利や共同生活の利点についての考えはその後の19世紀、20世紀の歴史に確かな足跡を残していきます。とりわけドイツの思想家フリードリヒ・エンゲルスとカール・マルクスに与えた影響は見逃せません。

フーリエが構想した非宗教的な生活共同体ファランステール（またはファランクス）は、ローマ・カトリック教会の修道院の暮らしから着想を得ています。ファランステールという言葉はフランス語のファランジュ（古代ギリシャの歩兵の陣形の名前。プラトンが「戦地の兵士たちのように」共同生活を送ろうと言ったことに由来するのかもしれません）と、モナステール（修道院）を組み合わせた造語で、修道院からの影響が見てとれます。

ファランステールは1620人の男性、女性、子どもたちが自給自足の共同生活を営むために設計された巨大な複合施設です。そこに暮らす人は理論上、自分の性格的に楽しめる仕事だけをすることになっています（子どもは何でも遊びにして楽しめるので、汚れ仕事の担当は子どもたちでした）。戸建ての家は隣人を締めだす無駄な障壁であり、疎外感と孤独を呼び起こすとフーリエは考えました。疎外感や孤独は人々を利己的にして、社会の調和を妨げます。また個々の家庭で家事をすると、規模のメリットがないので非効率になります。ひとりの女性が料理も掃除も子どもの世話もやるよりは、コミュニティ全体で必要な仕事を分担するほうが効率的ですし、家電のようなもの（当時でいえばブドウ圧搾機や調理用ストーブ）も無駄に買わずにすみます。

　フーリエはファランステールの設計がユートピア社会主義の理想に直結していると考えていました。「共同体の宿舎や庭や厩舎は、われわれの知る村や町のものとは大きく異なる。既存の村や町は家族が社会的なつながりを持たないことを前提として、そのためにこそ組織されているからだ」とフーリエは言います。「ちっぽけな家々が競いあうように建っている町並みは混沌として見苦しいものだが、ファランステールでは地形が許すかぎり完璧な建物を建設する」[*26]

　ファランステールは田舎に建てられ、建物は3つの部分に分かれています。中央の住居部分を挟んで、屋根つきの廊下でつながったウイングが左右にひとつずつ。一方のウイングには騒々しい作業場や子どもたちの住居や学校があり、もう一方には旅人のための宿や用途別の会議室が集められています。ファランステールは農業と工業のバランス、それに私的な生活と共同生活とのバランスを保とうと努めていました。また清貧や貞節が求められる修道院とはちがって、フーリエ

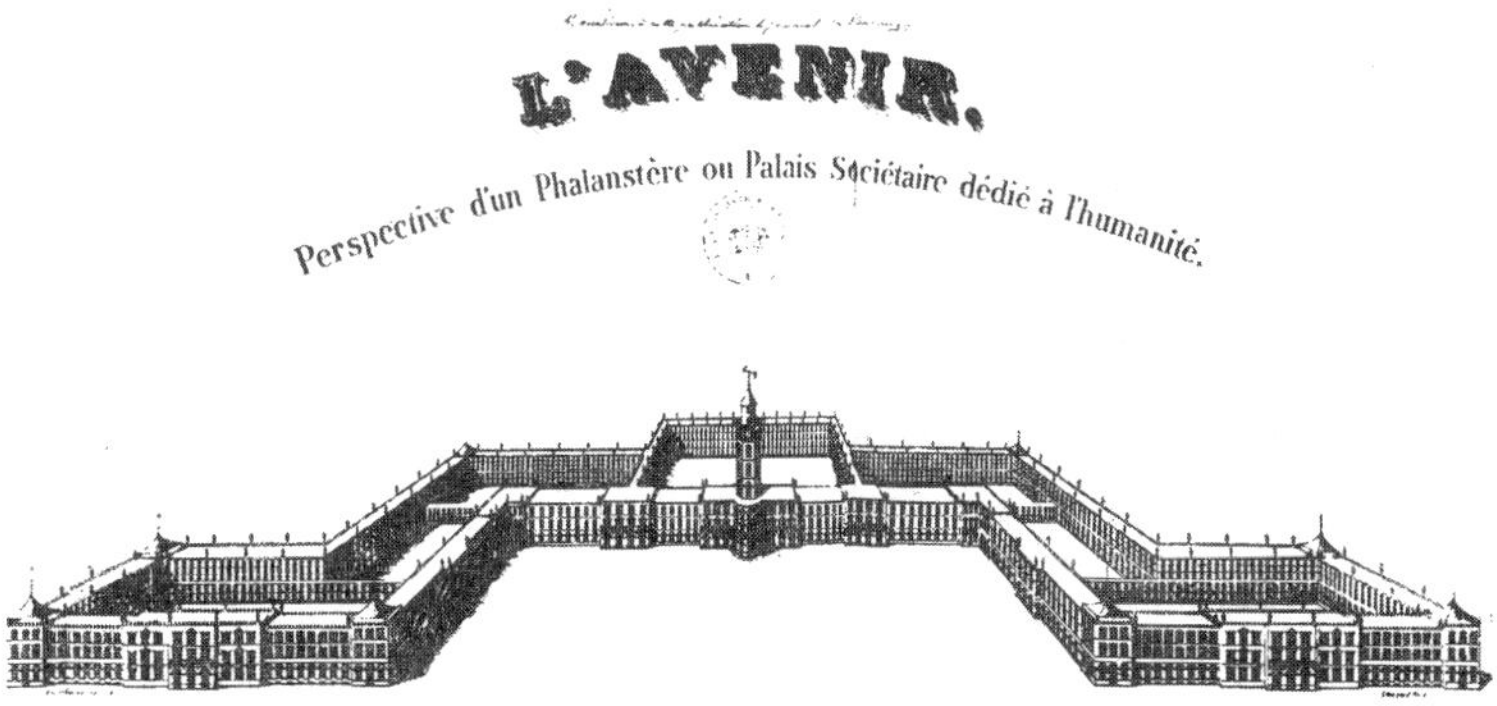

フーリエのファランステールの全体像

の共同体は物質的に豊かで、恋愛は自由、共同での子育ても組み込まれていました。全体としての豊かさが重視されましたが、私有財産と多少の社会階層の存在は認められていました。財産を多く持って共同体に入ってきた人は比較的贅沢な部屋に住み、食事は共同の食堂ですが、ちょっと高級な食事やワインを好む人たちと一緒に食べます。ある程度の不平等はいずれ避けられないというのがフーリエの見方でした。住人全員がある程度豊かに暮らしていれば、気質（あるいは「情念」）の違いはあっても嫉妬や不和にはつながらないだろうとフーリエは考えました。

富や権力のヒエラルキーから離れて自給自足のコミュニティを築くというフーリエの考えは、アメリカにも輸入されて進歩的な人々を魅了します。19世紀にはアメリカでファランステールを作る試みが多く見られました。ニュージャージー州のノースアメリカン・ファランクス、ニューヨーク州西部のサウスベイ・ファランクス、ウィスコンシン州のセレスコなど、各地でフーリエの信奉者がコミュニティを作り、西部に移住して賃金労働や奴隷制から距離を置く共同体主義の大きな流れに加わっていきます。この時期、社会主義や信仰を軸に集まったユートピア共同体の人々は、ときに団体の垣根を越えて協力しながら奴隷制廃止や平和主義、禁酒運動を推進し、地上の楽園を作るために尽力しました。

労働者たちの宮殿

フーリエの思想に触発され、フランス人のジャン＝バティスト・アンドレ・ゴダンは１８５９年、フランス北部のギーズという小さな田舎町に最初のファミリステール（社会宮殿とも呼ばれます）を建設しました。この共同生活の試みは109年間にわたって続きます。スコットランドで労働者の協同組合運動を推し進めたロバート・オーウェンと同様、ゴダンはユートピア社会主義のビジョンを地域の工業生産と融合させて、(父権主義的なところはあるにせよ) すぐれた労働者のコミュニティを築きあげました。ときに非現実的にも見えるフーリエの理想を地に足のついた目的と組み合わせ、資本と労働の調和を促すことができると示してみせたのです。

ゴダンは錠職人だったのですが、修業時代にフランスの労働者の貧困と苦しみを目の当たりにしました。後に産業革命と呼ばれる波がフランスにも押し寄せてきた時期でした。ゴダンは二次燃焼式で煙の少ない鋳物製ストーブ(一部製品はホーロー加工)の発明で成功したあと、事業の利益をつぎ込んで理想のファミリステールを建設します。それは「自由で平穏で静謐な空間であり、便利で心地よいあらゆるものに囲まれている。とりわけ人間同士の距離を縮め、公共の利益のために団結できるような空間でなければならない」とゴダンは考えました。[*27] 家族はそれぞれ独立したアパートメントに住みますが、大きなホテルのような空間は美しい吹き抜けのガラス張りの屋根に覆われ、さまざまな目的のための共有スペースが豊富に用意されています。集会場、食堂、劇場、庭園、中庭、ランドリー、プール、バー、展望台。子どもたちは全員、年齢に応じた保育や教育を受けられます。小さな乳幼児には託児所、歩けるようになったらプポナと呼ばれる保育園、4歳から6歳の子はバンビナという施設を経て、そのあと小学校に入ります。ゴダンはファミリステールの子どもたちの健康状態を誇りに思っていました。

ファミリステールには、育児放棄もなければ衛生状態の悪い子もいない。栄養失調も、貧困も、消化不良も、社会が目をつぶっている乳幼児死亡率の原因ではなくなった。宮殿で暮らす子どもたちは、年齢に応じて必要なあらゆるケアを受けられる。託児所とプポナの広間は建物の中に配備されており、各自の住居から近く、いつでも子どもと母親のために開放されている。母親に用事があるときは、昼でも夜でも、優秀な保育士がゆりかごの中の子どもたちを優しく見守っている。[*28]

最盛期にはおよそ2千人の労働者とその家族がギーズでの共同生活を選び、ゴダン自身もそこで家族と一緒に暮らしました。ゴダンは共同生活をしながら事業で収益を上げ、そのお金でファミリステールの施設やサービスを拡充していきます。演劇鑑賞や各種の講義、子どもの教育やレジャーの集まりなどは、普通であれば労働者にはなかなか手の届かないものでした。もちろん、すべてがスムーズにいったわけではありません。労働者のなかには子どもを学校に通わせたくない人もいましたし、ゴダンが要求する水準の教育や清潔さに面食らって反発を感じる人もいました。共用の掲示板には、窓から中庭にゴミを投げ捨てないこと、子どもはみんな服と靴を着用すること、などの注意書きが張られていました。

ゴダンはまた、過度な飲酒や器物損壊、乱暴な行為を禁止するルールを作り、工場の内外で規律正しい行動を徹底しました。勤労と学びを促進するために、ボーナスや修了証書、さまざまな表彰制度も活用しました。規則違反を繰り返す人には、選挙で選ばれた男女の委員によって罰金などのペナルティが科されます。1870年にファミリステールを訪れたアメリカ人の報告によると、フランスの実業家たちはゴダンの実験的な共同体が気に入らず、あえて悪い噂を広めるなどしていたようです。

「ゴダンは大金持ちの工場主で、大勢の人を雇い、労働者を寝泊まりさせるためだけにわざわざホテルを作ったという噂が広まっている。ゴダンは従業員から最大限の利益を引きだすことしか頭にないのだ、そのあたりの奴隷所有者と同様、大量の仕事をやらせるために従業員を健康に保っているにすぎないのだ、などとささやかれている」[*29]

それでも時が経つにつれて、労働者たちはファミリステールの生活環境が外よりもずっと恵まれていると気づき、やや窮屈な規則を受け入れていきました。なんといっても職場のすぐ近くに安価で高品質な住宅を借りられて、そこでは医療も受けられ、祝日にはパーティーなどのイベントも開かれるのです。女性が外で働くには夫の許可が必要だった当時のフランスにあって、ゴダンは従業員の妻や年長の娘たちに積極的にファミリステール内での雇用機会を提供しました。労働者階級の女性にとって、それはかなり貴重な機会でした。

アメリカのハーパーズ・マガジン誌は1872

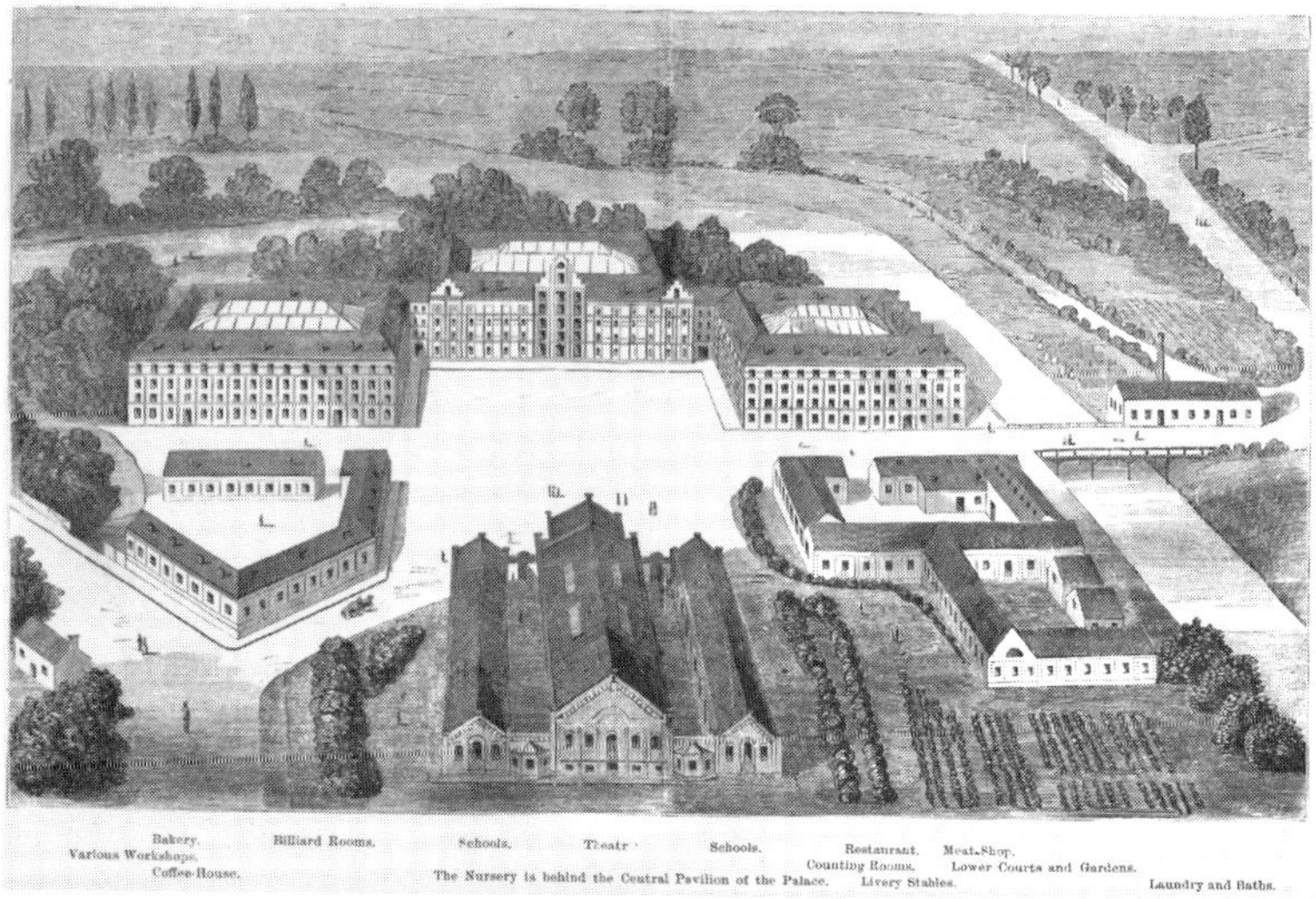

ギーズのファミリステールを描いたスケッチ

年にファミリステールについての記事を掲載し、その成功を熱烈に称えました。「ゴダン氏は、法的にはファミリステールの資本の所有者でありつづけているが、今やその運営は住民の自治に任せてしまっている。その結果が見事に示しているのは、自由が唯一の法であるとき、本来的に善である人間の性質が現れること、そしてかれらが他人の幸福のなかに自らの幸福を見いだすという事実である」[*30]。その4年後にはアメリカン・ソーシャリスト誌がギーズを賞賛し、「個人主義や孤立を好む我々の根強い偏見でも歯が立たないような、新しい人間の居住空間が発明された」と評価しました[*31]。また1875年のアメリカン・アーティザン誌の記事は、この社会的実験が労働者の生活改善に関する国際的な議論に火をつけるだろう、そして「地球上のあらゆる文明国」で労働者の幸福を最大化する施策が論じられるだろうと報じました[*32]。

しかし、アメリカの雑誌が予測したような勢いでファミリステールのコミュニティが広まることはありませんでした。フリードリヒ・エンゲルスは「住宅問題」と題した1872年の一連の記事のなかで、ファミリステールを現実的に無理のある「ブルジョア的」解決策であると批判しました。「資本家はこのような居住地の構築に何の関心も持っていないし、実際こんなものはフランスのギーズ以外、世界のどこにも存在しない。しかもギーズのこの居住地はフーリエの信奉者によって建設されたもので、利益の出る事業ではなく社会主義の実験として作られたのである」[*33]

ゴダンは亡くなる8年前、ファミリステールの所有権を書き換えて、従業員が共同で所有する協同組合的な事業に変更しました[*34]。1888年にゴダンが亡くなったあとも、彼の残した労働者のコミュニティは80年の長きにわたって協同組合を運営していきます。やがて鉄製ストーブの需要減と国際競争の激化で事業の資金繰りが苦しくなってきて、1968年に工場を株式会社化、一時期は鋳物ホーロー鍋で有名なル・クルーゼの調理器具を製造していました。工場は現在も稼働していますが、住居部分の一部は民間のアパートメントとなり、ファミリステールの共用部分は博物館として公開されています。ギフトショップで買えるお土産のマグカップには、ゴダンの実績を称えて「実現されたユートピア」(une utopie réalisée) と書かれています。

鉄筋コンクリート造りの夢

シャルル・フーリエの説いた共同性、豊かさ、男女平等のビジョンは、ロシアのニヒリストやコミュニスト、社会主義者やアナキストにも大きな影響を与えます。19世紀後半に弾圧を逃れてフランスに移り住んだ思想家たちは、そこで学んだ思想をロシア革命後の祖国に持ち帰り、やがてソヴィエト社会主義共和国連邦(ソ連)を建国しました。[*35] ボリシェヴィキ体制の初期には都市への人口流入で住宅不足が深刻になり、政府は富裕層から没収した邸宅やアパートメントを分割して複数の世帯を住まわせることにします。農村からペトログラードに移住してきた人たちは、元は一家族向けだった住宅でキッチンや廊下、階段、バスルームをシェアして暮らしました。こうした共同住宅はコムナルカと呼ばれるようになります(ちなみに今でもコムナルカは存続しています)。

コムナルカでの共同生活は、プライバシーに大きな制約がありました。職業も出身地もばらばらの人たちが寄り集まっての暮らしです。2008年に公開されたロシアのミュージカル映画『スチリャーギ』の冒頭シーンでは、コムナルカの共同キッチンで料理をしながら楽しそうに踊る老婦人たちの姿が描かれています。[*36] にぎやかな共同生活を通した独特の連帯を、愛情たっぷりに誇張して表現したものです。コムナルカの歴史と文化を後世に残そうと活動しているコルゲート大学のプロジェクトによると、コムナルカの住人はおたがい家族のようでもあり、他人のようでもありました。「その住空間の透明性のおかげで、住人たちはたがいの内情に通じていた。普通なら近親者しか知らないような話も筒抜けだったのだ」[*37]。またロシア文化研究者のスヴェトラーナ・ボイムは、1994年の著書で「共同アパートメントは、いまや消えつつあるソヴィエト文明の礎石であった」と指摘します。「そこでは内と外の境界があやふやで、見知らぬ人や隣人の存在を前にして気楽さと恐怖が混じりあっていた」[*38]

やがてソ連の工業化が進むと、ファランステールやファミリステールのような自給自足の共同体に影響を受け、またスイス系フランス人建築家ル・コルビュジエの作品にも触発されて、職住近接で各種サービスにもアクセスしやすい新たな統合型の都市計画が登場してきます。マグニトゴルスクなどの大規模な計画都市が各地に作られ、街の内部にはミクロラヨンと呼ばれる街区が並びました。ミクロラヨンは大規模な団地のような住宅地で、徒歩圏内に公園や診療所、学校や食料品店などが揃い、無料または格安の公共交通機関で大学や職場に通えます。ミクロラヨンの設計には、女性解放を促進する意図もありました。お店や食堂や公園が近く、交通機関も整備されているため、家事や育児の負担を軽減できます。

ソ連発の都市計画モデルは、徐々に世界中に広がっていきました。サヴァ川左岸、ドナウ川との合流地点の手前には今も多数の計画地区が立ち並び、ノヴィ・ベオグラードとして知られています。現在のセルビアの中心部ですが、1945年にユーゴスラヴィアがナチスの支配を脱して社会主義国家として出発した際に、明るい未来への希望を鋼とコンクリートに込めて作られた都市でした。そびえ立つモダニズム様式の高層マンションには、さまざまな社会階層に属する多様なユーゴスラヴィア人が住んでいました。その多くは初めて都会にやってきた人たちです。ベオグラード大学教授で、45街区で育ったラディナ・ヴチェティッチは「あの場所が大好きでした、子どもにとっては最高でしたよ」と語ります。

高層住宅の1階部分には商業施設が入り、映画館やカルチャーセンター、カフェ、そのほか日々の暮らしに役立つ各種サービスが提供されました。公園や遊び場につながる広い歩道があり、子どもたちは安全に高層住宅のまわりで遊べます。[*39] 建設現場や炭坑の作業員の隣に物理学者が住み、脳外科医の隣に仕立て屋が住み、そして「最上階には芸術家のためのアトリエが用意されていた」とヴチェティッチは言います。「それぞれの建物に作家や画家やデザイナーや

ノヴィ・ベオグラードの23街区、2021年撮影

作曲家が住んでいて、アパートメントと同じくらい広いルーフバルコニーのついた部屋で仕事をしていました」。2021年に私が訪れたときも、建物の1階部分には日々の生活に必要な施設がずらりと並んでいました。家電修理店、歯科医、精肉店、青果店、文房具店などです。ノヴィ・ベオグラードのような住宅地区や、イギリスのパークヒル団地に見られるようなブルータリズム建築の集合住宅は、最近の都市計画で「15分都市」として注目されている機能を数十年早く先取りしていたといえるでしょう。[*40]

ソ連の住宅地区は中国の「小区」やポーランドのノヴァ・フタといった住宅計画にも影響を与えました。また東欧出身の建築家たちの手でグローバルサウスにも同様の住宅建設が展開され、アフガニスタン、アルジェリア、アンゴラ、チリ、キューバ、エジプト、エチオピア、インド、イラン、イラク、リビア、モンゴル、ナイジェリア、スーダン、シリア、タンザニア、ベトナム、ザンビアといった国々に計画的な住宅地区が生まれました。建築史家のルカーシュ・スタネックは、ガーナのアクラにある2つの住宅地区について論じた文章のなかで次のように述べています。「住宅地区のプログラムは、社会主義的な日常生活のビジョンを伝えている。ピープルズ・アート・クラブのような施設は集団教育とレジャーの場を提供しており、保育所や幼稚園、洗濯場や食堂などの施設は女性の家事労働を軽減して職業的展望を広げるものであった[*41]」

人とつながる都会生活

このようなユートピア建築の歴史は、現代の西洋における共同生活の試みにも影響を与えています。

ちょうど現代社会が取りこぼしているニーズに応える形で、数多くの新しい住まいが現れてきました。都市部の若者が家賃節約のためにシェアメイトと一緒に住む習慣は昔からありますが、最近ではニューヨークやサンフランシスコやロサンゼルスで、短期滞在可能な家具付きの共同住宅を貸しだすスタートアップが増えています。コリビング（co-living）と呼ばれる新たな共同生活を目指したモデルで、建物には豊富な設備が用意され、共用スペースは居住者の交流を促す設計になっています。なかには高級ホテル的な用途のものもありますが、利便性を求めて長期滞在する人も多くなっているようです。コリビング住宅では設計を工夫し、共用スペースを増やすことで家賃を抑えています。個室の寝室と小ぶりなバスルーム程度は確保しつつ、リビングやダイニングは他の居住者と一緒にシェアする形です。個別のキッチンを何十個も作るよりも、大きなキッチンをひとつ用意するほうがコストがかからず、節約分を（少なくとも理論上は）居住者に還元できるわけです。

営利企業によるコリビング物件は、人とのふれあいと利便性を売りにしています。スターシティ社のミッションは「家庭の定義を書き換える」[*42]、コレクティブ社のミッションは「人のつながりを育み生活を豊かにする空間づくり」です。[*43] ビジネスインサイダーのゾーイ・バーナード記者はコモン社のコリビングを「共同生活の洗練された再設計」と評価し、[*44] コモン社はその暮らしを「ユートピアにもっとも近い都会生活」と表現しています。[*45] コモン社のウェブサイトに掲載されている「利用者の声」のなかで、ブルックリン在住のジェームズさんはこうコメントしています。「物理的空間はこんなに人との交流に影響するのだと、コモンの一員になってみて実感しました」[*46]。またスターシティの共同創業者ジョン・ディショツキーは、ニューヨーク・タイムズ紙の取材で、過度のプライバシー確保はお金の無駄だと指摘しています。「他の人と一緒にできることはいろいろありますよね。食事する、ワインを飲む、テレビを見る。別に自分の部屋にこもってやる必要はないのに、なぜ個室にお金をかけるんでしょう?」[47]

国による公共住宅の施策が不足しているなかで、営利企業の提供するコリビング住宅は都市部の住宅不足に対する現実的な解決策になりえます。一般的なワンルームとほぼ同じ家賃で、光熱費のほか週に一度の清掃やインターネット利用料も含まれ、トイレットペーパーやコーヒーといった生活必需品も提供されます。[48] またキッチンやリビング、ダイニングルームの共有は、一人あたりのカーボンフットプリントの削減にも役立つでしょう。共用部分の空調をみんなで共有できますし、10年以内に劣化するような大型家電も個別に買わなくてすみます。日用品もみんなで使ったほうが無駄を減らせます。鍋やフライパン、食器、ブレンダー、エスプレッソマシン、掃除機、Wi-Fiルーター、プリンター、家具などを一人ひとり買う必要が本当にあるでしょうか。

ただし、営利企業の共同住宅は当然、収益も重視しています。ジャーナリストのウィル・コールドウェルは2019年の記事で、こうした共同住宅がミレニアル世代をターゲットにしたあくどい戦略ではないかと指摘しました。「不動産会社は〈孤独の時代〉を生きる世代を食い物にしている。我が家と呼べる場所を持たない人々は格好の餌食なのだ」。[49] 共同住宅を経営するアウトサイド社の調査によると、住人の平均年齢は35歳で、70%が「独身」と答えています。[50]

2008年の金融危機を受けて、米国のミレニアル世代のマイホーム購入意欲は明らかに下がりました。不動産価格が急落し、物件価格が購入時のローンの額を下回るようになったからです。アパートメント・リストというウェブサイトが2021年2月におこなった調査でも、ミレニアル世代の持ち家率が実際に低下していることがわかりました。30歳までに家を所有しているミレニアル世代の割合は42％で、X世代の48％やベビーブーマー世代の51％にくらべてかなり低くなっています。[*51] しかもこの数字には、深刻な人種間格差が隠されています。同じミレニアル世代でも、白人の持ち家率は黒人の2・5倍なのです。さらに新型コロナウイルスの衝撃もあり、ミレニアル世代のほぼ5人に1人が一生賃貸で暮らす予定だと回答しました。将来家を買いたいと答えた人でも、63％は頭金を払うだけの貯蓄がないといいます。とはいえ多くの人はまだ、戸建ての家に一家族で住む昔ながらのスタイルを理想的だと思っているようです。

コリビングのモデルでは通常、部屋を購入したり所有権を共同で保有する選択肢はありません。制度的な危機を何とかするものではなく、一時しのぎの解決策だと思ったほうがいいでしょう。都市部で手頃な住宅が手に入らない要因には、儲けを狙った不動産投機や、差別的なゾーニング法（裕福な人が住む地域への集合住宅の建設を制限するなど）、さらに「大人は普通こうやって暮らすものだ」というイメージも根強くあります。コリビング住宅は比較的若い独身者が都会で暮らすのに役立ちますが、大半の人はやはり結婚したら自分で家を持ちたいと考えています。またコリビングの住人は短期間で入れ替わるため、広告で謳われているほど親密なコミュニティを築くのは実際のところ難しくなっています。みんなで家事を分担して暮らすというより、運営会社に雇われた人に住空間を維持してもらっている形です。また大半の物件は若い独身者向けで、子どもがいる人のニーズを満たす態勢がないという問題もあります（父系制と父方居住の影響力を減らす確実な方法のひとつは、結婚もせず子どもも持たないことではありますが）。

そうした欠点はあるにせよ、コリビング住宅は世界中の大都市に広がりつづけています。若い世代のシェアリングエコノミーの受容を考えると、今後さらなる成長も見込まれます。２０１６年から2

021年のあいだに、スターシティ社はサンフランシスコのベイエリアで12か所、ロサンゼルスで7か所、バルセロナで3か所にコリビング住宅を拡張しました。[*52] またコリビング大手のハビット社は、2021年時点で5か国13都市に4千件以上の小規模なシェア物件を所有しています。[*53] ただしコリビングの人気が高まるなかで、反発の動きもすでに出てきています。2022年4月、カンザスシティ地域のショーニー市議会は、4人以上の成人の同居を禁止する法案を全会一致で可決しました。[*54] 大人が4人以上で同居するとき、そのうち2人が血縁や結婚関係にない場合はコリビングにあたり、違法であると同市は明言しています。[*55] これはつまり、兄弟3人と妻1人が一緒に住むのは合法ですが、血縁関係のない2組のカップルが同じ世帯に住んだら違法になるということです。住宅不足と家賃高騰に対処するクリエイティブな試みを抑え込もうとする自治体や家主は、この先も増えてくるかもしれません。

構造的な問題に対する一時的な解決策だとしても、コリビングは気軽に始められる共同生活であり、より持続的な共同体への入り口になる可能性を秘めていると思います。

コハウジングの豊かな暮らし

メイン州ブランズウィックの町外れ、内陸に向かう田舎道を入ったところに、トゥーエコー・コハウジング・コミュニティと書かれた小さな木の看板がかかっています。1990年代に構想・建設されたトゥーエコーは、共用のコモンハウスのまわりに27戸の家が集まった集落です。もともと古い酪農場だった97エーカーの敷地には、森の中の遊歩道やサッカー場、広々とした庭、薪焚きのサウナなどがあります。2021年8月に訪問したとき、ある年配の住人が「子どもがいる人には最高ですよ」と語ってくれました。「外で遊ばせておけばいいですからね、どこでも好きなところで好きなように遊べばいい。みんな子どもたちを見守ってくれるし、実に安全です」

池のまわりを散策するのもいいですし、コモンハウスに行けばいろいろなゲームやおもちゃ、卓球台やテーブルサッカー、シンセサイザー、小さな図書室までそろっています。遊戯室を抜けると静かな居間、共同キッチン、来客用のベッドルームなどがあり、広いダイニングルームにはピアノが置かれています。玄関には各世帯の名前が書かれた収納スペースがあり、庭の区画の地図、パーマカルチャー（持続可能な農業）のパンフレット、住人の紹介が書かれた紙などが置かれています。住人たちは定期的に集まって、持ち寄りの食事会をしたり、コンサートを開いたりします。「多世代で一緒に暮らせるの

トゥーエコー・コハウジング敷地内に並ぶ家、2021年撮影

が何よりよかった」と、元住人の女性は語ります。「年配の人たちには我慢してもらうこともありますし、私たちのほうも我慢は必要でしたが、結局はみんなのためなんですよね」。彼女は家族で2年間トゥーエコーに住んだあと、仕事の都合でやむなくフロリダに引っ越しましたが、できればずっと住んでいたかったといいます。

近年のコリビングの流行の土台となっているのが、こうしたコハウジング（コレクティブ・ハウジング）という共同生活の伝統です。コハウジングは1960年代のデンマークが発祥とされ、核家族での閉じた生活に対抗する運動として世界中に広まりました。「デンマークが生んだユートピアの青写真」とも呼ばれています。[*56] 若者中心のコリビングとは違って、コハウジングではさまざまな世代が共存し、プライバシーとコミュニティの理想的なバランスを目指しています。またコリビングのように賃貸を前提とせず、個人やグループで家を所有できるので、より長期的に腰を落ち着けることができます。

初期の民間コハウジングの推進に大きな役割を果たしたのが、北欧のフェミニストでした。コハウジングなら家事分担をジェンダー間で平等にできると考えたからです。社会主義国が国営の住宅地区開発を成功させているなか、デンマーク人は共同体の精神と個人の所有権を組みあわせて新たな住宅モデルを作ろうとしました。１９６４年、デンマークの建築家ヤン・グドマン＝ホイヤーが、共用のコモンハウスとプールを囲んで12軒の戸建て住宅が並ぶコミュニティを作ろうと思い立ちます。グドマン＝ホイヤーは仲間と一緒に実際に土地を買い、建築許可も得たのですが、近隣住民から反対の声が上がりました。そんな風変わりな施設が近くにできたら、自分の家や土地の価格が下がるのではないかというのです。近隣住民を説得できず、グドマン＝ホイヤーの計画は頓挫しました。

同時期の１９６７年、デンマークのフェミニストであるボディル・グローが「子どもたちには１０

0人の親が必要だ」という画期的な記事を書きます。共同体生活は子どもにとってより安全でサポーティブで、幸せな生育環境だと論じました。[*57] グローの論考は核家族や一世帯一住宅のモデルに真っ向から挑戦し、家庭の概念に大きな転換を迫るものでした。翌年、グドマン＝ホイヤーが共同体的目標を掲げた集団生活を擁護する記事を全国新聞に寄稿すると、自分もそんな場所に住みたいという投稿が100件以上集まりました。[*58]

1972年、ボディル・グローは共同生活を希望するデンマーク人家族を集めて、多世代のコハウジング・プロジェクトを開始しました。今ではセッタダムと呼ばれ、世界初の現代的なコハウジング・コミュニティとして知られています。セッタダム創設期の入居者だったブリッタ・ビエーレはこう語ります。「どこかの郊外の戸建てを買って、家族だけで閉鎖的に暮らすのはいやだったんです。そんなある日、新聞広告で土地を買う仲間を探しているのを見かけました。何十人かでその土地に家を建てて、共同の家も作って暮らそうというんです」[*59]。グドマン＝ホイヤーはその翌年にスクラップラネットというコミュニティを立ち上げました。[*60] 新聞広告を見た人たちが次々と集まり、他人と助けあって暮らす共同生活に乗りだしていきました。

その後の10年間で、コハウジング・コミュニティはデンマーク全土に広がりました。たいていは郊外や田舎に近い地域に作られ、「密で低い」スタイルの集落を形成しています。「密」は人々が密接に集まって暮らすこと、「低い」は自然と調和した低層の住宅を意味します。グドマン＝ホイヤーの当初の計画どおり、コハウジングの物理的なレイアウトは通常、戸建ての家の集まりになっています。それぞれの家は通常の郊外の家にくらべると小ぶりですが、独立した寝室とバスルーム、キッチンは備わっています。そしてコミュニティの敷地内には共用の歩道や庭、駐車場、洗濯場、作業場、さまざまな道具やレクリエーション用品、遊び場があります。共用の設備は住人の交流を促しますし、また多くのコミュニティでは共通の目標に向かって協力してもらうために、住人たちに一定の労働を割り当てています。コハウジングの建築様式はさまざまで、通常の戸建て住宅に比較的近いものもあれば、高齢者や単身者、多世代家族、子どものいないカップルなど、それぞれのニーズに合わせた多様な住まいを用意しているところもあります。

ひとつ例をあげると、コペンハーゲンから西へ20マイルほど行ったところのロスキレという町に、イプスゴーデンと呼ばれるコハウジング・コミュニティがあります。[*61] 1983年に設立され、現在まで安定して続いてきました。敷地内には20の一家族向け住宅が並び、さらに全員で使う大きなコモンハウスがあります。住人たちは週に4回か5回、コモンハウスで一緒に食事をとります。各メンバーは週に4時間だけコミュニティのために労働しなくてはいけませんが、それ以外の義務は多くありません。コミュニティのための労働には庭の手入れや共有スペースの掃除、会食のための食事づくりなどの日々の用事のほか、子ども向けアクティビティの企画・実施、高齢者の通院の送り迎えなど各種のケア労働が含まれます。女性に押しつけられがちな雑用をコミュニティに貢献する労働と捉え直すことで、日々のストレスを軽減しているのです。また家庭内での感情労働も（とくに男性が妻や恋人に癒しを求めがちな異性愛の関係性では）女性の負担になりがちですが、コハウジングでは住人同士のつながりが密なので、より広いネットワークで感情的なケアを提供できます。

2017年の時点で、デンマークの人口の約1％がコハウジングのコミュニティに住んでいます。[*62] コハウジングの住人はデンマーク人の平均よりも少し収入が高めですが、これはコハウジングの家が同じ地域の戸建てと同等の価格でありながら、コモンハウスの修繕費などにあてる月々の積立金を払う必要があるからかもしれません。またコハウジングの住人は平均的に、教育水準が高い傾向にあります[*63]。2016年のレポートによると、デンマークのコハウジングは1960年代や70年代の反体制的な試みの延長ではなく、「現代人にとっての救命具の役目を果たすものであり、核家族だけでは提供できない有意義な社会関係を再生する試み」となっているようです[*64]。最近では非都市部にある自治体がコハウジングを創設して都市生活に疲れた人たちを呼び寄せ、人口減少の食い止めと地域の活性化を図る例もあります[*65]。

1970年代以降、コハウジングは北欧からヨーロッパ全体へ、そして世界中へと広がりました。オランダには全国で100以上のコハウジングがありますし、ドイツのベルリンは世界でもっともコハウジングが集中している都市のひとつで、2017年時点でその数は150以上にのぼります[*66]。伝統的なコハウジング・プロジェクトと異なり、ベルリンで主流なのはバウグルッペンというグループを結成してお金を出しあい、ディベロッパーを介さずに都市型の集合住宅を建設するやり方です[*67]。バウグルッペンの名義で住宅ローンを借りることも認められています。集まったメンバーは自分たちで建物を設計し、建築業者をみずから監督します。中間業者への手数料を省き、コストを大幅に削減するためです。なかでも有名なのは、クロイツベルク地区のリッターシュトラッセ50番地にあるR50というバウグルッペンです。R50は7階建ての立派な建物で、19組の家族が資金を出しあって建設しました。このプロジェクトにはベルリン州政府の都市開発部門も協力しており、不動産業者のあくどい商売から市民を守る試みとして注目されています[*68]。

家母長制のエコビレッジ

コハウジングが世界中で続々と登場するなか、特定のターゲット層に合わせたサービスを提供するコミュニティが生まれてきたのは驚くにあたりません。そしてコハウジングのニーズがもっとも高いのがシニア層であるのも不思議ではないでしょう。従来の住まいでは、子どもが成長して家を出ると一気に孤立と孤独が深まるからです。なかでも女性は平均寿命が男性よりも長いので、数多くの中高年女性がコハウジングを通じて新たな暮らしを模索しています。経済的にも、女性がもらえる年金は男性より少なく、配偶者と離婚または死別したあと一人暮らしを続けるのが難しいという事情もあります。そこで1987年にデンマークで立ち上げられたミドゴーデンを皮切りに、西ヨーロッパで現代版のベギン会運動が登場してきました。[*69] そうした女性だけのコミュニティのなかには宗教的なものもありますが、多くはフェミニストたちが宗教と関係なく立ち上げたものです。ロンドンでは中高年女性向けの「ニューグラウンド・コハウジング」が2016年にオープンしました。[*70] パリでは中高年女性のグループ20人がメゾン・デ・ババヤガと呼ばれる現代のベギン会を立ち上げましたが、女性限定の共同体住居ということで、都市計画法や差別禁止法に違反するのではないかと役所にケチをつけられ、長い闘いを経てようやく実現にこぎつけました。[*71]

女性限定のコミュニティに越してくるのはシニア層だけではありません。ワールド・ハビタット・アワードを受賞して国際的にも注目を集めるコロンビアのナシラは、多世代の「家母長制」エコビレッジです。家庭内暴力の被害者や、長年の内戦で住む場所をなくした女性や子どもが集まり、80世帯以上で一緒に暮らしています。[*72] 住人は与えられた土地にリサイクル建材を使って自分たちで家を建てます。[*73] 一定量の「労働出資」をした人はコミュニティの共同所有者となってコミュニティの収益の分け前を受けとり、さまざまな共有施設を利用することができます。敷地内にはコンピューターラボやコミュニティセンター、子どもが遊べる浅いプールもあります。[*74] コミュニティには男性も何人か住んでいますが、主導権を握っているのは女性です。女性たちが力を合わせて食べ物を育て、清潔な飲み水を確保し、太陽光発電を利用したレストランや週末のマーケットを運営しています。[*75]

　アメリカのコハウジング・コミュニティにも独自の色合いがあります。コハウジングの概念が米国に持ち込まれたのは１９８０年、デンマーク王立芸術アカデミーとコペンハーゲン大学で建築を学んでいた二人の建築家の手によってでした。ただしこの二人、キャサリン・マッカマンとチャールズ・デュレは、共同体主義やフェミニズムの文脈から切り離した形でコハウジングをアメリカ人に紹介しました。[*76] ヨーロッパでのコハウジングの試みの多くは核家族に異議を唱えたり（デンマークのように）、住まいの営利的な性格を弱めようとするものでしたが（ドイツのように）、マッカマンとデュレの建築事務所が開発した50以上のコミュニティでは北米の感覚に合わせて、有意義な生活や良好な隣人関係に重点が置かれました。一般的にアメリカのコハウジングは持ち家での自律的な生活を前面に出し、コミュニティのための労働はあまり重視されません。アメリカ人は共同体的な暮らしというと、悪い意味での「コミューン」や「カルト」と捉えがちなので、あえてそのイメージを避けたのでしょう。[*77] ２０１７年の時点で米国各地に１５０を超えるコハウジング・コミュニティが栄えており、その多くはメイン州のトゥーエコー・コハウジングと同様、住人たちで共同購入した土地に各自の家を建てたものです。

家事を社会化する住宅設計

　実証的な研究はまだ多くないのですが、これまでの研究が示すところによると、コハウジングは実際に期待どおりの効果を上げているようです。フェミニズムや共同体主義の文脈を前面に出さないコミュニティでもそれは同じです。２０１０年にアメリカ南東部のコハウジングと通常の住宅を比較した調査では、コハウジングのほうが通常の住宅よりも女性の家事時間が少なく、男性パートナーの家事時間が比較的長いことがわかりました。論文の著者はとくに空間的な違いを強調しています。「コハウジングには共有された空間があり、住人のネットワークを通じて家事が社会化されている」のに対して、「ニューアーバニストの住宅地には個別に隔離された郊外型住宅が並び、女性は自分の家族の世話をすることが最優先とされる」[*78]。慣習にとらわれない人が集まるせいかもしれませんが、コハウジングに住む女性の家事時間は家にいる時間の24％で、通常の住宅地で暮らす女性の31％という数字を下回っています。またパートナーと同居しているコハウジングの女性の40％が「１日に少なくとも1回はパートナーが家事活動に従事する」と回答しているのに対し、通常の住宅地に住む女性でそう回答したのはわずか27％でした[*79]。子どもの見守りや料理、皿洗いといった家事を共同のタスクにすると規模のメリットで家事時間が節約できますし（1日あたり30分程度）、見過ごされがちな家事がコミュニティへの貢献として評価されるのでやりがいを感じられます。

　さらに重要なのは、コハウジング居住者の30％が、近隣の住人と家事を分担したり交換しあったりしていると回答したことです。通常の住宅地でそのように答えた人はいませんでした。その要因として、コハウジング特有の建築と設計があげられます。都市型の戸建て住宅は商業施設の周辺に建てられ、映画館や食料品店、保育園や娯楽などの機能が商業施設に集中しているのですが、コハウジングでは「共同の施設、共同の管理、その結果としての緊密なコミュニティ」がその役割を担っているため「ジェンダー平等の意識が高まり、家庭の内外で家事を分担するパターンが受け入れられやすい」と報告されています。[*80]

2015年から2018年にかけてデンマークとスウェーデンのコハウジング6か所の住人にインタビューした調査によると、コハウジングで育った子どもは親にくらべて、家と共同の空間とをスムーズに行き来する傾向が見られました。社会学者のキャスリン・ワセデはこの調査結果から、コハウジングで育つ子どもたちはコミュニティの大人や子どもと密接につながり、拡大家族と暮らすのに似たメリットを享受していると述べています。親のなかにはプライベートな空間で自分の子どもと過ごす時間を重視する人もいましたが、子どもたちは集団でいるほうが幸せで快適なようです。家と核家族という従来の枠組みを超えて、近隣のキッチンやリビングも含んだより広い家庭の概念を身につけているのでしょう。[*81]

米国のコハウジングで育った若者にインタビュー調査をおこなったジャーナリストのコートニー・E・マーティンは、「コハウジング・コミュニティで過ごす子ども時代は、その後の人生に長期的で広範な影響を及ぼす」と述べています。[*82] たとえばミズーリ州のサンドヒル・ファームで育ったある大学生は、広いコミュニティでたくさんの大人と過ごしたおかげで対人スキルが高まったといいます。「毎週の定例ミーティング、チームでの庭仕事、共同の食事、そういうのを通じて誰もがオープンで誠実な会話スキルを身につけられます。それは自分の強みになっているし、人生のあらゆる場面で役に立つと思います[*83]」。またコロラド州デュランゴのコハウジングで育った別の女性は、自由な子ども時代を懐かしんでこう語ります。「みんな冒険心にあふれていましたね。近所を走りまわって、自分たちで何でもやっていた。大人は必要なときだけそこにいてくれました[*84]」

もちろん、すべてがバラ色だったわけではありません。米国のコハウジングで育った人のなかには、プライバシーの欠如やうわさ話にうんざりしたり、人種や階層の均一性に不満を感じる人もいました。それでも全体としてみれば、満足度は高いようです。マーティンはこう言います。「何かしらの欠点はあるにせよ、インタビューした若者はほぼ全員が、機会さえあれば自分の子どもをコハウジングで育てたいと語っている[*85]」

とくに研究者の注目を集めているのが、シニア層向けコハウジングの成功です。各国で高齢化が進むなかで、高齢者の孤立は大きな問題となっています。ピュー研究所の２０２０年の調査によると、米国に住む60歳以上の27％が一人暮らしをしており、調査対象１３０か国の平均である16％よりもかなり高くなっています[*86]。また世界的に夫婦間で年齢差が見られるため、女性が一人で老後を送る可能性は男性の2倍になります[*87]。

アメリカのシニア向けコハウジング5か所の住人86人（その多くは女性）を対象にした２０２０年の調査によると、コハウジングで暮らす人たちは孤独感のレベルが全国平均より低いことがわかりました。とりわけ内向型を自認する人がコハウジングの環境を気に入っているようです。通常の一人暮らしでは、人との交わりが皆無になる不安があるからです。他の複数の調査でも、内向型の高齢者が定期的に人と交流する必要性を実感していると指摘されています[*88]。「回答者はコハウジングの環境にいるほうが人と交流するのが難しくないと答えている。たがいに見守りあうコミュニティの一員であることに価値を感じている[*89]」。また２０２０年にカナダのシニア向けコハウジングでおこなわれた調査でも、老後を送る場所としてコハウジングに魅力を感じている住人が多く、企業が経営する介護付き住宅よりもずっと望ましいと感じているようです。[*90]

コハウジングと生活満足度に関する2020年の文献調査では、よく言われるような生活の質の向上に加えて（この点も西欧や北米を中心として裏付けとなる文献が確認されています）、住宅価格の変動から人々を保護できる利点が指摘されています。「コハウジングは住宅の商品化を緩和するのに役立つ住宅モデルであると考えられている……住宅の建築費用が業者のキャピタルゲインの影響を受けにくいためである。住宅価格の長期的な安定性と相互の経済的サポートにより、住人の生活は経済的・社会的に安定し、新自由主義的な住宅市場の不安定さに比較的脅かされない」[*91]。言い換えればコハウジングは、不動産価格の変動を利用して利ざやを稼ぐ投機家や、大量の住宅を買い占めて賃貸で儲ける不動産会社に対する抵抗なのです。

分譲マンションや戸建て住宅と違って、コハウジング内の住宅は多くの場合、コミュニティ全体の承認がないと売却できません。トゥーエコーでは所有する物件の売却は自由ですが、購入者にコミュニティのルールや責任を遵守する意思がある場合にかぎります。手っ取り早く利益を上げたい投機家はそうした規約を嫌いますから、コハウジング住宅の評価額は通常よりも変動しにくいのです。また、ドイツのバウグルッペンのようなコハウジングでは仲介業者を省いて建築コストを抑えているため、そもそもの購入価格が手頃になります。

コハウジングの住まい方は環境保全の目標にコミットしやすく、家庭でのエネルギー消費量削減につながるという研究結果もあります。[*92] 共用の設備があれば、10年かそこらで壊れる家電を各家庭に設置しなくてすみます。[*93] 20件の家に20種類の食器洗い機や洗濯機・乾燥機が本当に必要でしょうか。本や新聞・雑誌はコミュニティの図書室で借りればいいですし、Wi-Fiもみんなで共有して、ケーブルテレビや配信サービスもまとめて契約すればいいのです。そのほうがお得ですし、無駄を減らせます。2019年の調査によると、エコな商品を買うよりも、物を買う量を減らしたほうが幸福度は上がるそうです。[*94] 大勢でシェアできる環境にあれば、物を買う量は簡単に減らせます。トゥーエコー・コハウジングで2年間暮らした女性も、次のように語っています。「トゥーエコーを出てフロリダに引っ越したあと、近所の人が手押し車を買ってきたのを見て、うちに手押し車があるのにどうして借りに来ないんだろうと思いました。みんなでシェアするほうが合理的なのに」

またコハウジングには、リモートワークの増加やサービスのデジタル化によって生じる孤立を緩和する効果もあります。リアル店舗がアマゾンの配送センターに取って代わられ、家を出て他人と会う機会はますます少なくなりました。ネットで何でもできるので、行列に並ぶような場面も今ではほぼありません。たしかに不便は減りましたが、思い返してみればライブのチケットを買うために何時間も行列したり、深夜のプレミア上映をわくわくしながら並んで待つ時間はとても素敵なものでした。集まったファンの人たちと興奮して語りあったのが懐かしくなります。スピード重視の多忙な社会のなかで、私たちはそれと気づかないまま、便利さのために人とのつながりを犠牲にしているのです。

近所づきあいのリアルな事情

そうはいっても、共同体で暮らせば人間関係のゴタゴタがあるのではないかと思われるかもしれません。たしかに一家族で暮らすスタイルに慣れている人には、戸惑いもあるでしょう。

「そりゃ、現実は甘いことばかりじゃないですよ」、2021年8月にトゥーエコーを訪れたとき、年配の住人がそう語ってくれました。「住人同士の揉めごとはあります。どこに住んでもそうですけどね。それでとんでもない量のメールが行き交ったりしますよ」

商業的なコリビングと違って、コハウジングでは維持管理を自分たちの手でやるのが主流です。トゥーエコーも例外ではなく、外部の業者を雇うのは除雪作業や大きな木の伐採、浄化槽の点検くらいです。対立が起こりがちなのは、たとえば一部の住人がコミュニティの組合費で業者を雇おうとして（組合費は各家庭が月に180ドル負担しています）、他の住人から業者など呼ばずに自分で修理するべきだという声が上がるときです。また歩行者専用道路の使い方で揉めることもあります。多くのコハウジングと同様、トゥーエコーの敷地内は自動車の乗り入れが禁止されていて、敷地外の駐車場から自宅まではカートや手押し車で荷物や小さい子を運びます。ただ例外として、車で旅行に出るときの荷造りや、大きな荷物を運び込むときには家の前まで車の乗り入れが許可されています。このルールをめぐって、「あの人は気軽に車を使いすぎだ」と文句が出たりするわけです。

しかし通常の近所づきあいと違い、コハウジングでは定期的に住人同士のミーティングがあり、揉めごとの解決や意思決定の方法についても一定のルールがあります。トゥーエコーで採用しているのは、住人全員が納得できるまで話しあう合意ベースの意思決定です。手間はかかりますが、真摯に問題に向きあう機会になります。誰かが家に新しいポーチを作りたい、通常より大きなアンテナをつけたいといったときに会合が開かれ、ときにはもっと深刻な問題、たとえば銃の所持を許可するかといった問題が持ち上がることもあります。何度か話しあいを試みても合意に至らなかった場合、住人の75％が賛成すれば合意形成プロセスを中断して多数決にかけられます。多数決では全住人の4分の3

以上が賛成票を投じた場合にのみ可決となります。こうした明確なプロセスが円滑なコミュニティを助けているのです。

嫌なルームメイトや厄介な隣人に悩まされた経験は誰にでもあると思います。自分だけの家で暮らすのに慣れている人は、周囲の人の生活習慣や困った行動につきあわされることに抵抗があるかもしれません（うるさい楽器の演奏、匂いのきつい料理、愚痴を言うのが大好きな隣人）。でも広大な私有地に住めるほど裕福でもないかぎり、誰でも多かれ少なかれ近所の人に悩まされながら生きているはずです。近所の人があらかじめルールに合意し、将来の揉めごとを解決する手順が決められていたら、今より楽になる面もあるのではないでしょうか。

コハウジングの住人はみんなルールを理解し、共同で暮らすという理念にコミットしています。人間関係の問題に対処し、共通の課題に取り組むうちに、住人の絆は深まります。ちょうど恋人の癖やこだわりに慣れていくのと同じです。社会主義時代の東ヨーロッパでは住宅不足でみんなプライバシーのない住環境に文句を言っていたものですが、1989年に社会主義政権が崩壊すると、多くの人が逆に以前の暮らしを懐かしむようになりました。エスノグラフィー調査でも市場経済の到来が人々の孤独を深めたことが指摘されています。[*95]

寝室やバスルーム、キッチンやダイニングは、かなり親密な領域です。どの部屋を共有できるかで相手との距離感が測られるともいえます。距離が近いとそれだけリスクも高まりますから、同じ部屋で同じ空気を吸うためには信頼が欠かせません。ただし、私たちの好みは後天的につくられたものです。個人主義も協調性も学んで身につけたものであって、ちょうど筋肉のように、使えば強くなるし使わなければ弱くなります。自分だけのアパートメントや家族だけの戸建てに住みたいと思うのは、単に社会がそれを「普通」とみなしているからかもしれません。きっと自分で思う以上に、私たちは影響されやすいのです。子どもの頃に大人数のつながりの中で生活していた人は大人になってからも同じようなコミュニティを居心地よく感じる傾向がありますし、幼いとき保育園ですごした人は自分の子どもを保育園に入れる傾向が高いこともわかっています。

ただし、コハウジングはとくに北米において、左派の人が集まる一種のゲーテッドコミュニティ〈塀で囲まれた閉鎖的な高級住宅地〉になっているのではないかという批判はあります。[*96] 人々が狭い意見空間に閉じこもるエコーチェンバー現象は、現在のアメリカが抱える最大の問題とも言えます。政治的な立場が違えば見る番組も読む新聞も違いますし、SNSでは好みに合わせて勝手にカスタマイズされたタイムラインがその人の信念をどんどん強化します。コハウジングに似たもの同士が集まれば、そういう傾向が強まる可能性は否定できません。もっと多様な層の住人を増やすためには、行政が本気を出して、手頃なコハウジングの普及に乗りだす必要があるでしょう。そうすればスポーツファンが政治を脇に置いてホームチームを応援するように、おたがいを隔てる溝を少しずつ埋めていけるかもしれません。もちろんコハウジングへの入居に既存の住人の合意が必要な場合、そこで差別が起こる可能性はあります。しかしアメリカでは公正住宅法がコハウジングにも適用されるので、少なくとも理論上は、何らかのカテゴリーによる入居差別を防止できるはずです。

うまくやればコハウジングは多世代の共存を促し、単身、カップル、3人暮らし、核家族や拡大家族など多様な暮らし方をコミュニティに包摂できます。そして人種や宗教、社会経済面で異なる層の人が集まり、一緒に話しあったり食事をしたり趣味の活動に参加するうちに、少しずつ心の垣根が取り払われるかもしれません。大学のキャンパスに引っ越してきた新入生が実に多彩な友情を築いていることを思えば、コハウジングは政治的分断の解決に向けた一歩になりうるのではないでしょうか。

もっと短期的に見るなら、まずは共通の目標を持つ人たちの小規模な民営コハウジングが増えていくと考えられます。持続可能な生活をする、同じ信仰を持つコミュニティで子どもを育てるなど、共通の目標があれば共同生活がやりやすくなります。私は内向的な性格なので、ときどき引きこもれる自分だけの空間は不可欠なのですが、それでもスタートレックのファンと集まって暮らすのは、スポーツファンと暮らすよりはずっと現実的に想像できます（もちろん共用のリビングは宇宙船エンタープライズのラウンジバーを完全に再現した内装にするでしょう）。園芸好きのコミュニティや、バイクマニアやオペラファンのコハウジングも楽しいでしょうし、ワンダーウーマンを愛するフェミニストの多世代コハウジングだって作れるかもしれません。

現在、米国コハウジング協会をはじめ、カナダやイギリス、オランダ、スウェーデンなど、世界中のコハウジング推進団体が各地のコミュニティと連携し、個人や家族を新旧さまざまなコハウジングにつなげる活動をしています。あるいは正式なコハウジングでなくても、親しい友人たちと共同で物件を買い、コハウジング風の暮らしを始めてみるのもいいでしょう。セイレーン・ハウスと名づけた4世帯向け住宅で暮らすホリー・ハーパーは、シングルマザー4人で一緒に家を買い、緊急時の資金も共同で出しあっています。おかげで年間3万ドルの節約になったとハーパーは語ります（ただしカンザス州のショーニー市では、このような暮らしは違法となってしまいますが）[*97]。通常の家で暮らしている場合でも、ご近所どうしで簡単な食事会をしてみたり、除雪機や芝刈り機を共同で使うなど、横のつながりを少しずつ広げる手段はあります。役所に対して公的なコハウジングの推進を呼びかけたり、住宅をシェアしやすい制度づくりを求めていくのもいいでしょう。

足りない住宅、余るペントハウス

本章で見てきたように、コハウジングは孤立を減らし、多人数でシェアすることで住宅のストックを増やし、さらに家財購入を減らして大量消費社会に一矢報いることができます。ただし、それだけでは足りないと指摘するフェミニスト政治経済学者もいます。コハウジングが核家族を解体するフェミニスト的プロジェクトとして始まったことを思えば、現代のコハウジングは政治色を剝ぎとられてずいぶん薄められてしまったのではないか。「今のままでは資本主義と家父長制を脱するために必要な変化を起こせない」と、リデウィ・タマーズとシェリリン・マグレガーは指摘します。[*98]

1892年、ロシアの学者でアナキストのピョートル・クロポトキンは、住宅を完全に脱商品化して労働者階級の解放を実現しようと呼びかけました。「革命の民が家々を没収し、住居の無料化を宣言するならば——住居を公共化し、すべての家族にまともな住まいの権利を与えるならば……それは個人の私有財産に致命的な打撃を与えるだろう[*99]」

住人がリソースを出しあい、利益目的の不動産業者を回避するコハウジングの取り組みは、住宅を市場原理に振りまわされる商品から公共財の方向へと近づけることができます。富裕層や上位中産階級が資産運用のために不動産を買う社会では、すべての人の基本的ニーズであるはずの住宅が投資対象とされ、供給が不安定になります。ニューヨークやロンドンでは何百もの広いペントハウスが空き部屋のまま放置される一方、何万人もの人がホームレス状態で暮らしています。アマゾンCEOのジェフ・ベゾスは、まだコロナのパンデミックで資産が膨れあがる以前の2020年2月、ロサンゼルスにある1万3600平方フィート〔約1260平米〕の邸宅を1億6500万ドルで購入しました。ロサンゼルスのホームレスサービス局によると、その年の路上生活者の数は6万6千人以上にのぼっています。[*100]

現代のコリビングやコハウジングは世界を揺るがす革命というよりも、ささやかな変化かもしれません。単に住居のシェアにとどまらないコミュニティもありますが、それについては後の章でまたご紹介します。いま言えるのは、多くの人にとって、とくに女性にとって、一家族だけの住宅を囲む壁の外に出たほうが有益だということです。

どんなに小さな一歩でもかまいません。自分は誰と、どこで、どのように暮らすのか。少し立ち止まって考えてみれば、現代人の生活から奪われた協力と分かちあいの精神をいくらか取り戻せるのではないでしょうか。

第3章 子どもは社会の公共財

31歳で大学院在学中に妊娠したとき、子どものいない中年の女性教授から、PhDを取る前に子どもを産んだりしたらキャリアが台無しになると忠告されました。妊娠初期のつらい時期、私はひどい疲労にさいなまれながら、教授の言うとおりだったらどうしようと怯えていました。テニュアトラックの仕事を勝ちとるにはかなりの激務が必要です。ふくらんでいくお腹と集中力を欠いた頭でそれができるのでしょうか。でもとにかく前に進むしかないと思い、力尽くで博士論文を書きあげて、出産予定日直前に大学の求人市場に身を投じました。

最初に電話面接にこぎつけたのは、メイン州の小さなリベラルアーツ・カレッジです。電話越しに赤ちゃんの泣き声が聞こえないように、車の中でなんとか面接をやりとげました。そして現地での面接に招かれたのですが、帝王切開の2週間後に西海岸から東海岸まで飛ぶのはさすがにきつく、辞退しようかとも思いました。でも指導教授は「辞退なんてもったいない、面接の経験を積める貴重な機会じゃないか」と言います。ただ、赤ちゃんがいることは黙っていたほうがいいと助言してくれました。育児に追われて仕事の質と量が下がると思われる可能性があるからです。母親である事実が選考に影響してはいけないと思い、私は生まれたばかりの娘の存在を隠して面接を受けることにしました。

準備万全で面接に臨んだはずでした。授乳中の時期だったので、メッセンジャーバッグに搾乳器を忍ばせて、面接の合間にこっそり母乳を出しておくつもりでした。しかし行ってみると、思った以上にぎっしりとスケジュールが詰まっています。次から次へとオフィスを連れまわされ、トイレに入るときも進行役の人がすぐ外で待っている状態でした。おかげで4時からの面接が始まる頃には、両胸がバスケットボールみたいにパンパンに張っていました。夫に渡しておこうと出発前に思いきり搾乳してきたので、母乳の分泌が刺激されてしまったのでしょう。おごそかな雰囲気のオフィスで学部長や副学部長と小さな円卓を囲みながら、私はブラジャーの下の母乳パッドから母乳がこぼれ落ちるのを感じていました。体に裏切られた気がしました。自分でもどうすることもできません。学部長たちが健康保険のプランについて話しているのを聞きながら、どんどん母乳が噴きだしてくるのを感じ、気が気ではありませんでした。パッドの脇からスーツの布地に染みが広がっていきます。私は体の前で両腕を抱え、どうにか汗に見えるよう祈りました。

あれでよく採用されたものだと、今でも驚いてしまいます。私は無事に大学でのキャリアを踏みだしましたが、それほど幸運ではなかった女性たちのことも知っています。女性の同僚に子どものいない人が多いのも当然かもしれません。意識して子どもを持たない人もいます。男性の体に合わせて設計された厳しい研究職の世界では、出産や育児など想定されていないからです。あるいは経済学者のシルヴィア・アン・ヒューレットが言うように、流れで選択肢がなくなった人もいます。[*1] 充分にキャリアを築いてから家庭を持とうと思っているうちに（研修医を終える、テニュアを獲得するなど）、いつのまにか30代も後半にさしかかり、今度は相手が見つからなかったり、妊娠しづらくなっていたり、もう年だし収入も安定しないからと諦めてしまったりするのです。

子どもを育てるには、膨大な時間とリソースが必要です。一人か二人の親がすべてを背負うには、あまりにも負担が重すぎます。でも本当は、そうでなくてもいいのではないでしょうか。

ユートピア思想家たちは何千年も前から、子どもは共同体のなかで複数の大人の手で育てられるべきだと提案しています。多くは共同的な住まいと組み合わせる形で新たな育児実践が試みられ、かつては無理があると思われたアイデアを私たちの日常に少しずつ広げてきました。子どもを作る営みが始まって以来、人類は共に子育てする方法を模索し、すべての家族の利益になるように資源や労力を出しあってきたのです。ただ、それとは逆方向の動きが存在してきたのも事実です。とくに富裕層や権力者は自分の子どもを他の子と交わらせず、家の中で大事に育てる傾向がありました。そのために乳母や料理人、住み込みの家庭教師などを雇っていたわけですが、現代の核家族ではそうした助けも得られず、一人の親がすべての役目をこなすことになりがちです。あまりに大変というか、ほぼ不可能な仕事だと思います。子どもを持つためには周囲のサポートがどうしても必要です。コミュニティの支えがあってこそ、日々の暮らしはユートピアになりうるのです。

子育てのコストを担うのは誰か

米国農務省のデータによると、中所得層のカップルのあいだに2015年に生まれた子どもが17歳になるまでにかかる費用は、高等教育費を除いても23万3610ドルにのぼります。[*2] しかもこの数字には、子育てのための機会コストが含まれていません。つまり、子どもを産まなければできたはずの仕事や出世の機会を失った損失が考慮されていないのです。大卒女性の場合、この機会コストはキャリア全体で100万ドルを超えることもあります。[*3] そのコストを背負うのは各家庭です。昔の農家のように子どもが家の労働力になるわけでもなく、もはや老後の世話も期待できない現在、出産と育児は経済的には筋の悪い投資といわざるをえません。

お金の問題だけでなく、子どもがいると幸福度が下がるというデータもあります。2006年にドイツでおこなわれた生活満足度の経年変化に関する調査によると、第一子の誕生後には幸福度が一時的に上昇しますが、子どもが3〜4歳になる頃には男女ともに幸福度が元のレベルより大幅に下がりました。[*4] 2003年のメタ分析によると、子どものいる夫婦は結婚満足度もかなり低くなります。[*5] 経済協力開発機構（OECD）に加盟している22か国を対象にした調査でも、大半の国で子どものいる人の幸福度が子どものいない人より低いことがわかりました。とくにその差が大きいのは米国です。[*6]

そうした困難にもかかわらず、人は子どもを作ります。理由はさまざまです。大人になったら結婚して子どもを持つのが当たり前だと感じるからかもしれません。無条件の愛とケアを与えあう関係を持ちたい、次世代を育てる営みによって何かしらを未来に投げかけたいという人もいますし、あるいは人生を存分に体験するために、新たな命を生み育てて命のサイクルを次につなげる必要があると考える人もいます（子どもの有無とは逆に、孫のいる人はいない人よりも生活の質と満足度が高いことが知られています。ただ、祖父母になるためにはまず自分の子どもが大人になり、さらに子どもを作ろうと思ってくれなければいけませんが）。[*7]

もしも子育てが生物学的本能を満たす行為なら、子どもがいる人の幸福度は上がることはあっても下がることはないはずです。なぜ現実はその逆なのでしょう。OECD加盟国のうち22か国を比較した論文によると、米国でそうなっている理由は明らかです。「子育て支援が不足している場合、とりわけ公的に支援された保育施設や有給育児休暇がない場合」に、子どもがいる人の幸福度は下がるのです。[*8]

公立の保育園がある国でも、入りたいのに入れない、保育の質が充分でない、仕事復帰のタイミングに間に合わないなどの問題はあります。米国は外国の保育制度を見習うべきだという議論はありますが、単に他国の現状を真似するだけでは足りません。たとえばドイツでは、法的にはすべての子どもが保育園に通う権利があります。2019年には保育施設の拡充のために国から65億ドルの補助金が出ることになりました。しかしそれから2年が経っても、ドイツでは3歳未満の子どもを受け入れる保育園の空きが34万2000件も不足し、全国の低年齢児の約14%が公立の保育園に入れない状況です。[*9]そのため復職を切実に希望している女性たちが、仕方なく家で子どもの面倒を見ています。その多くは高学歴の専門職の女性です。また運よく保育園に入れた場合でも、多くの園では有資格者が不足していて、子どもの数にくらべて保育士の数が少なすぎることが2020年の調査でわかりました[*10]（ドイツのベルテルスマン財団が推奨する基準では、3歳未満の子ども3人に対して1人の保育士、3歳以上の子ども7・5人に対して1人の保育士を配置するのが望ましいとされています）。ドイツのように子育て支援に力を入れている国でも、需要に供給が追いつかないのが現実のようです。

同様に、ニュージーランドでは3歳から5歳の子どもは週20時間までの保育が無料で受けられます。[*11]しかし2020年にウェリントンに住む女性に話を聞いたところ、3歳からでは遅すぎるという不満の声も多いようです。3歳未満の保育のコストは家庭に丸投げされているわけで、保育を頼むにせよ親が仕事を休むにせよ、その費用は安くありません。労働力が商品となる競争的な市場のなかで、3

年間のブランクはかなり不利な条件です。労働市場は家事育児をキャリアとして評価してくれませんから、3年間家にいることを選んだ人は何もしていなかったかのような扱いを受けます。またこうした制度は、異性カップルの性別役割分業の強化にもつながります。経済的に考えるなら、賃金の低い側が育児をするほうが合理的だからです。女性は一般に男性より賃金が低いため、育児のために仕事を離れなければならず、そのせいでさらにキャリアが阻まれるという悪循環が生まれます。その結果、2021年のニュージーランドの出生率は過去最低を記録しました。各種のデータはこの先も出生率が下がりつづけることを示しています。人口が減るのは地球環境のためにはいいかもしれませんが、ニュージーランドの将来の税収や公的年金の存続を考えると、うれしい話ではありません[*12]。

保育料を払うか、親の片方の収入を3年間失うか。多くの家庭にとって、どちらの選択肢も経済的な痛手が大きすぎます。昔は祖父母や親戚が子育てに手を貸してくれたものですが、経済の変化によってアウトソーシングやグローバリゼーションが広がり、生まれた土地を離れて働く人が増えました。たとえ祖父母が近くに住んでいたとしても、子育てをする余裕があるとはかぎりません。定年退職年齢の引き上げや老後の生活不安から、年をとっても仕事を続ける人が増えているからです。世代間の子育てサポート体制が崩れたことで、とくに大きなダメージを受けるのが人種的・民族的マイノリティ、労働者階級、シングルマザーといった弱い立場の人たちです。ポストコロナの米国企業が人手不足になったのも、一部には子育て支援が足りないせいでした。職場復帰したくても子どもを見てくれる人がおらず、保育にかかるお金も払えないのです。

孤立した核家族での子育ては母親に大きな負担を強いるだけでなく、子どもの社会的・感情的ニーズや心の発達の妨げになる可能性もあります。数々の研究が示すように、生まれて最初の数年間は認知発達や情緒的なアタッチメントにとって重要な時期です。この時期にとりわけ必要なのが、複数の大人による安定した愛情とケアです。ハーバード大学子ども発達センターと全米子どもの発達研究協議会が2004年に発表した「人間関係の環境と幼児発達」というワーキングペーパーでもその点が強調されています。「健全な発達は、子どもが家族内外の大切な人々と質の高い信頼できる関係を持てるかどうかにかかっている。そうした人間関係は子どもの脳の発達にも影響する」[*13]。親だけでなく複数の保育者が子どもにしっかり気を配り、質の高い保育環境で安定したつながりを築いていくことが大切なのです。

赤ちゃんの世話を母親に任せきりにするのは、産後うつの観点からも現実的ではありません。米国疾病予防管理センターによると、アメリカの母親の約13％が、赤ちゃんの世話に支障が出るほどの気分の落ち込みを報告しています。この数字は州によって異なりますが、ミシシッピ州では母親の4人に1人が産後うつに苦しんでいるそうです[*14]。そんなとき、周囲の人の手で育児を支えてもらえたら、母親も子どももいくらか楽になるはずです。しかし世間には、いまだに母子の絆を理想化する風潮があります。そのせいで母親のストレスは無視され、複数の養育者によるケアの利点も忘れられがちです。

たとえうつ病にならなかったとしても、乳幼児の世話をしばらく経験した人なら、それが骨の折れる単調な繰り返し仕事なのをよくご存じだと思います。細切れの短い睡眠に、やむことのない要求。だから裕福な家庭では、住み込みのベビーシッターやオペアを雇って育児をまかせるのです。最近では、子どもを産んで後悔していると打ち明ける女性も増えてきました[*15]。理想の母親像を裏切る告白は社会の怒りを買いますが、それでも（匿名にせよ）現実が語られるようになってきたということでしょう。あるいは誰にも言えず、悪い母親だと自分を責めながら、とんでもない自己犠牲を強いられる生活に内心不満を抱えつづけている人たちもいます。個人主義と利己心をもてはやす資本主義社会の前提は、誰かに「ママ」と呼ばれた途端に消え去るのです。[*16]

ここ40年間、グローバルノース全体で出生率が急落しているのも驚くにあたりません。今では人口の安定のために必要な出生率（人口置換水準）を大幅に割っています。子どもを持つことが社会の営みではなく個人の特権と見なされる社会のなかでは、子どもを諦めるほうが選択肢としては合理的です。移民の受け入れに消極的な日本やイタリアなどの国では、自民族の子どもを増やすために出生率を上げようと政府が躍起になっていますが、古くさい家族観とジェンダー観の押しつけに女性たちは怒りと不満を募らせています。保育の拡充をめぐる議論は世界中で繰り広げられていますが、どうしても女性の利益と子どもの利益とのトレードオフという枠組みで語られがちです。しかしユートピア的育児を実践してきた世界各地の試みは別のことを示しています。保育はトレードオフではなく、全員の利益になるのです。

誰か一人が使っても他の人の取り分がなくならないような物やサービスを、経済学では「公共財」と呼びます。公共財が充実すれば社会の全員にメリットがありますから、その費用は税金でまかなわれるべきです。たとえば国防や道路、法制度、きれいな空気などは代表的な公共財です。また子どもは未来の労働者であり、納税者であり、消費者ですから、その意味で子どもたちも一種の公共財である、と経済学者のナンシー・フォーブレは言います。[*17] すべての市民はやがて（生きていれば）その恩恵を受けることになるからです。

いま年金を受けとっている人はみんな、誰かが育てた子どもの労働に依存しています。雇用主はみんな、誰かが育ててくれた人材を雇っています。戦争になれば、誰かの子どもたちが国を守るために戦うでしょう。2022年の時点で、アメリカ国防総省が支払う「死亡見舞金」（入隊した未婚の子どもが死亡した場合に親が受けとるお金）の金額は10万ドル。[*18] 子ども一人を育てあげるのにかかる直接費用にも届きません。それなのに大半の国では、子どもという貴重な公共財を育てる費用を個々人に押しつけています。つまり私たちみんなの未来を支えるために、個々の親が時間や労力やお金や愛情を自前で捻出しているのです。子どもを持たない選択はそうした状況を回避するひとつの方法ですが、自分でなくても誰かが18年以上も子育てのプロジェクトに身を捧げ、私たちに公共財を提供してくれている事実は変わりません。その人たちには支援が必要ですし、支援を受ける資格が充分にあります。

金銭的な問題だけでなく、一緒に子育てすると連帯感が生まれ、コミュニティの助けあいの基盤が作られていきます。それは子育て以外の面でも、日々の生活を変える力になるはずです。何年か子育てをした経験のある人なら、育児という大混乱のフィールドで共に戦う親たちが、誰よりも心強い戦友であると実感されていることでしょう。

プラトンの理想の子育て

紀元前375年の昔から、プラトンは私的な家族関係が公共心を損なうとして問題視していました。プラトンが『国家』を書いたのはペロポネソス戦争直後、アテネがスパルタにこっぴどくやられた時期のことです。個人主義のアテネ人にくらべると、スパルタ人は集団を重視する人たちでした。プラトンが描いた理想の社会も、そんなスパルタ社会の影響を受けた部分があるのかもしれません。『国家』の第5巻では、守護者の子ども（あるいは国のすべての子ども）はみんな共同で育てられるべきで、「親が自分の子を知ることも、子が親を知ることも許されない」と論じられています。[*19]

プラトンは人々を3つのグループに分けて考えました。哲人統治者、補助者、生産者です。プラトンははじめ哲人と補助者の両方を「守護者」と呼んでいますが、やがて両者の区別を明らかにします。補助者は国を守るために戦う戦士で、哲人統治者は国を統治するにふさわしい知恵を持つ人たちです。そして生産者は食料の生産や取引を通じて人々の生活を支えます。プラトンが共同での子育てを説いたとき、すべての子どもを意味していたのか、それとも守護者の子どもだけを意味していたのかは、研究者のあいだでもいまだに意見が分かれます。ひとつ確かなのは、どの子も素質次第で3つのグループのどこにでも行けることです。「すべての子どもが共同で育てられると考えたほうが、真の才能を見つけるという目的を考えれば筋が通ると思います」と、哲学者のサラ・コンリー名誉教授が2022年3月のメールで説明してくれました。「ただし権力を持つ人が自分の子により多くを残そうと蓄財するのを防ぐ意味で、守護者に関してのほうが重要度は高くなります」

プラトンは（師のソクラテスの言葉を通じて）、子どもが生まれたら「そのために任命されている役職の者に引き渡されて」育てられるべきだと言っています。「この任に当るのは男たちでも女たちでも、あるいはその両方であってもよい。役職もまた、女と男に共通に分けもたれるはずだから」[*20]。つまり保育の訓練を受けた女性および男性の保育士が、協力して次の世代の市民を育てるということです。プラトンは生物としての必要性も忘れてはいません。「母親たちの乳が張ったときには保育所へ連れてくる……その際どの母親にも自分の子がわからぬように、万全の措置を講ずるだろう」[*21]。そうすれば母乳が出にくい人の赤ちゃんも誰かに授乳してもらえますし、「寝ずの番やその他の骨折り仕事」

は保育士にまかせられるので、母親に負担がかかりません。イギリスの貴族階級が乳母に子育てをまかせたのにも似た発想です。授乳経験のある人ならわかると思いますが、自分が産んだ子どもでなくても、赤ちゃんの泣き声を聞けば母乳は出るものです。プラトンのやり方はパターナリズムが強いと批判されるかもしれませんし、現代人から見ると行きすぎに感じる部分もあると思いますが、母親と子どもの分離はすべての子どもに最善の栄養とケアを行きわたらせる方策でもあったのです。生みの親の母乳の出方にかかわらず、すべての赤ちゃんに栄養を行きわたらせるという意味でも、プラトンのいう共同育児の対象は共同体の子ども全員だと考えるのが妥当かもしれません。

共同育児にはもうひとつ、プラトンの理想にとって重要な意味があります。自分の子ども可愛さに誰かの子どもを排除しない、ということです。プラトンは共同育児が女性を自由にすると明言していますが、しかし第一の目的は、哲人統治者や補助者のあいだの競争や対立を減らすことにありました。すべての子どもを自分の子どものように扱うなら、守護者たちは共同体全体の利益を考えるようになり、住民全員の暮らしがよくなります。また子どもがみんなのものであれば、自分の生物学的な子どもが哲人統治者や補助者になる資質を欠いていたとしても、親は失望や後ろめたさを感じなくてすみます。

共産党宣言よりも過激な提案

およそ二千年後、プラトンの構想した共同育児の構想が新たな必要性を帯びてきました。産業革命で労働者階級の女性や子どもが家庭内での無償労働を離れ、工場で働くようになったからです。

19世紀半ば頃には、労働者階級の母親たちは一日12時間から14時間労働に従事し、残ったわずかな時間で子どもの面倒を見なければならない状況でした。子どもたちは充分なケアを与えられず、小児死亡率も高くなっていました。フリードリヒ・エンゲルスはマンチェスターの労働者たちと一緒に暮らした経験から、その様子を1844年の著作『イギリスにおける労働者階級の状態』に詳しく記しています。「多数の家庭では妻が夫と同様に働きに出ている。その結果、子どもは完全に放置され、家に閉じ込められるか、家から追いだされて人にあずけられる」[*22]。子どもをあずかる側の女性たちは家で出来高払いの仕事をしていることが多く、乳幼児にゴドフリー・シロップという一種のオピオイド薬を与えて無理やり眠らせていました。薬の過剰摂取で亡くなる赤ちゃんも多かったといいます。たとえ無事に育っても、小学校に行くかわりに工場での労働に駆りだされ、危険に満ちた環境で働かされるのが普通でした。

こうした状況を変えるために、すべての子どもを対象とした保育サービスが必要だとエンゲルスは提唱しました。教育要素を含んだ保育を人生のなるべく早い時期から提供すれば、誰もが公平なスタートを切れます。労働者階級の子どもたちも読み書き計算を習得しておけば、産業化の進む社会で厳しい肉体労働に一生を費やさなくてすみます。エンゲルスは1847年に『共産党宣言』のもとになる草稿を2つ書きあげていますが、6月19日に書かれた「コミュニストの信仰告白」という草稿で「すべての子どもは母親の最初期の世話を離れると同時に、国の運営する施設で教育を受けはじめるだろう」と述べています[*23]。その年の10月から11月に書かれた2つめの草稿「コミュニズムの原則」でも、来たるべき革命に不可欠な要素として「すべての子どもの教育」を挙げており、「母親の手を離れた瞬間から、国が費用負担する国営の施設で教育を受ける」べきだと論じています[*24]。

ところが翌年カール・マルクスと一緒に書き上げた『共産党宣言』では、この主張が若干薄められ、「すべての子どもの公共的無償教育」という表現にとどめられています。[*25]「母親の手を離れた瞬間から」の部分が削除されたわけですが、おそらく「共産主義者は家族を破壊しようとしている」という世間の非難を逃れるためでしょう。19世紀のブルジョアの論客たちは社会主義の人気をなんとか食い止めるため、伝統的家族観や宗教的価値観を持ちだして労働者を現状に引き留めようとしました。出産と育児の負担を減らすことは神への冒瀆であるとさえ言われました。なぜなら女性の痛みと苦しみは、知恵の実を食べたイブに対して神がお与えになった罰だからです。そんなわけで、今では当たり前に受け入れられている公立の保育園や幼稚園というアイデアは、あまりに過激すぎて『共産党宣言』にも書けないと判断されたのでした（驚きですね）。

愛を共有する完全主義者

マルクスとエンゲルスは無神論者で、「宗教は大衆のアヘンである」とまで言っていますが、共同育児を推進するコミュニティのなかには聖書から着想を得ている団体もありました。マルクスとエンゲルスが『共産党宣言』を出版したのと同じ1848年、ジョン・ハンフリー・ノイズという人物がニューヨーク州でオナイダ・コミュニティを設立します。

ノイズは1811年生まれで、ヴァーモント州の比較的裕福な家庭で育ちました。大学を卒業すると弁護士になるために勉強を始めましたが、まもなくキリスト教にめざめてアンドーヴァー神学校に入学し、それからイェール大学神学部に編入します。牧師になって奴隷制反対運動を推し進めようと考えていました。ノイズはやがて「完全主義」と呼ばれる教義に出会い、キリストの弟子たちにならって私欲のない共同生活を送ることで、人間は罪から完全に解放されうると考えるようになります。

プラトンと同じく、ノイズも個人主義は利己心のもとだと考えていました。これは個人の救済を説くキリスト教の価値観とは相容れない見方です。ノイズはその異端的な考えのせいで大学を追いだされ、牧師としての説教許可証も取り消されてしまいました。牧師の道を絶たれたノイズは、仲間を集めて宗教的共同体を作り、愛を含めたあらゆるものを全員で共有することにします。ファミリステールを設立したゴダンと同様に、ノイズもユートピアの構想を形にするだけの資金に恵まれていました。オナイダ・コミュニティと名づけられたこの共同体は、最盛期には300人のメンバーを抱え、8600平米の巨大なマンション・ハウスにみんなで暮らしていました。30年以上にわたって存続したオナイダ・コミュニティは、アメリカ国内でもっとも長続きしたユートピア共同体のひとつに数えられています。

オナイダ・コミュニティでは「複合婚」という制度を実践していて、コミュニティ内のすべての男性はすべての女性と結婚関係にありました。両性は平等だと考えられていたので、女性は男性と一緒に働き、自分の部屋を持ち、誰でも好きな男性と好きなときに性的関係を持ちつことができました。気が乗らなければ性行為を拒否する権利もありました。オナイダの人たちにとって、性行為は神聖なものでした。男性はみんな「男の自制」と呼ばれる一種の保留性交（挿入するが射精はしない）を実践しました。そうすれば女性が妊娠の不安なくセックスを楽しめるとノイズが考えたからです。ある文献によると、「女性メンバーは週に2回から4回、さまざまな男性と性行為に及んだ」そうです[*26]。それほど頻繁に性交をしていたにもかかわらず、初期のオナイダで妊娠した例はほとんどありません。オナイダ・コミュニティで子どもが作られるようになるのは後年、新たな世代にオナイダの暮らしを引き継ごうとノイズが決意したときからです。

オナイダ・コミュニティで生まれた赤ちゃんは、生後12か月から14か月のあいだは生みの母親のもとで暮らしました。そこまでは当時の一般的な家庭と変わりません。でも離乳すると、すぐにマンションョン・ハウス内の別の棟で過ごすようになります。「子どもの家」と呼ばれるこの建物は3歳までの子ども向けで、日中は同じ年頃の子と一緒に遊びながら、母親以外の大人たちと慣れ親しんでいきます。そして1日の終わりには母親が迎えにきて、朝まで母親の部屋で眠ります。やがて3歳になると、子どもたちはイーストルームという棟に移されます。そこは3歳から6歳の子がみんなで暮らす場所で、夜もそのまま一緒に眠りました。

母親が子どもに会いにいくことはできますが、継続的に面会することは推奨されませんでした。親子のつながりは特別なものではなく、同年代の友人や保育士たちと同程度の関係であるべきだと考えられていたからです。イーストルームはおもちゃがいっぱいで、現代の保育園と似たような雰囲気ですが、幼い子もかなり厳格なスケジュールに従って運動や食事、作業、遊び、聖書の勉強をこなしました。6歳になるとイーストルームを卒業してサウスルームに移り、本格的な教育が始まります。マンション・ハウス内に設けられた教室で、幅広い科目が教えられました。読み書きや算数のほかに、ラテン語の授業もありました[*27]。さらに勉強だけでなく、コミュニティの事業にも参加しました。たとえばオナイダの開発した狩猟用の罠は全米で人気の商品でしたが、その罠につけるチェーンの作成を手伝ったりしました。そして10歳から12歳になると子どもたちは自分の部屋を与えられ、マンション・ハウスのメインの建物に移り住みます。

イーストルームでは保育士・教師の専門チームが幼い子の世話にあたりました。チームには男性が少なくとも1人、ときには2人か3人含まれました。そのほかに母親のグループも交代で世話をしにきましたが、ケアの顔ぶれは一貫するように工夫されていました。保育にあたる大人が交代で休みを取りながら、子どもたちがいつでも見知った顔の大人と過ごせるようにしていたのです。年少の子どもはコミュニティ内の誰かの部屋に泊まりにいくこともありますが、長くても1週間までと決められていました。また複数の大人と広く親しむのが最善だと考えられていたので、生物学的な親のところに泊まることは禁止されていました。たいていの子はすんなりとイーストルームの暮らしになじんだようですが、当時子どもだった人の回顧録を読むと、母親のほうが子どもと引き離されてつらい思いをしていたようです。ノイズの集団保育の考え方は、母親の欲求よりもコミュニティのニーズを優先するものでした。プラトンが構想した理論を、オナイダは実践に移していたわけです。

オナイダの暮らしを調べながら、初めのうちは親としてノイズに反感を覚えました。母親と子どもの絆を見くびっていると思ったのです。妊娠中、お腹にいる娘との強い絆を私は感じていました。部屋いっぱいに赤ちゃんが並んでいたとしても、自分の子を一瞬で見つけられるはずだと思いました。だって母と子は何か特別な絆でつながっているはずでしょう？　でも出産後、看護師が2〜3時間おきに授乳に連れてきてくれたにもかかわらず、小さなベビーベッドが5列に並んだ新生児室のなかで私は自分の娘を見分けられませんでした。みんな青とピンクのちっちゃな帽子をかぶって、おそろいの毛布に包まれています。私は目を閉じて、自分の中の本能を呼び覚まそうとしました。ブルートゥースのスピーカーが無線でスマホとつながるように、目に見えない力で娘とペアリングされるのではないかと期待しました。でもそんなことは起こりません。それからの数年間、たくさんの母親が同じような不安をそっと打ち明けるのを耳にしました。自分の赤ちゃんは新生児のときに入れ替わってしまったのかもしれない、他の赤ちゃんと見分けがつかないから、と。

この気づきを否定するかわりに、オナイダの女性たちはコミュニティの子ども全員に母親的な感情を向けることにしました。最初こそ淋しい気持ちになりますが、あるオナイダの母親は良い点のほうが大きかったと語ります。「自分には重すぎるケアの負担から解放され、別の仕事をする時間とチャンスが得られました。愛情にふりまわされて心乱されることもなくなりました」[*28]。またハリエット・ワーデンという別の女性は、1871年の回顧録で次のように述べています。「最初のうち、母親たちは我が子が他人の手に渡るのを苦痛に感じた。しかし彼女らの生活は新たな領域に開かれ、学業に励む時間もできた。さらに、子ども

オナイダ・コミュニティの教室風景

の行動や全般的な状態の改善という点からも、母親のべたべたした愛情より利するところが大きいといえる」[29]。ジョン・ハンフリー・ノイズの孫にあたる女性イモジェン・ストーンも、みずから集団保育で育った経験をもとに、その利点を強調しています。「たった二人の人間が不安定に思い悩む環境で育った場合、子どもはつらい思いをする。保護者が数多くいるほうが、開放的で快適なように思われる[30]」

とはいえ、子どもは大人に反抗するものです。若い世代は成長するにつれて、ノイズの厳格な教義に疑問を抱き、複合婚の問題含みの側面に反感を持つようになりました。誰とでも性関係を持てるのがいいこととはかぎりません。女性が気兼ねなく断れるように男性は第三者を介してアプローチすることになっており、『オナイダ・コミュニティの手引き書』にも「すべての女性は相手が誰であれ、誘いを拒否する自由がある」と記されていますが、それでもやはり、上の立場の男性から誘われると断りづらいと感じる女性はいました[31]。あるいは広く浅くではなく、特定の人と深い関係を持ちたいと思う人もいました。持続的なカップルを作ることはオナイダでは禁止されていたのです。「二人の人間が、どのような立場であれ、たがいに独占的な感情を抱くことは——相手に心酔したり特別視するのは——望ましくない。世の中の感傷的な人々がいかにこの体験を重視するとしてもである。排他的で相手を崇拝するような関係は、いかなるものであれ不健全で有害であると考えられる。すべての真なるもの、価値あるものを愛するように心は開かれてあるべきで、排他的で崇拝的な愛、あるいは純粋に利己的な愛に関与してはならない[32]」

やがて外部の大学に通いはじめた若いメンバーは、オナイダの「完全主義」とは矛盾する考えや欲望を覚えて帰ってきました。アメリカの主流文化から外れていることを痛感し、もっと自主性を尊重してほしい、自由に恋人を作りたい、と要求するようになります。こうした内部の不満と時を同じくして、外の世界からも厳しい目が向けられました。オナイダでおこなわれている複合婚が姦通罪にあたるという声が上がってきたのです。迫害を恐れたノイズはカナダへ逃亡しました。残されたメンバーは、このままでは全員逮捕されて子どもたちも取り上げられると恐れ、次々とカップルになり結婚しました。そしてオナイダ・コミュニティは1880年に解散となります。しかし世間のネガティブな注目や批判に耐えられず崩壊していった多くのユートピア共同体とは違って、オナイダは株式会社化して生き残り、事業で大きな成功を収めました。オナイダの銀食器は現在まで世界中で売れつづけています。[*33]

オナイダの生き方は廃れましたが、立派なマンション・ハウスは今も変わらずニューヨーク州に立ち、ユートピアの夢がたしかに存在したことを伝えています。

オナイダ・マンション・ハウスのポストカード、1907年

ガリラヤ湖畔の「子どもの家」

マルクスとエンゲルスが社会主義社会を築くために共同での教育を不可欠だと考え、ジョン・ハンフリー・ノイズが精神的に完全な人間を作るために共同育児を取り入れたとするなら、キブツに暮らす人たち（キブツニクと呼ばれます）は祖先の土地に帰ろうというシオニズムの目標にヨーロッパの社会主義運動の発想を取り入れていきます。

キブツは多世代が暮らす共同体で、のちにイスラエルとなる地域に作られました。[*34] 初期のキブツは主に農業で生計を立てていて、ささやかな財産を共有して暮らしましたが、やがて工業分野でも成功し、共同所有・共同経営の事業を多数抱えるようになります。数あるキブツのなかでも最初のものは、1909年にガリラヤ湖畔に作られたキブツ・デガニアでした。その一帯がオスマン帝国の領土だった頃のことです。ヨーロッパでのポグロム（ユダヤ人に対する集団的暴力、虐殺）を逃れてキブツにやってきた人たちは、痩せた土地に住みつき、マラリアやチフス、コレラといった現地の感染症に悩まされながらテント暮らしを始めました。困難な状況のなかで、それでも自分たちのユートピア共同体を作ろうと奮闘します。

第一次世界大戦後、オスマン帝国に代わってイギリスがこの地を統治するようになると、イギリス政府は東ヨーロッパやロシアに住むユダヤ人にこの地域への移住を勧めました。地元のアラブ人やベドウィン（遊牧民）は狼狽しますが、若きヨーロッパ系ユダヤ人は平等主義の理想に胸を膨らませて各地からパレスチナへ集まってきます。社会主義における自己労働の考え方、つまり自らの労働を生産手段の所有者に搾取されないという原則にもとづき、キブツのメンバーは全員が、女性も含めて一緒に働きました。資源の少ない荒れた土地に住みながら、初期のキブツニクはあらゆるものを自分の手でまかないました。食料を生産し、水も自分たちで確保しました。1928年頃には英領パレスチナ内に41のキブツが作られ、約2400人の大人と300人の子どもが暮らしていました。[*35] やがてホロコーストでヨーロッパに住むユダヤ人の母数自体が急減するまで、キブツ運動は勢いよく拡大を続けます。1948年には、この地域に住むユダヤ人の8%がキブツのメンバーとなっていました。この頃が運動のピークで、世の中一般にも社会主義がポジティブに捉えられていました。1946年に英国のウインストン・チャーチル首相が「鉄のカーテン」のスピーチをおこない、冷戦が始まったことでその流れは変わっていくのですが。[*36]

子育ての具体的な方法はそれぞれのキブツで異なりますが、ここでは共通の基本的なしくみを説明したいと思います。初期のキブツでは、「子どもの家」が唯一のレンガ造りの建物でした。大人が仮住まいをしているなかで、子どもの家が先に建てられたのです。この子どもの家を囲むようにテントが並び、やがてキブツが豊かになると、大学のキャンパスのようなコミュニティが作られて共同キッチンや大食堂、宿舎などが建つようになりました。キブツは徒歩圏内でたいていの用事がすむように設計されていて、周辺の畑にも自転車で出ることができます。すべての財産は共有され、メンバーはみんな共同で暮らし、一緒に働き、一緒に食事をしました。オナイダ・コミュニティとは違って、キブツでは伝統的な性別役割がおおむね保持されており、人々はカップルで暮らして自由に子どもを作りました。女性と男性はコミュニティ内で異なる役割を期待されましたが、どちらが上ということはありませんでした。

またオナイダとは違い、キブツでは生後わずか数日で赤ちゃんが母親のもとを離れ、子どもの家に移るのが普通でした。農業でやっていくには女性の労働力が欠かせないため、少数の女性に子どもの世話を一任することで、産後すぐに仕事に戻れるようにしたのです。キブツの人たちは理論的にはジェンダー平等の立場をとり、共同育児によって女性が保守的な役割から解放されると考えていました（20世紀初めの東ヨーロッパやロシアに住むユダヤ人コミュニティのジェンダー観はもっと保守的なものでした）。乳児のいる母親は授乳のために子どもの家を訪れましたが、それ以外に親子で過ごすことはほぼありませんでした。1960年代になると「愛の時間」という制度ができて、年長の子も毎日1時間ほど親と会うようになりますが（一部のキブツでは午後から夕方にかけて子どもが親の家で過ごす場合もありました）、夜になるとかならず子どもの家に戻って眠りました。そうすれば家族の枠を超えた絆が育まれますし、また育児スキルの点でも新米の親より保育担当者のほうがいいと考えられていたからです。

子どもの家はキブツの中心にあり、子どもたちの健康と幸せを最大限にサポートするよう設計されていました。子どもの家にはたいてい広い遊戯室と食堂があります。寝室は3人か4人部屋で、自分の好きなものを置いたり壁を飾ったりできる個別のスペースもあります。女性メンバーのなかから希望者がメタペレットと呼ばれる保育士になり、子どもたちの世話をします（男性がメタペレットになることは稀でした）。キブツが始まったばかりの頃は、2~3人のメタペレットで12~18人の子を見ていました。やがて体制が整ってくるとメタペレット1人あたりの受け持ち数は減り、子どもたちのグループも小規模になって、2~3人の子どもに1人のメタペレットがつくようになります。メタペレットは長期にわたって子どもたちの成長を見守り、温かく安定したケア関係を築きました。母親が自分の子の感情的なニーズに応えるのに対し、メタペレットは発達と幼児教育を受け持ちました。離乳やトイレトレーニングに始まり、服を着る、ごはんを食べる、清潔を保つなど、自分で自分のことができるようにしていきます。

子どもたちが大きくなると、メタペレットが基本的な読み書きや算数を教えて、小学校に入る準備をします。メタペレットの仕事は日中だけで、夜には夜間担当の女性が２人やってきて12歳以下の子ども全員を見守りました。通常は乳児の眠る部屋を拠点にしながら年上の子の部屋を巡回しますが、眠れなかったり悪夢を見たりする子どもに１人ひとり対応する余裕はありません。この夜勤は週ごとに順番でキブツの女性メンバーに回ってきました。日中にメタペレットが与えてくれる安心感にくらべると、夜間の見守りは子どもたちにとってやや心許ないものでした。

平等主義を標榜するキブツではありますが、伝統的な性別役割はかなり強く残りつ

キブツ・デガニアとガリラヤ湖の風景

づけます。女性は利他的であるべき、自分の望みよりも他人を優先するべきだとされ、それができない女性は悪いパートナーだと批判されました。女の子には将来ケアの仕事に就くような教育がされました。月日が経つうちに、多くの女性はステレオタイプへの抵抗を諦め、やがて母親たちは子どもを自分の家で眠らせたい、親密な母子の関係を育みたいと要求するようになります。乳児が母親のもとで過ごす期間も、3か月程度ではありますが延長されました。それでもまだ、キブツの子どもが充分に愛情と関心を与えられていないのではないかという声は強まっていきます。やがてキブツが工業生産に手を広げて利益が上がってくると、住人は以前よりも広い家に住むようになり、個々の家に子ども部屋を作る余裕ができました。そして1990年代前半には、子どもの家で眠る習慣はほとんどのキブツから消えていきました。

長年にわたるキブツの共同育児の取り組みは、児童心理学の研究者の興味を広く引きつけました。子どもの家で眠らせるのは失敗だったと考える研究者が多く、とくに集中的な世話が必要な乳幼児には、少々行きすぎた環境だったと言われます。実際にキブツで育った人からも、親と離れて寝るのが寂しかった、心の傷になったという証言が出ています。[*37] ですが、就寝についての問題点を別にすれば、キブツの共同育児は今でも保育園のお手本のような存在と考えられています。1991年に実施された調査では、キブツの保育とイスラエルの現代の保育園、および家庭での育児を比較した結果、キブツのほうが一般の保育園や家庭よりも保育の質が高いことがわかりました。大学のキャンパスのように便利で社会的な環境、保育者の高い教育水準、年少の子に割り当てられる保育者の数の多さなどが保育の質を上げているようです。[*38] そのためキブツの住人以外でも、キブツに保育料を払って子どもを預ける親が多くいます。

日々の世話を保育士にまかせきりにしていたら、親子の安全なアタッチメント形成に害があるのではないかと不安に思う人もいるかもしれません。しかしキブツの70年にわたる共同育児の結果を分析した研究によると、複数の保育者との感情的つながりは子どもの心理に良い影響を与えているようです。「安全なアタッチメントの対象を増やし、その欠如を埋め合わせる可能性もある」と報告されています。また複数の大人との安定したアタッチメント形成は「知能指数の向上、幼稚園での自立した行動、高いレジリエンス、自制心、場独立性、ドミナンス、目標志向の行動、エンパシー」にもよい影響を与えると述べられています。[*39] 共同育児の環境で育った子どもはパーソナリティの発達が早く、そして強靭になるようです。この発達の基盤にあるのは親や保育者への安全なアタッチメントですが、幼い頃から複雑な社会的環境に慣れていくことでさらに強化されます。

つまりキブツの長年にわたる共同育児の試みが示しているのは、核家族の中だけで育つよりも、親以外に複数のケア提供者がいたほうが子どもの長期的な発達には良いのではないかということです。学術誌『早期児童発達とケア』に掲載された1997年のある論文は、キブツの共同育児の成功が「家庭と保育を別個のシステムと見なす西洋の主要な見方」に複雑な視点を持ち込むと指摘します。家庭と保育施設の協働によって親と子ども、さらに社会全体が恩恵を受けられる可能性が示されたからです。[*40] また進化人類学の視点からも次のように指摘されています。「ヒトの子どもは親以外の助力者にも非常によく適応し、そのほうが子どもの発達によい影響を与えるほどである。複数の保育者との接触は子どもの社会的領域を広げ、認知的・心理的利点にも関連づけられる[*41]」

そのためでなければ、国家に何の意味がある？

キブツの人たちがイスラエルに子どもの家を建てていた頃、ヨーロッパでも社会民主主義や社会主義、共産主義を推進する人たちが何らかの共同育児のしくみを作ろうと構想していました。労働者階級の子どもに栄養と保護を与えるためにも必要ですし、保育園や幼稚園に子どもを預けないと女性が充分に労働参加できないからです。マルクスとエンゲルスの著作や、フランスのフローラ・トリスタン、ドイツ社会民主党の共同創設者アウグスト・ベーベルの思想をもとに、新たな世代の活動家が「家庭の外で働くのは女性解放のために不可欠な条件である」と主張し、有給の出産・育児休業のさきがけとなるアイデアを発表しはじめました。ドイツ社会民主党の政治家リリー・ブラウンは1897年、「出産保険」という政策を提案します。公費で女性の産前・産後の所得を保障する政策です。[*42]また産後に職場復帰したあとは、地域の保育団体に子どもを預けられるようにしようとブラウンは提案しました。長期的な経済効果のためにも乳幼児死亡率を低下させ、将来の労働者や兵士を確保する必要があるというブラウンの主張は、ドイツの中産階級の支持を得ていきます。

産業界との連携を図ったブラウンの姿勢はしかし、同じくドイツで社会主義の女性解放運動を率いていたクララ・ツェトキンと衝突することになります。ツェトキンは保育事業を慈善やボランティアに頼るべきではないと考えていました。名家の出身だったリリー・ブラウンと違って、ツェトキンは中産階級の教師の娘で、ドレスデン近郊の農村で育ちました。女性解放運動に携わる以前から社会主義者として活動しています。ブラウンとツェトキンは同じ党に所属していましたが、政策をめぐって意見を異にすることが多く、社会民主主義のビジョンも少し違っていました。ブラウンが人々の慈善活動を重視するのに対し、ツェトキンは国の介入を重視していたのです。1910年8月にコペンハーゲンで開かれた第二インターナショナルの会合でツェトキンは女性のための政策ビジョンを発表し、「世俗の保育園と幼稚園の設立」、および孤児や親に捨てられた子のための施設を国が提供するように要求します。[*43] その後の数年で、ヨーロッパ北部にそうした施設が点々と現れはじめました。

ツェトキンの提唱した政策を本格的に実行に移したのは、ロシアの政治家アレクサンドラ・コロンタイです。ソヴィエト連邦初の社会福祉人民委員に就任してから7年後、コロンタイは世界初の社会主義国家の財源を使い、すべての働く女性を対象にした公費による集団保育を実現させたのです。

コロンタイは1872年にサンクトペテルブルクの名家に生まれました。子ども時代の名前はアレクサンドラ・ミハイロヴナ・ドモントーヴィチ。比較的裕福な暮らしをしていましたが、21歳のときに貧しい従兄弟のウラジーミル・コロンタイと結婚することを選びます。息子を一人産んだものの、結婚生活には幻滅し、当時の帝政ロシアで女性の教育機会が少ないことにも苛立ちました。ある織物工場を訪れた際、住み込みで働く女性や子どもの悲惨な状況を目にしたのをきっかけに、政治への情熱に火がつきます。コロンタイは夫と幼い子どもを置いてスイスに移り、大学で研究を始めました。その後は二度と伝統的な家庭生活には戻りませんでした。

1916年、ロシア革命が起こる前の年に、コロンタイは集団保育制度の構想を書き上げます。「幼稚園や子ども園、託児所、学校において経験豊富な保育者の保護のもとで」子どもの養育を助け、健康で幸福な子どもが育つように親をサポートしようという内容です。[*44] それ自体は過去のユートピア思想にも似ていますが、コロンタイの構想には決定的に違う点がひとつありました。国がすべての費用を負担するという点です。「母親が子どもと過ごしたいなら、ひとことそう言うだけでいい。忙しくて時間がないなら、安心して預けておけばいい」と、コロンタイは小冊子『働く女性と母親』のなかで述べています。[*45]「社会のすべての成員は——働く女性をはじめ、男女すべての市民は——国と地域が万人の福祉に配慮するよう要求する権利を持つ。……そのためでなければ、国家を築く意味がどこにある？　現在のところ、子どもの世話を引き受けている政府は世界のどこにもない。しかし世界中の男女労働者が、社会と政府を変えようとしている。社会がひとつの幸福な家族となり、この大きな家族のもとですべての子どもが平等になり、誰もが等しくケアされることを求めて闘っている」[*46]

ロシア革命の直後は激動の時代でした。ボリシェヴィキは数々の思いきった行政命令を出し、世界を作り変えようとしていきます。コロンタイも数多くの政策を実行に移し、なかでも公立の幼稚園や託児所、児童養護施設、産婦人科医療を大規模に展開していきました。コロンタイが1920年に提唱した野心的な社会改革案は、労働者階級の子どもが健康で幸福に暮らせるだけでなく、離婚の自由化と中絶の非犯罪化を通じて女性が抑圧から完全に解放される社会を目指したものでした。

しかしその時期、第一次世界大戦とロシア内戦、それにつづく苛烈な飢饉によって、まだ誕生したばかりのソ連の経済はぼろぼろになります。コロンタイが尽力していた社会改革の夢も、実現が厳しくなりました。そのうえコロンタイが推し進めた離婚の自由化によって、男性が妊娠した恋人を捨てて逃げるようになり、大きな社会問題を引き起こします。主要都市には捨て子があふれ、大規模なギャングを結成して軽犯罪で日銭を稼いでいる状況でした。1926年の時点で、公立の孤児院で暮らす子どもの数はおよそ25万人。さらに30万人が路上で暮らしていたと言われます。[*47]児童養護施設の状況もかなりひどく、とくに手のかかる乳幼児のケアはまったく足りていませんでした。経済の混乱によって幼稚園にもお金がかけられなくなり、質が低下しました。

50万人を超える親のない子どもに衣食住を与えるにはお金がかかります。それに当然、保育士や教師に支払う賃金もあります。ソ連の指導者たちのあいだでは、伝統的な家族を取り戻すべきだ、国がお金を出すかわりに女性に無償で育児をやらせるべきだという声が強まりました。女性が仕事をやめても生活できるように、男性の養育費支払いの義務づけを強化する案も出てきました。コロンタイはそうした伝統的家族への回帰に反対し、男性の扶養で生きていけというのは女性への侮辱だ、それに養育費を実際に払わせるのも難しいと反論します。そのかわりに人民全員から一人あたり2ルーブルの税金を取り、それを財源に保育園・幼稚園や児童養護施設の資金不足を改善して、同時にシングルマザーを支援しようとコロンタイは提案しました。しかし男性党員たちは、ソ連経済の厳しさを考える

アレクサンドラ・コロンタイ

と現実的な案ではないと言って却下します。そんななかで1936年、人口減少を懸念したヨシフ・スターリンが改正家族法を強制的に通過させました。それまで女性と家族に関してボリシェヴィキがおこなった改革の成果を無に帰するような法律です。離婚は困難になり、中絶は違法化されました。

公費による保育の完備、および雇用継続が保障された有給の出産休暇というコロンタイの夢は、第二次世界大戦後の東ヨーロッパでふたたび日の目を見ることになります。とくにその成果がめざましかったのは東ドイツでした。工場労働者向けの出産休暇は1901年からフィンランドで始まっていましたが、第二次世界大戦後の東欧社会主義国ではその対象がすべての労働者に拡大されました。ドイツのソ連占領地域に作られたドイツ民主共和国（東ドイツ）では、建国から1年後にはすべての母親に対する母親手当を導入し、子どもが3人以上いる女性労働者にはさらに特別に育児手当を支給しました。また3か月の有給出産休暇も公費で実現させました。8年後には母親手当を増額し、さらに特別育児手当の対象をすべての家庭に広げて、少なくない額の手当を毎月支給しました。子育てにかかる費用を肩代わりすることで、子どもが2人以上いる家庭を増やそうという試みです。

1976年までには東ドイツの雇用保障付き有給出産休暇は6か月に延長され、2人目以降を産んだ場合には、給付額は下がるものの追加で6か月間の休暇が取れるようになりました。俗に「ベビーヤー」（赤ちゃんの1年）と呼ばれる制度です。[*48] 1984年には2人目以降の休暇が1年半に延長され、1986年には第1子の出産にも1年のベビーヤーが付与されるようになりました。出産後1年が過ぎると、ほとんどの子どもは公立の保育施設に入ります。3歳まではクリッペンプラッツと呼ばれる保育園、そのあと3歳から6歳までは幼稚園です。この分け方にはオナイダ・コミュニティの実践を思わせるところがあります。オナイダでも3歳までの子どもは少人数のグループで集中的な保育を受けて、それ以降はより少ない保育者のもと、同年代の子どもたちと遊んでいたのでした。

ソ連の例とは違い、東ドイツの政府はこの制度を機能させるためにしっかりとリソースを投入しました。1949年時点の東ドイツで保育園に入れる子どもの割合はわずか17%でしたが、1989年には希望者全員の受け入れを保証することが発表されました。[*49] ベルリンの壁の崩壊前夜、東ドイツでは3歳未満の乳幼児の80%が保育園に、3歳から6歳児の95%が幼稚園に通っていました。また1920年代のソ連の悲惨な状況とは違い、東ドイツの保育園や幼稚園では専門知識のあるスタッフを雇い、設備投資も怠りませんでした。[*50] これに似た有給育児休暇と保育園の制度は東欧の全域に広がり、さらにはグローバルサウスでもキューバやベトナム、アフガニスタン、ナミビア、ニカラグアといった社会主義寄りの国々がそれに続きました。東西いずれにも属さなかったザンビアでも、ブルガリア女性運動委員会の支援により、1980年代には現代的な幼稚園が整備されました。[*51]

早期保育のポジティブな効果

子どもを集団で育てるという発想は、ユートピア思想の領域からキリスト教完全主義者へ、ロシアの革命家へと移り変わり、現在では高所得国の大半で日常的な現実となっています。とはいえ、それぞれの国のなかでも、保育の利用しやすさには差があります。2020年の世界銀行の報告によると、全世界で「就学前年齢の子どもの40%（約350万人）が、保育を必要としながら利用できない状態にある」とされています。[*52] その多くは貧しい家庭の子どもたちです。生活に余裕がない場合、子どものために使える時間がどうしても少なくなり、子どもは「最善とは言えない環境」に置かれがちです。[*53]

公的な取り組みで状況を改善した例として、スウェーデンの事例は実に魅力的です。スウェーデンではフェミニストの働きかけにより、1968年に保育施設調査委員会が設置されて、女性の労働と育児の問題に対処することになりました。1975年には就学前学校法が施行され、幼保一元的な就学前学校の拡充がすべての自治体の責務となります。1991年までには、両親が労働や学業に従事している1歳半から6歳の子ども全員に就学前学校の席が保障されました。女性労働力の増加により景気が拡大し、地方自治体の税収も増えて保育の財源にはあまり困りませんでしたが、保育の需要が増えるペースに自治体の対処が追いつかないところも出てきます。1995年の新しい保育法では「大きな遅延なく」という条件つきで1歳から6歳の子どもには保育を、7歳から12歳の子どもには放課後のレクリエーション施設を各自治体が用意するよう義務づけられました。

保育施設利用者の急速な増加により、一部では質の低下が問題になってきます。需要の急増を受けて政府は営利企業による保育園を認可し、また在宅保育サービスの拡大を容認します。それらは公立の就学前学校のようにカリキュラムがしっかりと規定されておらず、スタッフの質の基準も一律とはいきません。そのような問題はありましたが、1998年にはスウェーデンの自治体の95％が、応募から3〜4か月以内の保育開始を実現しました。[*54] スウェーデンではすべての母親が少なくとも1年の育休を取れますし、今では公立の就学前学校で育った人たちが親になり、自分の子どもをすすんで就学前学校に入れて仕事に復帰しています。2005年のデータでは、1歳から5歳までの子どもの88％が就学前学校に通っていました。同じ年の調査で、93％の親が保育の状況に満足していると回答しています。就学前学校に預けるよりも家で子育てをしたいと答えたのは、わずか2％未満でした。[*55]

多文化社会のフランスにも、質の高い公立の保育プログラムがあります。3歳未満の子どもの52％

が保育園に入っており、またフランス全体で97%の子どもが3歳で幼稚園（保育学校）に通いはじめます。親が働いているかどうかにかかわらず、すべての子どもが利用できるサービスです。保育や就学前教育に関する調査には政治的な思惑が入り込むことが多く、とりわけアメリカでは「3歳までは母親が家庭にいて育児するべき」という保守派の主張もよく聞かれますが、フランスでの調査によると、早くから同年代の子どもたちや親以外の保育者に慣れているほうが子どものためになるようです。保育園や幼稚園に通っていた子のほうが小学校に適応しやすく、家庭だけで育てられた子よりも成績がいいという点で研究者の意見は一致しています。[*56] また意外かもしれませんが、保育園や幼稚園に通っていた子のほうが健康状態も良くなるようです。たくさんの子どもと交わる環境では感染症にかかる機会は増えますが、小学生になってからは逆に感染症が減ると報告されています。全体として感染症にかかる回数は変わらないとしても、かかるタイミングが早くなるのです。早い時期に感染症にかかれば早く免疫ができますし、小学校に上がる前にひととおりすませておけば授業をあまり欠席しなくてすみます。[*57]

アメリカでの調査結果はもっと矛盾含みです。保育園で過ごす時間が長い場合、攻撃的で反抗的な子になりやすいという報告もあります。ただこれは、保育の質の問題かもしれません。アメリカでは保育士の給与が低く、離職率が高いのです。ノルウェーで２０１３年におこなわれた大規模な調査では、保育園で過ごす時間と攻撃性や反抗的態度のあいだに相関は見られませんでした。[*58] この調査では18か月から36か月の子どもを持つ母親７万２千人から回答を集め、異なる家庭間だけでなく同じ家に住むきょうだい間でも比較をおこないました。論文の筆頭著者でノルウェー国立公衆衛生研究所およびノルウェー子どもの行動発達センターの研究員であるヘンリック・ザクリソンは、「アメリカの研究と食い違う点で興味深い研究結果だ」と語っています。[*59]

フランスで2018年に発表された別の研究は、保育園に通う子とそうでない子の行動の変化を長期的に分析しました。フランスのナンシーとポワティエの2都市に住む3歳未満の子どもたちの発達を追った結果、「質の高い保育への早期アクセスは子どもの感情的・認知的発達を向上させ、情緒的な困難を予防し、社会的な行動を促す可能性がある」ことがわかりました。[*60] これはキブツの知見とも一致します。社会が子育てにリソースを投入して質の高い公的な保育プログラムを提供すれば、親子両方にメリットがあるのです。

「保育園のネガティブな影響を否定する研究は何百とありますが、未だに疑いは消えないようです」と語るのは、大学で家族経済学を教えるフェミニスト経済学者のレイチェル・コネリーです。2022年にメールでのインタビューに答えてくれました。「実際のところ、保育の影響がどうなるかは保育の質によります。保育の質はピンキリですが、あまりよくない保育が多いのも事実です。公的な補助が足りないためです。親としてはどちらを選ぶのも苦しい状況です[*61]」

すべての子どもに質のいい保育を提供したいと思っても、往々にしてこのコストの問題が立ちはだかります。親が（つまり母親が）無償で提供できるサービスなのに、なぜわざわざ納税者のお金を使わなければならないんだ？　と政治家たちは言うわけです。

親は誰だって不公平

質のいい保育は親子双方にメリットがあるという点で最近の研究はほぼ一致していますが、そのためにリソースを投じる段になると、米国ではまだまだ根強い抵抗があります。現実問題として、初期費用がかなり嵩むからです。

個々の親が家で子育てするのと違って、公立の保育園を整備するためには各地域に安全な建物を確保し、専門の保育士にきちんと給料を払わなくてはいけません。また過去の数々の試行から言えるのは、保育を成功させるためには複数の政策の組み合わせが必要だということです。継続雇用が保障された半年から1年の有給育児休暇、それ以降は公費負担で入れる質の高い保育園や幼稚園、そして保育にあたる人材の高い専門知識とそれに見合った賃金が必要になります。

乳幼児のケアにあたる人は、保育や看護、児童心理学、あるいは幼児教育の専門教育を受けているのが理想的です。保育士の給与・待遇を良くすれば、職場への定着率が上がって乳幼児に継続的なケアの提供が可能になり、安定したアタッチメント形成が期待できます。さらに発達段階に応じたカリキュラムを提供すれば、知能と感情の面でうまく小学校に適応するための準備ができます。あまり豊かとはいえない東ドイツが実行できたことを、そしてスウェーデンやフランスが長年続けていることを、なぜすべての国で実行できないのでしょうか？

問題の一部には、親がずっと一緒にいるべきという固定観念があります。子どもを社会で育てると伝統的家族の絆が失われるのではないかという不安もあるでしょう。しかし大昔にプラトンが言ったように、血縁関係による家族を重視しすぎると、健全な社会を作るために必要な協力関係が築けなくなる恐れがあります。身内びいきという言葉に良いイメージを持つ人はあまりいないと思いますが、自分の子どもの話になると、たいていの親は身内びいきのふるまいをするものです。どんなに心が広くて他者への思いやりに満ちた人でも、自分の子どもが希少な分け前や機会をめぐって争うことになれば、理想などどこかに吹っ飛んでしまうのです。

我が子の安全と健康と将来のために何でもするのが良い親だ、と私たちは思い込まされてきました。しかし「良い親」の条件が、私たちの生活をとりまく経済システムによって規定されている事実を意識したことはあるでしょうか。子どものためという名目で、競争的な経済システムは親同士を対立させ、人々の絆を弱めます。保育が当たり前の権利ではなく値段のついた商品である場合、社会経済的に高い階層の家庭がお金やコネを使って子どもに特権を買い与え、その地位を再生産しやすくなります。その子に何か特別な能力があるからではなく、単にお金持ちの家に生まれただけで、成功しやすい道が用意されるのです。

個人消費がＧＤＰの多くを占める現代の経済は、将来の消費者・労働者・納税者がいなければ回りません。親たちはあらゆる犠牲を払って——就職の面接中に母乳が染みだして冷や汗をかいたりしながら——将来の経済を回す子どもを育て、経済的エリート層はその成果をうまく掠（かす）めとっています。でも長い目で見れば、子どもの教育と身体的・精神的健康はすべての人の利益になるのですから、親だけに犠牲を強いる必要はないはずです。

子育てが社会的に提供される財になれば、生まれた家庭の経済状況に左右されず、調和した社会を築くのに必要な教育と感情的ケアをすべての子どもが享受できます。集団保育は次世代の市民と私たちをつなぐもの、自分が子育てに関わった子どもはちょっぴり特別かもしれませんが、より広いつながりへと扉を開いてくれるはずです。

第4章 学校は何を教えるのか

中学校って、しんどいですよね。

思春期の訪れとも相まって、中学生という中途半端な時期には心に傷を負う人が多いと思います。ときには傷が深く、一生残る場合もあります。報われない恋愛、友達とのすれ違い、陰湿ないじめ。小さな体にホルモンが湧き上がってくるその時期に、学校の勉強はぐんと難しくなり、教師は将来の進路を考えろと迫ってきて、早くも大人の予備軍になることを強いられます。ただでさえつらい中学時代ですが、もしも言葉の通じない環境で過ごさなくてはならないとしたらどれほど大変でしょう?

2014年にドイツの大学でのフェローシップを獲得したとき、私が直面したのがそんな問いでした。娘を連れてドイツ南部のシュヴァルツヴァルト（黒い森）地方の街に1年間滞在することになったのですが、困ったのが当時13歳の内向的な娘をどこの学校に通わせるかという問題です。

インターナショナルスクールは通える距離にないですし、1年間自宅でホームスクーリングをする選択肢もありませんでした。ドイツの法律では、子どもを学校に通わせないと犯罪になるのです。たとえ外国人で事情をよく知らなかったとしても、近所の人にばれたらすぐに通報されてしまいます。それで仕方なく、娘は夏休みの1か月間でドイツ語の基礎を詰め込み、ドイツの地元の中学校であるゲシュヴィスター・ショル・ギムナジウムに転校することになったのでした。

温厚な校長と担任の先生と一緒に娘の選択科目を選んでいたとき、時間割のなかに「宗教」と書かれたコマがあるのに気づきました。私は驚いて尋ねました。「宗教の科目は必修なんですか?」

ドイツ人の先生方は、困惑したように言いました。「もちろん、すべての生徒が履修します」

宗教で習う内容は次の3つから選ぶということでした。カトリック、プロテスタント、それ以外をまとめて扱う「倫理」。はじめのうち、私は気乗りしませんでした。かわりに自習させることはできないのでしょうか? いいえ、できません、と先生方は言います。ドイツの憲法で、宗教の教育が義務づけられているからです。[*1] 私は思わず、やれやれと首を振りました。異国の言葉で授業を受けなければいけない哀れな娘に、宗教まで押しつけようとしてくるとは!

不満が顔に出ていたのでしょう。娘の担任の先生が、宗教の選択は今すぐ決めなくても大丈夫ですよと提案してくれました。それ以外の科目だけ登録しておいて、宗教については何日か考えてみてくださいと。娘と私は「倫理」の授業案内の紙を渡され、家に帰りました。授業案内によると、近くの教会やシナゴーグを訪れたり、フライブルクのイスラム教センターに行ったりして、さまざまな宗教の信仰と実践にふれるそうです。思っていたより悪くないかもしれません。教師のもとで「人生の意味とは何か」を話しあったり、「道徳的に行動する力を身につける」授業は、よい経験になるような気もしてきました。[*2]

結局、娘も宗教の時間を気に入りました。「自分とは何者か」「何をするべきか」「どうやって自分の生き方を見つけるのか」といった問題を、安全な環境で話しあうことができたからです。宗教というよりも、価値観について考える授業のようでした。娘はドイツの児童文学作家エーリヒ・ケストナーの言葉を覚えてきました。「善いことをおこなう以外に、善いことはない」。つまり善くあろうと思うなら、善い行動を選べという意味です。ドイツの人たちは「宗教」の授業を通して、倫理的な難問に立ち向かうための知性と自信を子どもに教えているようでした。授業では哲学の本を読んだり、歴史上の人物について学んだりもします。そのなかにはハンス・ショルとゾフィー・ショルも出てきます。学校の名前の由来になったゲシュヴィスター・ショル（ショル兄妹）です。この2人は非暴力の学生グループ「白いバラ」に属し、第二次世界大戦とアドルフ・ヒトラーの独裁に抵抗しました。そして1943年2月、ミュンヘンの大学で反ナチスのビラを配っていたところを逮捕され、ギロチンにかけられます。それ以来、ショル兄妹はナチスに対する抵抗運動の強力なシンボルとなり、社会の空気に流されず自らの信念をつらぬいた人物として語り継がれました。

ショル兄妹について学んだ娘は、ドイツでの学生生活に前向きになりました。ヒトラーに立ち向かうことを思えば楽なものです。もちろん苦労もしましたが、なんとか乗り越えました。おかげで私も警察のお世話にならずにすんだのでした。

教育が投資商品になる社会

子どもは社会でもっとも創造的で柔軟な存在です。そんなかれらの世界観を形づくる教育という営みは、あらゆる政治的立場の教育者にさまざまなビジョンを抱かせ、多くの問いを触発してきました。

教育とは、独りで生きていける自律的な人間を作るためのものでしょうか、それともおたがいに助けあう協力関係を教えるものでしょうか？　教育はそれ自体が目的でしょうか、それとも生産的な労働者を作るといった特定の目的のためにあるのでしょうか？　教育とは見識ある市民を作るための公共的な営みでしょうか、それとも能力主義社会で高い地位にのぼっていくための個人的な投資でしょうか？

次世代を担う子どもたちの思考と心を、教育はどんな方向にも導く可能性があります。だから社会の変革を夢見る人たちは、伝統的な学校のあり方を問い直してきたのです。

1976年、経済学者のサミュエル・ボウルとハーバート・ギンタスは『アメリカ資本主義と学校教育』という本を出版し、人材の選別機関に成り果てている米国の教育を厳しく批判します。この本を読んで、私の教育に対する考え方は根本から変わりました。著者らは社会と教育の「対応原理」を説き、将来の働き手として求められる態度、規範、価値観を反映する形で政府が公教育を編成しがちであると指摘しました。つまり学校で教えられているのは、雇用主が働き手に身につけてほしい態度やスキルだということです。授業のカリキュラム以外にも、学校では特定の態度や行動が教え込まれます。じっと座って話を聞く、集中する、時間を守る、提出期限に遅れない、大人の指示に黙って従う。教師の余裕がないときには、それらが批判的思考や問題解決のスキルよりも優先されがちです。

私がまだ小学生だった1978年、カリフォルニア州でプロポジション13（提案13号）が可決され、固定資産税に上限が設けられて地域の公立校の財政基盤がぼろぼろになりました。当時カリフォルニア州知事を務めていたのがロナルド・レーガンです。1981年に合衆国大統領になると、レーガンは公的支出が悪であるという経済観を広め、各自治体に減税を求めて公立校の予算をさらに縮小させました。知識と教育は希少な商品となり、親が自腹で子どもに買い与えるものになりました。現在でも、移民やマイノリティや労働者階級の子どもは「普通の」授業を受ける一方、裕福な家庭の子は上級クラスやアドバンスト・プレイスメント〔大学レベルの内容の早期履修〕の授業を受けるか、あるいは公立校を見限って学費の高い私立校に進むのが一般的になっています。

私が大学の教員になってから20年余りのあいだにも、教育に対する態度は大きく変化しました。最近の学生は知識と思考力を身につけて世界を理解したいというよりも、就職市場で高く評価される人材になりたい、そのために大学という商品を購入しているという認識のようです。アメリカ労働統計局の2019年の統計によると、25歳以上で働いている人の週当たり賃金の中央値は高卒の人で746ドル、大卒の人で1248ドル。年間で2万6000ドルもの差があります。[*3] しかも学歴が低いと、失業率も高くなります。無理をして学生ローンを組んででも大学に行くほうがいいということで、若い人たちに多額の借金がのしかかります。[*4]

教育の行きすぎた商品化を憂いて、ミレニアル世代の評論家マルコム・ハリスは将来的に子どもの教育が証券取引所の商品になるのではないかと予測しました。この子は将来値上がりしそうだ、などと富裕層が値踏みして、株式のように売買する世界です。[*5] 事実、ロナルド・レーガンのお気に入り経済学者だったミルトン・フリードマンは、1980年にこのモデルを大真面目に提案しました。子どもの将来的な収入見込みに応じて投資家がその子の株を買い、子どもは学費を出してもらうかわりに将来の収入の一部を投資家に還元するというしくみです。「成功した子どもからたっぷり回収できれば、外れた投資分も取り戻せるだろう」とフリードマンは言います。[*6] このように教育を金儲けの道具とする見方は、私たちの文化にじわじわと浸透してきました。

皮肉なのは、かつて教育が特権の世代間再生産の道具でもなければ富裕層の投資対象でもなく、社会変革のプロジェクトであったことです。教育は女性など社会的に弱い立場に置かれた人を解放する装置でありえたのです。「すべての子どもの公共的無償教育」は『共産党宣言』でも10番目の目標として挙げられていますし、過去には世界中の国々がそうしたユートピア的教育観を持っていました。それなのになぜ、教育は理想から遠く離れてしまったのでしょう。なぜ子どもを一流大学に入れるために親が賄賂を贈り、学生ローンの金額が米国全体で1兆7000億ドルを超えるような事態になっているのでしょうか。[*7] もしも学校教育が社会の特定のあり方を支えるものなのだとしたら、新たな夢を見る場所に変えていくことはできないでしょうか？

前章までは、住まいや子育てをめぐるユートピア思想を見てきました。どんな家に住みたいか、いい子育てとは何かという見方を広げ、家庭での無償ケア労働の負担を減らす方向で生活にポジティブな変化を起こす方法を考えてきました。本章では少し回り道をして、子どもたちの想像力を育みもすれば抑えつけもする学校教育の役割について考えてみたいと思います。

小学校に入学すると、子どもたちはまったく新たな世界に直面します。特定の物差しで自分のスキルや能力を評価され、選別され、採点される世界です。教師や同級生からよく思われたい、うまくやっていきたいという社会的プレッシャーもあります。学校教育のシステムを通じて子どもたちは「いい子」とは何か、「いい生活」とは何かという社会の規範と期待を内面化します。私も人生の大半を教育現場で過ごすなかで（日本の中学校と高校で3年間教え、アメリカの大学で23年間教えています）、世間の成功の基準に追いつこうと必死でもがき苦しむ若者たちの姿を間近で見てきました。

ユートピア思想家は古くから、社会の持続的な変化には教育への投資が不可欠であること、そして教育の負担を親だけに背負わせてはならないことを理解していました。この章では、従順で画一的な働き手を作ることが重視されがちな世の中で、いかに子どもの自立や創造性を育み、満たされた生活を送れるような教育が可能かを考えたいと思います。主に子どもや若者のニーズに焦点を当てますが、子どもがいない人も自分自身の暮らしを豊かにするためのヒントを見つけられるはずです。

そもそも、創造的な思考はどうしてこんなに難しく感じられるのでしょう。それを理解するためには、勉強のために空想を諦め、他人の知識を得るために自分の想像力を手放す方向に私たちを追いやっている、その機関に目を向ける必要があります。

見過ごされたアインシュタイン

薄々感づいている読者の方もいるかもしれませんが、すぐれたユートピア思想の例にもれず、理想的な教育観の多くは古代ギリシャのラディカルな思想家、我らがプラトンにその起源を辿ることができます。プラトンの構想にはいろいろと問題もあるのですが、その後の政治哲学に多大な影響を与えたことはけっして否定できません。

プラトンの『国家』は世界で最初の教育論とされています。フランスの啓蒙思想家ジャン゠ジャック・ルソーも『国家』に触発されて『エミール』を書きました。男の子の理想の教育を論じた『エミール』のなかで、ルソーはプラトンの『国家』を「これまでに書かれたなかでも至高の教育論」だと評価します。[*8] 見識ある市民を作るためには、選ばれし者のための私的な教育ではなく、すべての人のための公的な学校教育が必須だとルソーは考えました。そして学校教育を通じて、人は公共の利益のなかに自らの利益を位置づけることを学ぶのだと論じました。1763年の著作で、ルソーは次のように述べています。「小さな社会集団は内部の結びつきが強くなり、他の集団から離れて暮らすため、大きな社会から自らを引き離す傾向がある」。そしてプラトンの描いたユートピア的な公教育によって「自らを一個のものではなく、全体の一部であると見なすような」新たな市民を形成できるとルソーは説きました。[*9]

プラトンは理想の共同体を探る議論のなかで、とくに守護者となる人々、つまり哲人統治者と補助者（戦士）を育てるための具体的な教育方法に多くのページを割いています。教育の軸となる科目は体育と音楽・文芸ですが、最終的な目標は知恵と勇気、節制、そして正義を身につけさせることにあります。哲人統治者には知恵が、補助者には勇気がとくに必要とされますが、節制は社会のあらゆるメンバーが身につけるべき美徳です。子どもたちは全員が一律の厳格なカリキュラムにしたがって学びます。ちなみに物語や悲劇は、子どもに悪影響を与えるということで厳しく制限されました（現代でいうペアレンタルコントロールです）。プラトンの守護者教育にはちょっと厳しすぎるところもありますが（笑ったり泣いたりするのも良くないと考えていたようです）、全体としてはできるだけ多くの子どもの才能を最大限に引きだそうとするものでした。

プラトンはリーダー育成のための教育を、もともと地位が高い人の子どもに限定しませんでした。磨けば光る知性や、学びを求める心は、集団全体にランダムに分布していると理解していたからです。かつて進化生物学者のスティーヴン・ジェイ・グールドは、アルベルト・アインシュタインの並外れた知性について尋ねられて、こう答えました。「アインシュタインの脳の重さや皺にはあまり興味が持てないんです。それよりも気になるのは、アインシュタインと同等の才能を持ちながら、綿花畑や搾取的な工場で一生を終えた人々がいるという事実です[10]」。畑や工場労働だけでなく、料理や子どもの世話で一生を終えた人もいることを付け加えておきましょう。何千年ものあいだ、女性の知性と才能は構造的に見過ごされてきたからです。そのなかでプラトンは、時代を先取りしたフェミニストだったといえるかもしれません。

プラトンにも性差別的なところがなくはないのですが、『国家』が書かれた当時の一般的なジェンダー規範を考慮するなら、女子にも男子と同等の素質があると見抜いたプラトンの慧眼（けいがん）は驚くべきものだと思います。何世紀もあとに出てきたルソーよりずっと先進的です。誰もが守護者になれるわけではないにせよ、男性と女性でその素質の分布に違いはないとプラトンは言います。そして同じように素質があるのなら、性別によって教育を分ける理由はなく、女性も男性と同等に体育や音楽・文芸を学ぶべきだと論じました[11]。でも女性は子どもを産む役割があるから守護者に向いていないのではないか、という疑問に対しては、番犬のたとえ話で反論しています。「いったい番犬のうちの女の犬たちは、男の犬たちが守るものと同じものをいっしょに守り、いっしょに獲物を追い、またそのほかの仕事も共通に分担しなければならないと、われわれは考えるだろうか？　それとも、牝犬のほうは、子犬を産んで育てるためにそうした仕事はできないものとして、家の中にいるべきであり、牡犬が骨折り仕事や羊の群の世話いっさいを引き受けなければならない、と考えるだろうか[12]？」

オスでもメスでも番犬の仕事に変わりはない、と対話の相手が認めると、プラトンは人間についても、女性だろうと男性だろうと守護者の仕事をこなす能力に変わりはないと説明します。守護者の適性に関して、たとえば「禿頭（とくとう）の人たちと長髪の人たち」で本質的な違いはあるのか、とプラトンは問いかけます。相手は面食らって、髪の毛の量と仕事のスキルには何の関係もないと言います。それと同様に、男女の違いも仕事のスキルには関係ないのだとプラトンは言います。「国を治める上での仕事で、女が女であるがゆえにとくに引き受けねばならず、また男が男であるがゆえにとくに引き受けなければならないような仕事は、何もない……どちらの種族にも同じように、自然本来の素質としてさまざまのものがばらまかれていて、したがって女は女、男は男で、どちらもそれぞれの自然的素質に応じてどのような仕事にもあずかれるわけであり、ただすべてにつけて女は男よりも弱いというだけなのだ」[*13]。19世紀後半まで中高や大学の男女別学が当たり前だったことを考えると、男女共学を唱えたプラトンの考え方は実に数千年も時代を先取りしていたといえるでしょう。

中世のウィキペディア

プラトンにユートピアの着想を得たトマス・モアも、すぐれた教育システムが理想社会の基盤になると理解していました。そして教育の機会は国の指導や護衛にあたる人だけでなく、男性も女性も含めたすべての市民に開かれるべきだと言います。モアが描いたユートピア島では学びが大事にされていて、「国民の大半が男も女も、肉体労働の余暇を利用して学問の勉強を一生続ける」文化がありま す[*14]。仕事が始まる前には朝の特別講義が開かれ、あらゆる年代の人が参加します。ただし強制ではありません。「自由な時間をもまた自分本来の仕事に捧げて働きたいという人があれば（一般的な学問的思索に向かない、多くの人々によくありがちなことであるが）それはそれとして少しも止められたりはしない、いや、むしろ国家のためになることだとして称賛され推奨されている」[*15]。モアの描いた平等社会では、頭を使う人も手を使う人も同等に優れた存在なのです。

すべての人に生涯の教育機会を、というモアのビジョンは、16世紀初頭の読者には突飛に感じられたはずです。誰もが余暇に読書をして、何歳になっても学びつづける生き方は、現代でも少し非現実的に見えるかもしれません。そもそも勉強が嫌いな人だっています。たとえ本が大好きだとしても、日々の仕事と生活に追われて趣味に費やす時間などないのが実情だと思います。私もブッククラブに入っているのですが、課題図書を読む時間がなくて何度もさぼってしまいました。高校生の娘とその友達は、スポーツや課外活動が――本来は勉強から解放されて楽しむための時間なのに――余計な負担になっていると言います。アメリカの大学の選考では課外活動が重視されるため、進学希望者はみんなスケジュールをぎっしり詰め込んで頑張っているのです。「人材」としての価値を上げるために自己投資に励み、つねに急かされるように生きている私たちとは違って、共有と協力を基盤とするモアのユートピアではゆっくりできる時間がありますし、何かのためではなくただ楽しむために学べる余裕があります。

イタリアの思想家トマソ・カンパネッラは1602年に『太陽の都』を書き、先人のビジョンを受け継ぎながら、さらに一段上のユートピア的教育観を披露しました。カンパネッラの理想の都市では教室や講堂に座って勉強するかわりに、学びが日々の生活のなかに織り込まれています。街は同心円状の壁に幾重にも囲まれ、その壁には百科事典のようにありとあらゆる知が描かれています。子どもたちはそこで暮らしたり遊んだりするうちに世界のことを学びます。少し複雑な概念については、教師が子どもたちを率いて壁づたいに歩きながら説明してくれます。まだ識字率の高くない時代に、カンパネッラは知識が高価な本や修道院のなかに隠されず、誰でも手の届くところにある世界を描きだしたのです。壁は街を守るものであると同時に、平等な教育観の象徴でもありました。少し引用します。

第一の環状地区の内側の周壁には、数学のあらゆる図形や数式が、ユークリッドやアルキメデスの書き残したものよりも多く、それぞれ壁面に見合った大きさで描かれています。外側の周壁には、世界地図が描かれています。それからあらゆる地方の地図が描かれ、そこにはそれぞれの地方の風俗習慣や法律が書きこまれ、さらに各国語のアルファベットも、都の住民のアルファベットの上に並べて順序よく書きつらねてあります。[*16]

他の周壁にはありとあらゆる鉱物や植物、動物の特徴が精密に描かれ、さらに天文や地理、人類の歴史についても詳しく学ぶことができます。住人は壁の外の言語や文化にも興味を持ち、異文化の民族誌的な調査までおこなっています。聖ヨハネ騎士団の騎士とジェノヴァ人航海士の対話という形をとったこの著書のなかで、カンパネッラは航海士にこう語らせます。「これには私もびっくりし、いったい都の人たちはどのようにして、こうした歴史を知ったのかといぶかったものです。かれらの説明によりますと……わざわざ世界中に探検家や使節を派遣して、あらゆる国の長所短所について情報をあつめています[*17]」

そうして収集した知識を、都の人たちは惜しみなく壁に描いて公開し、誰でも好きなだけ読んで楽しめるようにしていたのです。太陽の都の壁は、オープンで巨大な一冊の本のようなものでした。中世のウィキペディアと言ってもいいでしょう。

ウクライナのユニークな自立教育

プラトンやモア、カンパネッラがユートピア作品を書いて以降、万人のための教育を求める声は何世紀にもわたって受け継がれました。日常を支配する伝統や定説を超えて考える機会がなければ社会は進歩せず、そしてそのためには教育が不可欠だからです。国民国家の地盤が固まり産業革命が始まると、ユートピア思想とは異なる立場の人たちも公教育を推進しはじめました。学校教育によって人々の教養を底上げし、生産的で愛国心のある市民を育成しようと考えたからです。

学校は公的な生活と私的な生活の交わるところにあり、多くの子どもにとって家族や親戚以外の子どもや大人にふれる最初の接点になります。充実した公教育があれば、家庭間の格差を埋めて、見過ごされがちだった才能を拾い上げることが可能です。また親の手に負えないくらい多様な科目を子どもに教えることもできます（微積分の宿題を手伝ってほしいと娘に頼まれたときは大パニックになったものです）。先進的な教育環境では、自分自身の心と体、他者との交わりについても適切な知識のある大人から学べますし、気まずい質問にもしっかり答えてもらえます（娘がドイツの学校で受けた中学1年の性教育は、私がアメリカの高校で4年かけて習ったよりも役に立つ内容でした）。同様に、価値観や倫理についても公教育が大きな役割を果たせるとユートピア思想家たちは考えています。学校は単に物理や歴史の知識を教えるだけでなく、プラトンが「徳」と呼んだものを教える場所でもあるのです。未来のために立派な人間を育てるという壮大なプロジェクトを、疲れきった親たちだけに背負わせる必要はないはずです。

総合的な人間教育のビジョンを提唱した改革者のひとりが、ウクライナのアントン・マカレンコです。マカレンコは独自のアプローチで学校教育に取り組み、ユネスコが選ぶ20世紀でもっとも影響力のある教育学者4人にもランクインしています。鉄道職員の息子だったマカレンコは1914年、ポルタヴァ師範大学に入り、教育者になるための専門教育を受けました。[*18] 卒業後は高等小学校の校長になり、労働者階級の保護者たちと親密な関係を築いていきます。マカレンコは子どもたちと接するうちに、学校という枠に縛られない教育が必要だと考えるようになりました。現実世界との関連が感じられたときに初めて、学びは子どもの心に浸透するのです。教師は気まぐれな権力者ではなく、子どもを導くガイドの役を務めなくてはいけません。そこでマカレンコは、頭だけでなく手を動かす教育、協力やコミュニティや自立の価値を教える場としての新たな教育を創りだしました。

1920年、ウクライナ・ポルタヴァの教育省は、路上生活の子どもたちを収容するための少年院創設の仕事にマカレンコを任命します。当時、ベスプリゾルネまたはベスプリゾルニキ（直訳すれば「世話されていない」という意味）と呼ばれる多数の子どもが路上で暮らしていました。[*19] マカレンコはその子たちが独力で、ときには何年ものあいだ、工夫して生き延びてきたことを知りました。そんなかれらをただの生徒ではなく、自治権を持つ仲間として扱おうとマカレンコは考えます。のちにゴーリキー村と呼ばれるようになるこの共同体では子どもたちも運営に参加し、自分たちの労働と学習と福利に責任持って取り組みました。マカレンコは次のように述べています。「子どもたちは自身のすばらしい人生を生きている。だからかれらを仲間として、同じ市民として扱わなくてはならない。かれらが人生を楽しむ権利に配慮し、自ら責任を引き受ける義務を尊重しなくてはならない[*20]」

マカレンコは子どもたちを「独立班」という自律的なグループに分けました。7人から15人の、男女混合の小さなグループです。それぞれの独立班は代表となる「司令官」を選び、各班の司令官は定期的に「司令官会議」に参加して村全体の運営について話しあいます。ロシアの小説家マクシム・ゴーリキーが1928年にこのゴーリキー村を訪れたときには（メンバーがゴーリキーの小説の大ファンだったのでこの名前が付けられたので した）、400人の子どもたちが主体的に行動する様子に驚嘆したといいます。ゴーリキーはそのときの様子を次のように記しました。「共同体の業務や日々の生活は、ほぼ完全に班代表24人の手で運営されていると言っていい。子どもたちがすべての店の鍵を持ち、仕事の計画を立て、どの班も対等な立場で自らしっかりと仕事をこなしている。司令官会議では新入りを受け入れるかどうかを決定したり、仕事をさぼった者や村の規則・伝統を破った者への裁きをおこなったりする」[*21]

やがて独立班のヒエラルキーはよりゆるやかになっていき、どのメンバーも――とくに女子が――リーダーの経験を積めるように、タスクに応じて期間限定の班が編成

アントン・マカレンコ

されるようになりました。たとえば外国からの訪問者を迎えるための歓迎チームや、祝日のイベントの企画班などです。司令官会議はまもなく「独立班会議」と名前を変え、班の意向を代表するかぎり誰が会議に出てもかまわないという方針に変更されます。やがて独立班の編成はメンバー自身に任せられ、村にいるあいだずっと一緒に過ごす家族のような存在になっていきました。子どもたちは1日に4時間は仕事をして、残りの時間は普通の中等教育の内容を学びました。

マカレンコはその後ジェルジンスキー・コミューンという施設に移り、独自の教育手法をさらに発展させていきます。ジェルジンスキー・コミューンは孤児だけでなく家出した少年少女も対象にした宿舎および学校で、1927年に開設されました。当初のメンバーは13歳から17歳の男の子100人と、女の子50人。マカレンコは10代の少年少女と仕事をするなかで、自らの教育理論と手法に磨きをかけていきます。「教育の追求する目的は、国家の発展に貢献できるような創造者や市民を育てることだけではない。幸せな人間になれるように育てるのも我々の任務なのである」[*22]

ゴーリキー村と同様、ジェルジンスキー・コミューンでも勉強と労働を組み合わせたカリキュラムが組まれました。ただし乏しい資金で運営していたゴーリキー村とは違って、ジェルジンスキー・コミューンには政府から助成金が出ていました。マカレンコはその資金で木工や金属加工、服の仕立てなどの工房を整備し、やがては電気ドリルやライカ型カメラを製造する本格的な工場を作り上げました。

ジェルジンスキーのメンバーは全員がさまざまな企業で働き、マカレンコは労働を総合的な教育に組み込んだことで一躍有名になりました。マカレンコは次のように書いています。「工場の稼働する様子をじっくりと見て――その緻密な計画、作業の正確さ、品質基準、何十人で協働するエンジニア、デザインオフィス等々――そのとき初めて、こうした生産活動が何を意味するかを理解した……学校での教育課程と工場での生産過程の両者は人格形成を力強く促す。肉体労働と頭脳労働との区別が取り去られ、高度に熟練した人間が育成されるのだ[*23]」。トマス・モアのユートピアと同じく、マカレンコや彼の同時代人も、すべての人が仕事に誇りを持てる社会をめざしました。基礎的な肉体労働であっても、社会のなかでその価値がしっかりと認められるようにしたのです。

子どもの自立と肉体労働の価値を重んじるマカレンコの教育観は世界各地の学校教育に影響を与え、とくに第二次世界大戦後の東側諸国で広く取り入れられました。その一例が社会主義時代のブルガリアです。１９７０年代後半のブルガリア政府は、教育によって人々が肉体労働

ゴーリキー村の生徒たちと
アントン・マカレンコ、1928年

者と頭脳労働者に分けられ、階級がないはずの社会主義国で階級間の分断が深まっていることに頭を悩ませていました。[*24] 当時のブルガリアの教育制度では、大学進学のためのアカデミックな高校に進むか、特定の仕事に就くための専門高校に進むかで進路がはっきりと分かれていました。そして党の高官や知識人の子どもは前者に、普通の労働者の子どもは後者に進むという流れができていました。これでは平等をめざす党の方針と相容れません。親の影響もあるのでしょうが、労働者の国であるはずの社会主義国で、肉体労働が軽視されつつある現状が見てとれました。

この問題に対処するため、ブルガリア政府は1983年から1989年にかけて、ちょっと変わったプログラムを取り入れました。高校生は全員ひとつの職業を選び、学校の勉強に加えて職業資格を取得することにしたのです。そして大学進学の前に、その仕事を1年間フルタイムで経験します。このプログラムは共産主義体制が終わるまで続き、大学に進学する生徒全員が勉強だけでなく職業的スキルを身につけていました。タイピング、配管工事、車両の運転などです。教育職業複合プログラムと呼ばれたこの制度のおかげで、たとえば私の友人は1990年代、高等裁判所の裁判官にいつもヘアカットをお願いしていました。裁判官が高校時代に美容師の資格を取っていたからです。また私の元夫は弁護士だったのですが、高校時代に建築・大工の資格を取っていて、家の修繕などは何でも器用にやってくれました。

私の同僚で人類学者のマリア・ストイルコヴァは、ブルガリアでこのプログラムに参加した最後の世代でした。自分で服を作れたら便利だと思って裁縫師になるコースを選んだのですが、思っていたより難しくて驚いたといいます。結局、裁縫の成績は最下位でした（そのせいで成績優秀賞を逃してしまいました）。それでも、価値ある経験だったと彼女は言います。「当時は縫製工場に行くのが本当に嫌だった。全然うまくできなくて」。2021年のある日、ソフィアでコーヒーを飲みながら、彼女はそう語ってくれました。「だけど今、息子ができて、この子にも同じような経験をしてほしいと思ってる。工場で働くのがどれほど難しいかを知っておくのは大事でしょう、他の人たちの仕事の大変さが理解できるから」

将来何がしたいか、何になりたいかを考えるなかで、子どもたちは世の中の「勝者」「敗者」の定義を学んでいきます。そしてまた、こうした言葉の指すものが男性と女性で異なることにも気づきます。この知識は親や大衆文化から伝わってくる部分もありますが、学校教育も成功の定義を教えるうえで大きな役割を果たしています。たとえばアメリカの高校では卒業前に「将来一番成功しそうな生徒」を投票で選ぶ慣習があります。[*25] ここでいう成功とはお金や権力を持っているか、有名人であるか、あるいはその両方です。子どもを育てる、友人に囲まれて楽しく暮らすといった価値は、西洋的な成功の定義から外されています。また大学でも、卒業生に有名人やセレブがいるのを自慢しがちです。企業のCEOやプロのスポーツ選手、有名な起業家。そうしたロールモデルは学生に「何かを成し遂げなければ」というプレッシャーを与える一方、ケアや育児といった仕事を暗に「何も成し遂げていない」分類に押しやっています。

学校で教えられる価値観は、世の中についての特定の見方を強化します。一般にそれは、制度的な不公正のある現状を追認する方向になりがちです。こうした社会的な期待やバイアスが社会に浸透すると、別の見方をすることが難しくなります。もう一人のユートピア的教育改革者だったジュリウス・ニエレレは、イギリスの植民地支配から独立したばかりのタンザニアで、まさにこの問題に直面したのでした。

あらゆる学校を農場にする

イギリス領だったタンガニーカが1961年12月に独立を果たしたとき、人口の約8割は読み書きができず、小学校に通う子どもは全体の半数に過ぎませんでした。[*26] そして小学校を卒業した人のうち、中等教育へ進むのはわずか5%でした。

ニエレレは1962年にタンガニーカの大統領に選出されました。その2年後に隣国ザンジバルでクーデターが起こると、ニエレレはタンガニーカとザンジバルの合併に向けて交渉を進めます。こうして両国が合併し、タンザニア連合共和国が成立すると、ニエレレはタンザニア連合共和国の初代大統領に選ばれました。ニエレレが取り組んだ多岐にわたる課題のひとつが、彼のめざしたアフリカ社会主義の実現に向けて、植民地時代に作られたエリート中心の学校教育を万人向けに変革することでした。[*27]

1922年に少数民族の首長の家に生まれたニエレレは、学校で優秀な成績を収め、奨学金を相次いで獲得しながら植民地制度内の高等教育へと進んでいきます。ウガンダのマケレレ大学で教職課程を終えると、タンガニーカで生物と英語の教師を3年間務めたあと、イギリスの名門エディンバラ大学の修士課程に進学しました。帰国後はふたたび教職に就き、ダルエスサラーム近郊のセント・フランシス・カレッジで歴史と英語とスワヒリ語を教えます。その後、独立派のタンガニーカ・アフリカ民族同盟（TANU）を結成して政治活動を開始。[*28] 1967年3月には「自立のための教育」という革新的なパンフレットを出版し、イギリスがアフリカを服従させるための道具として学校教育を利用してきたことを痛烈に批判します。

　植民地時代の教育制度は、アフリカの子どもたちに西洋的な価値観や態度を植えつけるものだったとニエレレは言います。協力よりも競争、農村生活よりも都市生活、肉体労働よりも頭脳労働のほうが良いものだと教え、さらには人種間・階級間の不平等を強化して、アフリカの伝統文化を見下す態度を刷り込むものでした。また長いあいだ、中高生は競争率の高い管理職のポストを勝ちとるため、実務的なスキルよりも学問的知識を優先して学んできました。

ニエレレはこの状況を変えようと、カリキュラムの改革を提案します。ヨーロッパの歴史や思想よりも、タンザニアとアフリカの歴史に力を入れて教えるカリキュラムです。丸暗

ジュリウス・ニエレレ

記で点が取れるような知識詰め込み型の試験も廃止しました。「自立のための教育」とは「共通の利益のために、共に生き、共に働くという社会的目標を育む」ものだとニエレレは言います。「教育は若者が社会の発展に活発に参加し、建設的な役割を果たせるように準備するものでなくてはならない。すべての成員が集団の苦楽を公平に分かちあう社会、立派な建物や車よりも人間の幸福という尺度で進歩が測られる社会を作る必要がある。そのために、教育はコミュニティ全体への献身を示し、過去の植民地時代の価値観を脱して、生徒が我々の未来にふさわしい価値観を持てるよう促していかねばならない[*29]」

ニエレレは生徒たちに、経済的に自足したコミュニティのなかで労働と勉強を両立してほしいと考えました。マカレンコのコミューンとよく似た発想です。「各学校は、その不可欠な要素として、自分たちの食べる食料を供給するための農場か作業場を持つべきである」とニエレレは言います。「体験学習のために畑や作業場を作れと言っているのではない。あらゆる学校が同時に農場であるべきだと言っているのだ。学校のコミュニティを構成する人々は、教師かつ農民、また生徒かつ農民となる必要がある[*30]」

ニエレレの望みは、同胞のあいだに協力的な自給自足の精神を育み、独立したタンザニアの発展に貢献できるスキルを若者に身につけさせることでした。教育は勉強が得意な人の特権ではなく、あらゆる才能を評価し培(つちか)うものであるべきだと彼は考えました。「タンザニアの教育制度は、それぞれの能力に応じてサービスを提供する責任を強調するものでなくてはならない。それが大工仕事であっても、畜産であっても、学問であっても変わらない[*31]」。当初は農業を低く見ていた生徒や教師の反感を買いましたが、それでもニエレレの教育観は、植民地支配から独立したアフリカの国々のモデルとなっていきます。1970年代から1980年代にかけて、多くの国がタンザニア式の「生産を伴う教育」プログラムを取り入れました。[*32] 協力と自立のための学校教育を目指したニエレレの夢は、今も世界中の進歩的な教育者を鼓舞しつづけています。

米国ハンディキャップ省

こうしたユートピア的教育思想の背後には、学校は価値観を教える場所であるという共通の前提があります。これはアメリカ人には奇妙に聞こえるかもしれません。愛国心やプロテスタント的労働倫理といった「正しい価値観」を学校で教えようと言いだすのは、たいてい保守派の人だからです。でも価値観とはそれだけではありません。プラトンは女子と男子に同じ教育を実施することで、「女性は男性と同じくらい有能で、教育を受けるに値する」という価値観を伝えたのでした。マカレンコは子どもたちに教育の自治権を与えることで、ただ上の命令に従うのではなく、自分たちで考え決定する民主的な合意プロセスについて、そして他者との協力の必要性について教えたのでした。またニエレレは農業労働を教育に組み込んでタンザニアにおける農業の重要性を教え、農作業は負け組の仕事だというイギリス植民地時代の価値観を覆そうとしました。

学校教育の新たなビジョンを提案すると、「子どもに思想を植えつけるな」と反発する人も少なくありません。たとえ善意からであっても、子どもに特定の思想を教えるのは一種の洗脳だというのです。マカレンコがゴーリキー村やジェルジンスキー・コミューンで大きな成功を収めたのは、孤児や家出した子が生徒だったため、親の反発がなかったおかげかもしれません。アメリカでは「人種差別を学校で教えるな」と主張する保守的な親のグループがあり、そのウェブサイトには「洗脳」や「思想を吹き込む」といった言葉が並んでいます。2019年には保守派の法律団体が、マインドフルネスやヨガを授業に取り入れている公立学校を、仏教やヒンドゥー教の押しつけだとして訴えました。[*33] また若者のセクシュアリティを扱った本に片っ端から苦情を入れて「禁書」処分にする動きも広がっています。[*34] 子どもに価値観を教えるのは親や宗教団体の役目であって、学校が手を出すべきではない。あるいは子どもたちは外部の影響にさらされずに、自分で自分の価値観を見つけるべきだと考える人が多いようです。

しかし学校教育が特定の価値観や世界観と無縁でいられるというのは、あまりに単純な見方ではないでしょうか。私は政教分離を標榜するアメリカの公立学校に通っていましたが、毎朝起立して右手を胸に当て、星条旗に向かってみんな一斉に「忠誠の誓い」を唱えさせられました。「私はアメリカ合衆国の国旗、ならびにその国旗が象徴するところの、万民のための自由と正義を備えた、神のもとに分かつことのできない一国家であるこの共和国に忠誠を誓います」。議会がこの誓いを公式に採用したのは1942年ですが、「神のもとに」という文言が加えられたのは冷戦中の1954年、無神論だったソ連との違いを強調するためでした。アメリカの歴史を顧(かえり)みれば、そして今日の政治的二極化を考えれば、「分かつことのできない」とか「万民のための自由と正義」という言葉は空々しく響きます。でも子どもの頃は毎日素直にこの言葉を暗唱していたのです。そこに疑問を持てるようになったのは、ずっとあとになってからでした。

ドイツ人の同僚にこの話をすると、そんなあからさまなナショナリズムを子どもに教え込むなんて、と驚愕されます。哲学者のスーザン・ニーマンが指摘するように、戦後のドイツは子どもに自分で考えさせるという点で抜きん出た教育を実践してきました。[*35] 娘がドイツの学校から帰ってきて、倫理の授業でショル兄妹について話しあった内容を興奮気味に教えてくれたときのことは忘れられません。ナチスに抵抗して1943年に処刑されたショル兄妹は、良い家庭で育った優秀な学生でした。二人がヒトラーに抵抗したところで世界は変わらなかったとすると、その死は無駄だったのでしょうか？ 口をつぐんでおくべきだったのでしょうか？ 二人と同じようにナチスを憎みながら、処刑ではなく生存を選んだ学生が当時どれだけいたでしょうか？ これらの問いは簡単なものではなく、娘と私は夜遅くまで議論を続けました。ようやく娘が寝室に行ったあと、13歳の子どもにこれほど深い倫理的な問いを考えさせるのかと、私はドイツの教育に感服しました。自分が中学生だった頃、倫理的問題についてそんな議論をしたことがあったでしょうか？

思いだされるのは、1982年にカート・ヴォネガットのディストピア短編小説『ハリスン・バージロン』について授業で習ったときのことです。物語のなかで、ジョージとヘイズル・バージロン夫妻はソファーに座り、テレビでバレエを見ています。バージロン夫妻には14歳の息子がいて、政府当局に逮捕されたばかりでした。「時は2081年、ついに誰もが平等になった。神と法の前に平等であるだけではない。ありとあらゆる意味で平等なのだ」とヴォネガットは語ります。「この平等はすべて、憲法修正第211条、第212条、第213条、および米国ハンディキャップ省のエージェントたちによる不断の警戒によるものである」[*36]

ハンディキャップ省長官のダイアナ・ムーン・グランパーズは、人々の絶対的平等を確保するために、優秀な人の能力を引き下げる仕事をしています。並外れて美しい人、体の強い人、賢い人、その他の才能ある人たちは、そのぶんハンディキャップを背負わなくてはいけません。バレリーナは仮面をかぶせられ、散弾の詰まった袋で重りをつけられます。平均以上の知能を持つ人は耳に無線デバイスをつけさせられ、数十秒おきにやってくる不快なノイズで集中が妨げられます。バージロン夫妻は平等が訪れる前の時代を「暗黒時代」と呼び、「誰もがたがいに競争していた」世の中に戻りたくはないと言います。そしてこの強制的な平等に対する抵抗が芽生えた瞬間、物語は悲劇的な結末を迎えます。

この物語を授業で音読したあと、教師がぶあついハロウィーンの仮面とずっしり重いベストを持ってきて、着てみるように言いました。それから生徒たちの耳元で、うるさいスタジアムホーンを思いきり鳴らしました。人によって能力が違うのは当たり前だという話をしながら、教師は生徒たちの心に、平等な社会は恐ろしいものだという印象を刻み込んだのです。平等を目指そうとすると「一人ひとりの特別な部分」を捨てることになるから危険だ、と教師が話していたのを覚えています。個人主義こそ神聖であり、個人の違いを称える社会に感謝すべきである。あの教師は私たちの幼い心にそう教え込んだのでした。

親の収入の違いも私たちを特徴づける個性なのか、と教師に尋ねることは思いつきませんでした。肌の色が薄いから、Y染色体を持っているから、モスクやシナゴーグのかわりにキリスト教の教会に行くからという理由で、ある人は他の人より「特別」になるのでしょうか？　考えてみるとおかしな話でしたが、機会の平等を求めると、必然的に能力の平等の強制に行きつくのでしょうか？　教師の言葉をそのまま受け入れた当時の私はまだ12歳です。「忠誠の誓い」を何も考えずに暗唱したように、教師の言葉をそのまま受け入れました。個人主義はいいものだ、平等は危険なものだと。

まだ柔らかい心に刻み込まれたその教訓は、今も毎年アメリカの何百万人という子どもたちに教え込まれています。リバタリアン未来派協会が２０１９年に『ハリスン・バージロン』のプロメテウス賞殿堂入りを決めた際、カート・ヴォネガット博物館・図書館はこの小説が「全米の学校でもっとも広く教えられているテキストのひとつ」であるとコメントしました。[*37] 表立って倫理教育と呼ばれるわけではありませんが、学校のカリキュラムには特定の価値観や考え方を植えつける内容がすでに含まれているのです。そのなかには何が「普通の暮らし」なのか、という社会的な信念もあります。

イェール大学で一番人気の授業

価値観や倫理観を学ぶことは、実社会で生きていくためのスキルを身につけることにほかなりません。車の修理や洋服の縫い方、プログラミングの技術と同じくらい実用的なスキルです。カンニングを許さないのは、正直な人間に育てるためです。いじめを罰するのは、仲間への思いやりを育むためです。授業中に騒がないように言うことで、他の人の学習を尊重する態度を教えます。小さな子に仲良く分けあって遊ぶように諭すとき、私たちは協調性の大切さを伝えています。価値観を教えるというと難しい論争をイメージしがちですが、政治的立場にかかわらず大半の人は、不正やいじめは良くないと思うはずです。

学校がいずれにせよ何らかの価値観を教えているのならば、問題はどんな価値観を、どのように教えるかです。家庭のあり方を変えたいなら、まずは競争重視のシステムを見直し、家事労働より職場での有償労働に価値を置く見方を問い直すべきでしょう。豊かな人間関係より金銭的な成功を重視する姿勢も変えていく必要があります。あるいは環境保護に取り組む方法や、私たちの生活を支える食料その他のリソースを生みだす労働の価値を教えることも大切です。オハイオ州にあるクエーカー系の学校オルニー・フレンズ・スクールでは、かつてニエレレが推し進めたビジョンと同様、卒業要件に農業の科目を必修で含めています。[*38] オルニーはUSDAオーガニック認証を受けた初の学校で、農業の実践を学習の隅々にまで浸透させています。生物学や化学、さらに美術や文学の授業にも応用的な課題を組み込み、農場での実地の体験を通して抽象的な概念を身につけていきます。化学では肥料の成分を学び、生物学では温室内での光合成を学び、文学では農民の暮らしを描いた物語を読むといった具合です。鶏や山羊や牛の世話をしたり、養蜂、温室栽培、持続可能な農法を学ぶ機会もあります。

農場の運営を通じて、生徒たちは教室の外に飛びだし、力を合わせて何かを成し遂げることを学びます。協調性と自立を身につけ、農業や畜産の大変さを体で理解します。自分の口にする食べ物がどこから来て、どのように栽培され、収穫され、調理されるのか。それを学ぶことは、地球上の生命を持続させている根本的なプロセスに触れることです。オルニーはそうした学びをカリキュラムの一部にして、気候危機と地球環境について学ぶ機会を提供しているのです。アメリカの公共ラジオ局NPRが2019年におこなった調査によると、アメリカの保護者の80%、教育者の86%が、学校で気候変動について教えることに賛成しています。[*39] 学習内容を現実世界とリンクさせれば、気候危機だけでなく、アウトソーシングや自動化で大きく変わっていく経済・社会のしくみなど、子どもたちの生活に直結する問題を考えるきっかけになるでしょう。

教えられた内容を暗記するだけでなく自分で考える力を養うために、哲学や歴史学、神学、心理学、人類学、社会学、神経科学といった幅広い分野の知識を応用して倫理的な問いに取り組むことも大事です。ハーバード大学でもっとも人気の授業として有名なのが、哲学者マイケル・サンデルの「正義」（Justice）です。1万5千人を超える学生が受講し、オンラインでも無料公開されました。[*40] またイェール大学で史上屈指の人気を誇る講座が、ローリー・サントス教授の「心理学と幸せな生活」です。[*41] この授業では学生がよりよい意思決定をして満たされた人生を送れるよう、心理学の文献を読んで幸福を科学的に検討していきます。2018年に開講されたこの講座には初年度だけで1200人の学生が詰めかけ、2022年にふたたび開講されたときには定員500人の教室がすぐに埋まり、600人がキャンセル待ちに登録しました。社会から求められるスキルを学ぶだけでなく、自分がどう生きたいかを考える授業に大きな需要があるということでしょう。こうした問題を考えるとき、私たちは私的領域の問い、個人的な生活をどう営むかという問いに引き戻されます。職業的な成功より健全な人間関係のほうが人生の満足度に大きく貢献することを知ったなら、若者の人生の選択は変わってくるかもしれません。どこに住み、誰を愛し、子どもを作るとしたらいつ作るのか、それを違った角度から考えられるようになるかもしれません。

学校教育のカリキュラムをめぐる訴訟や禁書の騒動は、明確な現実を反映しています。私たちの未来をめぐる闘いは、否応なく学校を舞台に繰り広げられるのです。政治的対立に巻き込まれたくない気持ちはわかりますが、まったく政治を持ち込まずに基本的な教科だけを教える場所がどこかにあると思ったら間違いです。市民を教育するのに、政治的にニュートラルなやり方など存在しません。二千年以上前にプラトンが言ったように、社会の美徳は公教育を通じて教えられるものであり、その選択は私たち全員の利害に関わるのです。それほど大事な仕事を、親だけにまかせるわけにはいきません。

現在の学校教育は、ストレスに対するレジリエンスを教えるという点でも充分ではありません。パンデミックに気候危機、高まる経済不安と、子どもたちは多くの問題に直面しています。核家族では主に母親が子どもの心のケアを引き受け、さらに対人関係のスキルや適切なマナーなど社会生活に必要なふるまいを教えています。これは難しい仕事ですし、子どもや若者の不安に対処する余裕がすべての親にあるわけではありません。すでに述べたように、米国ではマインドフルネスやヨガを教育に取り入れようとすると、東洋の宗教を押しつけるなと訴訟を起こす人がいます。ストレス緩和のテクニックとして企業でも受容されているのに、なぜ教えてはだめなのでしょうか。マカレンコは自信と自立心を身につけさせ、集団内での対立を解決するスキルを教えることが重要だと理解していました。ニエレレは若者たちがアフリカの伝統に誇りを持ち、新たな時代を切り開いていけるような教育を推し進めました。予測不能な現実に対処するためのテクニックや戦略を学校で教えれば、親の負担は今よりずっと軽くなります。こうしたスキルは、歴史や数学と同じくらい大事な意味を持つはずです。

詩を読みに街へ出よう

とはいえ、教育を学校の敷地内に限定する必要はありません。もっと視野を広げて、大人向けの継続的な教育についても考えてみるべきでしょう。人と一緒に何かを学ぶのは、仲間を作るのに最適な方法です。社会的ネットワークを広げ、学びつづける姿勢を子どもたちに示すこともできます。無料の生涯学習というトマス・モアの夢は、いまやオンラインでさまざまに展開されるようになりました。ウィキペディア、TEDトーク、Duolingo（デュオリンゴ）、ハーバード大学やマサチューセッツ工科大学が提供するオリジナルのedXコースなど、知識の民主化をめざすプロジェクトが多数登場しています。仕事で疲れきった夜にオンライン講座を受講するよりはリラックスしてドラマでも見ていたい気持ちはあると思いますが、このさき労働時間の短縮が進み、リモートワークが増えて通勤の負担が減れば、新しいことを学ぶ余裕も生まれてくるかもしれません。

教育を学歴の装置であることから解放すれば、知識は格差拡大の道具ではなく、誰もが楽しめる公共財になります。いまアメリカでは専門家に対する不信感が蔓延していますが、その背景には根深い反知性主義があります。[*42]知識が民主化されれば、専門家の示す情報も理解しやすくなり、自分や子どもたちの心身の健康に直結するファクトをよりよく検討できるのではないでしょうか。

イタリアのモデナで毎年開催される哲学フェスティバルは、モアが思い描いた生涯教育を現代に具現化した見事な例です。私も2021年9月に訪れてみましたが、広場を埋めつくす人の数に圧倒されました。哲学フェスティバルは3日間にわたって開催され、45本の無料講演やコンサートなど、旧市街のあちこちで多彩なイベントが繰り広げられます。モデナ育ちの51歳の銀行職員ファビオ・ブランコリーニさんは哲学フェスティバルの大ファンで、こんなふうに話してくれました。「サッカーの話をするかわりに、普通の人たちがそのへんでアリストテレスやアントニオ・グラムシの思想について話しあっているんですよ」。建設作業員も大学教授も、みんな人混みのなかに飛び込んで、21世紀の世界で生きる意味を共に考えています。

もうひとつ、教育の民主化の例でおもしろいのが、カンパネッラの『太陽の都』のような知の壁を現代に実現する試みです。トマス・モアの描いた生涯教育は希望者が自発的に参加する形でしたが、カンパネッラは学びが日々の生活の風景に溶け込んでいる世界を想像しました。これを見事に現代に応用した例が、公共のスペースに詩を展示する取り組みです。

オランダのライデンでは、市民が主体となってミュルゲディヒテン（壁の詩）プロジェクトを立ち上げ、1992年から13年間で世界各地の101の詩を街の壁に描きました。[*43] ブルガリアのオランダ大使館も「多様性のなかの結束」というスローガンのもと、ソフィアで同様のプロジェクトを主催しています。言葉は違えど詩を愛する心は同じ、人類は詩を通じてつながれるという思いが込められたプロジェクトです。[*44] ニューヨークでは1992年、市の交通局と米国詩学会が共同でポエトリー・イン・モーションというプロジェクトを立ち上げました。当初はニューヨークの地下鉄に詩を展示する企画でしたが、やがてロサンゼルス、ナッシュビル、プロビデンス、サンフランシスコにも広がっていき、毎年数百万人の通勤客に詩を届けています。[*45] このポエトリー・イン・モーションの元になったのが、1986年にロンドンで始まった「地下鉄の詩」プロジェクトで、そちらも大反響を呼びました。[*46] またポエトリー・イン・モーションに中国の詩が4点選ばれたのをきっかけに、上海にもブリティッシュ・カウンシル主導で「地下鉄の詩」プロジェクトが登場しています。[*47]

世界各地の都市が数千ドルの広告収入を捨てて、さまざまな文化の美しい言葉を掲示するようになったのはすばらしい決断です。でも私たちは、さらに先をめざすことができます。シミひとつなく加工された人々の写真を掲示してあれを買えこれを買えと欲望を掻き立てるかわりに、ちょっとした知識を公共スペースで楽しく学べるようにしたらどうでしょう。夜空の星座や身近な言葉の語源、ストレスを減らすための心理学のアドバイスなど、知っておいて役立つ知識はいくらでもあります。インターネットで世界中の膨大な知識にアクセスできるようになったとはいえ、今はまだ自分で知識を探し求めるという大きな一歩が必要です。しかし、もしこうした非商業的なコンテンツが日常の風景に溶け込むようになれば、教育は目的のための手段ではなく、生涯をかけて取り組む共通の目的になりうると思います。

ニューヨークのタイムズスクエアには1日平均38万人の通行人が集まり、約11万5000人が車で行き来します。1日当たりの広告インプレッション数は約150万にのぼりますが、表示される広告のほとんどは商業目的です。ひとつ特筆すべき例外は、ベトナム戦争中の1969年にジョン・レノンとオノ・ヨーコがタイムズスクエアの巨大広告スペースを購入し、「戦争は終わりだ！ もし君が望むなら」というメッセージを掲示したことでしょう。[*48] オノ・ヨーコは2012年にタイムズスクエアをふたたびジャックし、「平和な世界を想像してごらん」というメッセージを24か国語で発信しました。[*49]

2021年のモデナ哲学フェスティバル会場設営の様子

カンパネッラの壁は公共空間を人々の手に取り戻し、知識をシェアし、「教育と文化は限られたエリートや富裕層のものだ」という風潮に立ち向かいます。私たちのユートピアでは、誰もが学びを楽しめるのです。

結局のところ現代の教育システムは、不安定さを増す経済状況下で生き抜くための備えを子どもたちに提供しなくてはいけません。公教育が充実し、スキルの高い教員がいい給料で雇われるようになれば、子どもの心のニーズに応えようと奮闘する親にとっても大きな助けになるはずです。それなのに親たちは競争に駆り立てられ、公教育の向上のために力を合わせるどころか、他人を差し置いて自分の子だけを良い学校に入れようと躍起になっています。この不確実な世界を生き延びるために、少しでもいいチャンスを与えたいという思いは理解できます。

でも少し立ち止まって、こう問いかけてみてほしいのです。もしも将来への不安が少なく、どんな職業に就いたとしても充分な生活が送れるとしたら。もしも社会を支える労働がすべて――子どもや高齢者など弱者のケアをする人も含めて――まっとうに評価されるとしたら。そのとき学校教育は、学歴や職種で人を「勝ち組」と「負け組」に分ける役割を担う必要があるでしょうか？　もしもそうやって人をランク付けする価値観を吹き込む力が学校教育にあるのなら、逆にその力を利用して、利己心や競争よりも協力や連帯が大事だという価値観を教えることはできないでしょうか。それこそ私たちが生涯をかけて支えていくべき価値ではないのでしょうか？

数々の思想家も気づいていたように、私たちの暮らしを再創造するためには、教育制度によって正当化されている社会的資源の分配方法を根本から問い直す必要があります。そのために、次章では私有財産について考えてみましょう。

ベルギーのオーステンデにある壁の詩、2021 年撮影

うちのクローゼットの中身は共有制です。娘と私は体型がほぼ同じで、私のほうが若干背は高いのですが、たいていの服は2人とも着られます。なので私が30年かけて選び抜いてきたお気に入りの服が、ヴィンテージ風アイテムとして10代の子の奇抜な着こなしに使われたりしています。

最初のうちは「この服は禁止」という線引きをしていたのですが——思い出の詰まったライブTシャツ、頑張ってお金を貯めて買ったデザイナーズブランド、日本で英語教師をしていたときに初めてのお給料で買った服など——、新型コロナの影響で大学1年目を自宅で淋しく過ごす娘を見て、もう全部解禁することにしました。今では服もアクセサリーも好きなだけ使わせます。娘がこんなに大きくなって、フランス製のシルクのスカーフや1995年に奮発して買ったヴィヴィアン・ウエストウッドのコルセットを着ているのを見ると、正直胸が熱くなります。それに娘は一人っ子ですから、どうせゆくゆくは全部この子のものになるわけですし。

そう考えてみて、私はハッと胸に手を当てました。さも当たり前のように、娘に財産を継がせる気でいたのです。自分が親から何も形あるものは受け継がなかったこともあり、他の子ではなく自分の娘だけに洋服を継がせるという考えには抵抗があります。でも本音を言うと、娘の友達が家に来てごそごそと私のワンピースやセーターをかき回していたら、かなり違和感があると思うのです。なぜなのでしょう？　教え子が卒業したときに就職用の服をあげたことはありますが、娘と同じように何でも着ていいよ、というわけにはいかないのです。

自分の人生を振り返ってみると、一度だけ他人と服を共有していた時期がありました。1988年から1989年にかけて、大学寮のルームメイトと何でも一緒に使っていたのです。なぜそのときだけ可能だったのでしょう。一緒に住んでいたから？　同居は共同利用の必要条件？　それとも、もったいなく感じるほど高価なものを持っていなかったから？　私も友人も親が労働者階級のシングルマザーで、あまりお金がありませんでした。もし社会経済的に同等の立場でなかったら、事情は違っていたのでしょうか。

娘が私のお気に入りのフリースパジャマ（ターコイズ色に小さなピンクのティーローズ柄）を着ているのを眺めながら、こう思うのです。自分の子と同じくらい自然に、他の子にも分け隔てなく与えられる世界はありうるのだろうか。どうしたらジョン・レノンが歌ったような「所有のない世界」を想像できるのでしょう？

「所有、それは盗みである！」

住居について取り上げた第2章では、血縁関係のない他者との共生をめざす各種のユートピア思想に着目し、より大きな集団での暮らしが家族的なつながりを育む様子を見てきました。今風にいえば「自分で選んだ家族」(chosen family)を作るということです。「自分で選んだ家族」とは生物学的・法的な定義にしばられない親族関係を作り、そのなかでおたがいのケアを含めた感情的なつながりを維持する営みです。

この章ではさらに一歩進んで、共に暮らすだけでなく収入をみんなでシェアし、財産を共有する生活について探っていきたいと思います。結婚や同棲をするときにお金を共同管理にして、家具などの所有物も一緒にする人は多いですが、友達や近所の人や同僚と財産を分けあうのは一般的とはいえません。そこには明確な線引きがあります。ルームシェアをする場合でも、冷蔵庫の中で「この棚は誰が使う」と決めておきますし、光熱費などの出費は公平に等分して各自の口座から支払うのが普通です。それなのに、相手が娘というだけで、私は何の迷いもなく生活費を送金します。もしも元教え子やお金のない若者に同じくらい気軽に送金していたら、いったい何の目的かと疑われるでしょう。親子だからこそ、自分のお金を気前よく渡しても変に思われないのです。

でも、どうして親子ならお金を渡せるのでしょうか。その基準はどこから来たのでしょう?

進化生物学者や進化心理学者なら、孫を持つ可能性を最大化するために利己的な遺伝子が選びとった「自然な」行動だと言うかもしれません。自分の生物学的な子どもが飢えることなく無事に大人になれば、死んだあとに遺伝子の一部を残せるからです。しかしDNAが発見される前から、貴族や聖職者たちは財産の不平等を神の定めと主張していました。それどころか奴隷や農奴、女性、子どもといった人々を財産として扱うことさえ正当化していました。神が(あるいは神々が)世界をそのように創造したというのです。現代の進化論的主張はその教義を合理的で科学的な言説に置き換えて、私有財産とその相続を「自然」だと論じるのです。

財産の私有を自然な傾向だと考えるのは、しかし奇妙なことではないでしょうか。私たちの祖先は歴史の大半の時期を狩猟採集民として過ごし、つねに転々と移動していました。持ち物といえば基本的な道具や武器、素朴な装飾品、ひょっとしたら腰に巻く予備の布くらいです。背負って運べる程度のものだけ持って、境界線もフェンスも「立入禁止」の看板もない大地を自由に行き来していました。天然資源（使い勝手のいい洞窟や水場）をめぐる争いはあったかもしれませんが、そうした資源も通常は集団のメンバー全員で共有し、必要がなくなれば後に残して立ち去りました。

もちろん、古代DNA解析などの技術革新によって、狩猟採集社会の人々がそれほど善良で平等なわけではなかったことも明らかになってきています。また、20世紀まで存続した狩猟採集社会は何らかの平等主義を実践していましたが、それ以外の先農耕社会には厳格なヒエラルキーも存在しました。考古学者のデヴィッド・ウェングロウと人類学者のデヴィッド・グレーバーによれば、平等主義はけっして「自然」ではなく、意識して選びとられる生き方だったといいます。放っておくと一部の人に権力が集中するので、つねに平等が崩されないよう目を光らせていたのです。[*1] いずれにせよ、私たちの先祖が現代人よりはるかに少ないものしか持たなかったのは事実です。重要なのは、財産の私有またはは共有をめぐるそれぞれの価値観が特定の歴史的・文化的状況から生まれてきたにもかかわらず、いったん所有の体制ができあがると自然で不可避なものとして正当化されがちな事実です。フランスの経済学者トマ・ピケティはそれをこう言い表します。「あらゆる人間社会は、その不平等を正当化せざるをえない。不平等の根拠が見つからなければ、政治的・社会的に構築された体系全体が崩壊しかねない」[*2]

父方居住や父系制の文化的慣習が父親から息子への私有財産の相続を正当化するものだとして、しかしその起源はどこにあるのでしょう。誰がどうやってその私有財産を手に入れたのでしょうか。フランスのアナキストであるピエール＝ジョゼフ・プルードンは、1840年の著書『所有とは何か』のなかでこう言っています。「所有、それは盗みである！」[*3]

プルードンが言っているのは、こういうことです。かつては、あらゆる生産資源（土地、樹木、小川、茂み、そのほか自然界にあって人々の生活を助けるもの）がみんなで共有されていました。しかし遠い過去のある時点で、一部の個人や集団が「これは俺たちのものだ」と言いだし、土地の区画や滝のほとりの洞窟を封鎖して他の人が使えないように締めだしたのです。財産の所有権を熱心に擁護していたイギリスの哲学者ジョン・ロックでさえ、土地などの自然資源を正当に所有できるのは「他の人にも充分に同様な質のものが残されている場合」だけだと言っています。[*4]

ただし、ものを持つことがすべて盗みになるわけではありません。プルードンは「所有」という言葉を、かなり限定された文脈で使っています。彼が批判しているのは個人の必要を満たすための所有ではなく、他者から賃料や労働力を引きだすための所有（生産的所有）です。プルードンにつづくコミュニストやアナキストも、土地などの生産資源はみんなで共有すべきだと言っていますが、個人の道具や装飾品、腰布などの私的所有を否定しているわけではありません。宗教的な理由から財産を所有しない人たちとは異なり、プルードンの見方では自分の家を持つのはいいことですし、自身の健康や安全、生活を守るのに必要なものを所有するのは何の問題もありません。私的所有の問題は単に所有にあるのではなく、持たざる人からお金や労働力を搾取する目的で所有する点にあるのです。

私の洋服の例でいうなら、ヴィヴィアン・ウエストウッドのコルセットは娘と共有している個人的な持ち物です。着るとすごくおしゃれに見えるという以外には、娘がそのコルセットから追加の富を生むことはできません。しかし仮に世の中で90年代のコルセットが急に流行しはじめたとしましょう。娘はコルセットを持ちだして、インスタグラムのインフルエンサーに1日300ドルで貸しだそうと思いつきます。やがて週末に娘が帰ってきて、他にもヴィンテージを10着くらいキャンパスに持っていきたいんだけど、と言いだします。そうして古着のレンタルビジネスを立ち上げるわけです(娘がこれを読んで変なやる気を起こさないといいのですが)。私が娘と共有していた個人的な持ち物は、突如として収益を生みだす生産手段に変わりました。ユートピア思想家が「私有財産」について語るとき、一般に意味されているのはこのような収益を生むための財産であって、自分で使うために所有している財産ではありません。

しかし現代の多くの経済システムは、生産的所有権の不可侵性を前提として成り立っています。国のさまざまな組織や法制度が、富を産む所有財産とそこから生じる各種特権を蓄積させ、その世代間移転を促進するために存在しているのです。表向きは「民主的」な国でも、かつて選挙権はお金がある人の特権だったことを思いだしてください。古代アテネでは民主的改革によって、権力が貴族から財産所有者へと委譲されました。財産所有者には4つの階級があり、所有する土地の穀物生産量にもとづいてランクづけされました。また財産の所有に加えて、アテネ人の両親から生まれた男性でなければ選挙権は得られませんでした。[*5] たとえアテネ人の両親のもとに生まれても、女性には選挙権がありません。外国人や奴隷にされた人々も、政治参加から排除されていました。そしてやはりというべきか、土地を所有するアテネ人は、自分たちの経済的利益を守る方向で政治を進めていったのです。

プラトンが登場する半世紀前、ピタゴラスの弟子たちはクロトンで生活と食事を共にしていました。[*6]

ピタゴラス派のひとつの行動指針は「あらゆるものを友と分けあえ」です。[*7] プラトンはこれに倣(なら)い、政治家が財産を所有しない理想社会を思い描きました。「まず第一に、〔守護者〕のうちの誰も、万やむをえないものをのぞいて、私有財産というものをいっさい所有してはならないこと。つぎに、入りたいと思う者が誰でも入って行けないような住居や宝蔵は、いっさい持ってはならないこと」などのルールを定めています。[*8] もしも政治的指導者が自分の財産を最優先に考えていたら、公正な政治などできません。自分の財布の中身を増やそう、我が子の将来のために蓄えようと必死になっている人が、どうして社会全体の健全な繁栄など実現できるでしょうか。

財産が社会に不平等に分配されるとき、人々は利己的になります。プラトンはそうした利己主義が国を弱体化させると説きました。外敵が攻めてきたとき、みんなが自分の家族の無事だけを考えていたら、都市全体の防衛が脆くなるからです。また誰よりも勇敢で賢明な市民であるべき補助者や哲人王・哲人女王は、何よりも正義を追い求めるべきで、物質的な富をあくせくと求める暇はありません。プラトンはそのように考えて財産の私有を否定したのです。こうした古代の私有財産批判は、その後の思想に長く影響を残しました。

主人のために働くことなかれ

社会主義やアナキズムの文脈だけでなく、伝統的な宗教にも必要以上の所有をつつしむ考え方があります。インドのヒンドゥー教やジャイナ教にはアパリグラハ（非所有）の思想があり、生存に最低限必要なものしか所有しないように説いています。ジャイナ教における非所有は非暴力の次に大事な教えですし、ヨーガ・スートラでは徳の高い生活を送るための5つの戒律に非所有が含まれています。マハトマ・ガンディーのような人物を清貧生活に導いたのも、この非所有の思想でした。

仏教にも四諦（したい）の教えがあり、この世は苦に満ちているが、その苦しみの原因は欲や煩悩にあると説いています。ブッダは苦しみを終わらせるために、八正道（はっしょうどう）という生き方を提唱しました。八正道のひとつが「正命（しょうみょう）」、つまりまっとうな手段で生計を立てることです。儲けのために他者を傷つけず、また欲を出して必要以上のものを求めることなく生きようとブッダは言いました。利己主義と物質主義に反対する仏教の教えは、のちの非宗教的な私的所有批判にも深く通じるところがあります。チベットの現ダライ・ラマ（14世）はかつてこう言いました。「現代のあらゆる経済理論のなかで、マルクス主義の経済システムは道徳的な基盤のうえに築かれ、一方で資本主義は儲けや採算のことばかり考えている……このような理由から、私は今でも自分を半分マルクス主義者、半分仏教徒だと考えている」[*9]。ヒンドゥー教や仏教の僧侶は俗世間を離れた暮らしのなかでわずかな持ち物を共有し、物にも人にも執着しない生き方を実践しています。

紀元前2世紀から紀元1世紀末にかけて存在したユダヤ教のエッセネ派もまた、集団生活を送り、財産を全員で共有していました。歴史家によると、エッセネ派は死海文書という有名な古文書の作成者と考えられており、数千人がユダヤ全土に暮らしていました[*10]。エッセネ派は貨幣を使わず、交易を避け、当時ローマ帝国で一般的だった奴隷制度を神の掟に反するとして批判しました。エッセネ派は奴隷を使うかわりに自分たちで力を合わせて働き、自給自足の共同体的な暮らしをしていました。キリスト教の修道生活の先駆けといえるかもしれません[*11]。

キリスト教にも「聖書共産主義」とでも呼ぶべき長い伝統があり、キリストが財産共有の共同生活を説いたと信じる敬虔な信者によって実践されています。新約聖書のなかでも解釈の分かれるところですが、イエスの死後まもなく、弟子たちの生活を振り返って書かれた箇所にこうあります。「信者たちは皆一つになって、すべての物を共有にし、財産や持ち物を売り、おのおのの必要に応じて、皆がそれを分け合った[*12]」。また次のような記述もあります。「信じた人々の群れは心も思いも一つにし、一人として持ち物を自分のものだと言う者はなく、すべてを共有していた……信者の中には、一人も貧しい人がいなかった。土地や家を持っている人が皆、それを売っては代金を持ち寄り、使徒たちの足もとに置き、その金は必要に応じて、おのおのに分配されたからである[*13]」。こうした記述に影響を受けた一部のキリスト教徒は、財産の所有をめぐって教会と意見が対立し、長きにわたって迫害されることになります。

ブルガリアでは、10世紀にボゴミル派というキリスト教の一派が生まれました。ボゴミル派は善と悪の2つの神がいると信じる二元論者で、教会のヒエラルキーを否定し、祈りは個々の家で捧げました。また女性の宗教指導者を認めていました。魂に性別はないと考えられていたからです[*14]。現在の言葉でいえば、ボゴミル派は禁欲と非暴力をつらぬく菜食主義のアナキストでした。その教えは数多くの人を惹きつけ、バルカン半島から西ヨーロッパへと影響を広げていきました。ある中世のブルガリアの司祭は『ボゴミル派に対する論考』という文書のなかでボゴミル派を異端と断じています。「かれらは従者たちに主人に従わないように教え、金持ちを軽蔑し、皇帝を憎み、上に立つ者を嘲り、ボヤール（貴族）を非難し、皇帝のために働く者を神が慄然として見ていると信じ、すべての農奴に主人のために働くことなかれと説いている[*15]」。当然ながら皇帝はあらゆる手を使ってボゴミル派を排除しようとします。最終的にボゴミル派の人々はブルガリアを去り、現在のボスニア・ヘルツェゴビナの地に定住しました。

ボゴミル派はイタリアおよびフランスのカタリ派／アルビジョワ派に影響を与えました。この宗派の人たちもまた、男女の完全な平等を信じ、女性がペルフェクティ（完全者）になること、つまり宗教的に最高の高みに達することを認めました。ペルフェクティは聖職者というよりも仏教の菩薩に近く、みずから精神的な高みに達しながら、他の人々を同じ高みへ導く存在です。この頃までにキリスト教は、信者がライオンの餌食にされるなどの迫害を受けた地下宗派から、中世ヨーロッパでも屈指の権力を持つ大組織にまで成長していました。カトリック教会はヨーロッパ大陸全域に広大な土地を所有し、十分の一税を課して人々の収入の10％を（地元の領主や王が徴収していた税金にさらに加えて）徴収しました。教会がカタリ派を嫌ったのは、女性に関する見方の違いや善悪二つの神を持つ異教的な世界観のせいもありますが、権威や財産を否定していることもその理由だったでしょう。フランスでは、アルビジョワ派が異端審問の最初期の標的となりました。それ以前のボゴミル派やそれ以降のベギン会と同様、カタリ派／アルビジョワ派はカトリック教会から激しい迫害を受けます。やがて1209年から1229年にかけて、異端を殲滅するためのアルビジョワ十字軍による攻撃がおこなわれ、アルビジョワ派は完全に消滅しました。

しかしカトリック教会といえども、聖書中の記述を削除する力はありません。私有財産をめぐる問題箇所はその後も信者に読まれつづけました。そして強欲で残忍な教会のやり口を見るにつけ、多くの信者がキリスト教における私有財産の位置づけに疑問を抱くようになります。トマス・モアのような敬虔な人物でさえ、この記述を無視することはできませんでした。1516年に書かれた『ユートピア』にもその影響がはっきりと見てとれます。「必要とするものはなんでもそこからいくらでも持ってゆく……すべての物資が豊富にあって、しかも誰も必要以上に貪る心配のないところでは、欲しいものを欲しいだけ渡してなんの不都合もないからである。けっして物に不自由することはないという安心感、この安心感がある時に誰か必要以上に貪る者があろう」[*16]。モアは単に道徳的な理由から財産を分けあおうといっているのではなく、豊かさの意味を根本的に問い直そうとしています。欠乏に対する不安からものを溜め込む必要がなく、「けっして物に不自由することはないという安心感」があるとき、すべての人は等しく豊かに暮らせるのです。ストレスや鬱が蔓延し、「絶望死」が増えている現代にあって、モアの考え方はひときわ説得力を持つのではないでしょうか[*17]。

ボゴミル派やカタリ派と似ているのが、中世後期にヨーロッパ中部で興った再洗礼派の諸派、たとえばフッター派や、その他ドイツの神学者トマス・ミュンツァーに触発されたグループの人々です。ミュンツァーは宗教改革の中心人物マルティン・ルターと同時代人でした。ルターが教会に挑戦しながらも地主の封建的権威には異議を唱えなかったのに対し、ミュンツァーは人々の平等を説いて、真のキリスト教徒ならば質素に暮らして財産を共有すべきだと主張しました。ミュンツァーの支持者らは急進化し、1524年から1525年にかけてドイツのテューリンゲン地方で農民蜂起を起こします。しかし失敗に終わり、指導者だったミュンツァーは捕らえられ、拷問されて処刑されました。

トマス・モアもトマス・ミュンツァーも殉教者となりましたが、中世社会を鋭く批判し、教会の蓄財に疑問を突きつけた思想はその後も生きつづけます。多くのユートピア思想家がかれらに触発され、私的所有の道徳的正当性を否定することこそが、誰かの所有物とされている人々を解放するための第一歩だと考えるようになりました。

富める者がますます富むしくみ

ジョン・ロックをはじめとする古典的自由主義思想家の多くは、私的所有を文明世界の必要悪だと考えていました。労働の成果から利益を得て、その蓄積を子どもたちに受け継ぐことができるのでなければ、いったい誰が必死に働くだろうというのです。そして同時に、1773年の囲い込み法でかつての共有地が柵で囲まれ、締めだされた農民は田舎を離れて工場で働かざるをえなくなりました。

たしかにアメリカ独立革命とフランス革命は王権を否定して封建的な旧体制を打ち崩しました。フランスの革命家たちは貴族と聖職者の財産を没収し、自由・平等・友愛の精神を掲げました。しかし革命の中心となった産業資本家層すなわちブルジョアの狙いは、特権身分が独占していた富と権力を突き崩し、自分たちが新たな富と権力を握ることでした。アメリカもフランスも私的所有権を支持し、むしろ強化しながら、女性や奴隷にされた人たちや非有産階級を政治的に支配しつづけます。フランス革命とそれに続くナポレオン戦争の激動から生じた矛盾は、私的所有に対する新たな批判を生みました。ユートピア社会主義者やコミュニスト、アナキストの人々がさまざまな立場から声を上げますが、その多くは直接的・間接的に女性の解放を要求していきます。

イギリスの哲学者ジョン・スチュアート・ミルは古典的自由主義者やリバタリアンの英雄と見られがちですが、死後に出版された自伝のなかで自らを「社会主義者」と呼んでいます。言論の自由や個人の自律を力強く支持する一方で、資本主義とそれにともなう強制的な私的所有の体制が、ある種の社会主義よりも道徳的に劣ると考えていたのです。

ミルとその妻で女性の権利擁護者であったハリエット・テイラー・ミル（共にマルクスとエンゲルスの同

時代人）にとって、「社会主義」という言葉は国家が労働者に代わって生産手段を所有するシステムというよりも、単に個人主義の対極という意味合いでした。ミル夫妻は利己心を経済の駆動力とする考えを軽蔑し、いずれは社会主義が個人主義に打ち勝つと信じていました。

一方でミル夫妻は、現実主義者でもありました。ジョン・スチュアート・ミルは大著『政治経済学の原理』（経済学原理）のなかで次のように述べています。「かつて闘争に向けられていた人類のエネルギーは、当面は富を求める方向に向けておくべきであろう。やがてすぐれた知性が人の心をよりよい方向へ教育するまではということだが、錆びついて停滞するよりもそのほうが明らかに望ましい。心が粗いうちは、粗い刺激も必要なのだ[*18]」

19世紀を生きる同時代人の倫理意識は、まだ社会主義を機能させるレベルに達していないとミルは見ていました。そして無理なものを押しつけるよりも、富の追求というわかりやすいゴールを設定しておいたほうが、少なくとも暴力や戦争へ向かう傾向はやわらげられると考えたのです。私たちの「粗い」心には資本主義の粗い刺激が必要で、しかしいずれは教育によって何らかの「よりよい方向」へ向かうだろうと。ここでも公教育に大きな期待がかけられます。

さらに重要なことに、ミルはアダム・スミスの言うような生産の法則（希少性、資源をめぐる競争、需要と供給によって決まる価格）を否定しませんでしたが、その結果として蓄積される富が少数の手に留まる必要はないと考えました。「分配の法則」は自然の法則ではなく、社会の慣習の問題なのです。富は社会全体でもっと公平に分配されうるし、公平に分配されなくてはならないとミルは主張しました。

ミルの思想はフランス革命の余波のなか、かなり急進的な先人たちとの対話によって育まれました。私的所有に関してミルに影響を与えた思想家の一人が、近代アナキスト思想の父とされるウィリアム・ゴドウィンです。ゴドウィンはフェミニズムの先駆者として有名なメアリ・ウルストンクラフトの夫で、小説『フランケンシュタイン』の著者メアリー・シェリーの父親です。当時のイギリスで絶大な人気と影響力を持つジャーナリストであり、哲学者でもありました。フランスで革命が激化していた1793年、著書『政治的正義とその道徳および幸福への影響に関する探究』（政治的正義）を出版します。ゴドウィンはこの本のなかで私的所有を批判するだけでなく、君主制や独占、それに結婚も、人類の進歩を妨む政治制度として糾弾しました。宗教ではなく理性に訴える所有批判、そして理想のアナキスト社会を具体的に描きだすゴドウィンのユートピア的想像力は、フランスのピエール・ジョゼフ・プルードンやロシアのピョートル・クロポトキンといった後のアナキストに大きな影響を与えました。

ここでプルードンに立ち返り、単なる私物と私的所有との違いを確認して、後者に対する社会主義者とアナキストの批判をより明確に区別しておきたいと思います。どちらの立場から見るかで、女性や労働者の解放に向けた戦略が違ってくるからです。

自分で住むための家を持つのと、賃貸に出すためにさまざまな物件を所有するのとでは、その意味合いが大きく違います。仮に私がいくつもの不動産を所有しているとして、それは相続財産かもしれませんし長年の労働と倹約の成果かもしれませんが、いずれにせよプルードンはこの不動産が、少数の人による多数者の締め出しという歴史的プロセスの帰結であると見ています。かつては共有地だった土地を一握りの人が奪いとり、暴力的な権力を行使して、無料で使えた土地から家賃や地代を徴収しはじめたのです。共有地の囲い込み、浮浪や無断占拠を禁止する法律、それに公営住宅の不足のせいで、人々は需要と供給によって揺れ動く市場価格で住居を借りることを余儀なくされています。大家さんにしてみれば、手頃な価格の住宅など整備されないほうがお得です。住宅の希少性が保たれ、高い家賃でも借り手がつくからです。

同様に、自分の将来の生活に備えて貯蓄をするのと、必要以上のお金を集めて人に貸しだし、その金利で儲けるのとでは、話がまったく違います。後者は要するに、銀行が私たちの預金を集めてやっていることです。もし公営住宅が誰でも利用できたら、あるいは持ち家を買えるだけの給料が多くの人に支払われたなら、住宅ローンはこれほど大量に存在しないでしょう。住宅ローンなどのローン債権（複数のローンを集めたうえで小口の債権に切り分けて売りだす金融商品）は、いまや金融市場に欠かせない商品です。多くの投資家がローン債権を買い、借り手の支払う返済利息を懐に入れています。もしも住宅ローンが減ったらローン債権も減りますから、資金を余らせている人にとっては投資で儲ける道具がひとつ減ることになります。

ちょっと考えればわかりますが、裕福な投資家は手頃な住宅が不足しているおかげで二度おいしい思いをしています。不動産を貸しだせば、高い家賃が得られる。そのお金でローン債権を買えば、そのぶんまた儲けられるわけです。住まいを借りている側は家賃を払うのに精いっぱいで、いつまでたっても持ち家を買う余裕がありません。不安定な立場に置かれながら、なんとか家族で暮らせる住まいを守ろうと働きますが、給料はほぼ家賃に消えていきます。核家族でマイホームに住むのが理想とされる社会では、そのせいで家庭を持つコストがかなり大きな負担になります。

２００３年に初めて家を買ったとき、現金で買う余裕はないので、地元の銀行で30年ローンを申し込みました。審査に通って頭金と手数料を払い、借りたお金プラス利息を30年かけて返済しますという契約書にサインしました。手数料と利息はお金を借りるために支払わなければならないコストです。

さらに家の所有権の一部は担保として銀行のものになります。ところがそれから1か月も経たないうちに、銀行は私の住宅ローンを別の銀行に売却しました。そして売却先の銀行は、私の住宅ローンをまた別の銀行に売却しました。そのとき初めて、私は自分の負債が価値ある商品なのだと理解したのです。私がローンをまじめに返済するかぎり、銀行はそれを使って儲けられるわけです。

ここに価格30万ドルの住宅があるとしましょう。お金持ちなら現金で買えますが、それほどお金のない人は住宅ローンを組んで銀行からお金を借りなくてはいけません。仮に25万ドルを固定金利5％の30年ローンで借り、繰り上げなしで30年かけて完済したとすると、単純計算で約23万3千ドルの利息を銀行に支払うことになります。銀行はこの利息の一部を利子所得として受けとり、残りを預金者への利息およびローン債権を購入した富裕層への支払いに当てます。このローン債権は預金者の預金をローンとして貸しだし、そのローンをアグリゲーターなどの中間業者に売却して作成したものです。頭がぐるぐるしてきますが、わざと難解に作ってあるのです。とにかく大事なのは、まったく同じ家を買うのに、お金持ちなら30万ドル、お金のない人なら53万3千ドルかかるという事実です。こうしたシステム全体が、貧しい人から富裕層への富の移転を促し、格差をいっそう広げているのです。

プルードンは、そもそも資源の不平等な分配をもたらした歴史的な収奪のプロセスに目を向けろと言っています。奴隷制や囲い込みはもちろんですが、他にも公営住宅の建設に反対する地主のロビー活動や、富裕層が住む住宅地にコハウジングや共同住宅を建てさせないようにしているゾーニング法もその一部だと考えていいでしょう。そして不平等は世代から世代へと受け継がれます。1989年から2016年のあいだにアメリカで相続された財産の額は8・5兆ドル、さらに今後30年で36兆ドルの相続財産が発生すると見られています。[*19] イギリスでは資産全体の実に28％が相続によるものです。[*20]

リバタリアニズムを代表する哲学者ロバート・ノージックでさえ、1974年の代表作『アナーキー、国家、ユートピア』のなかで「過去の不正義がさまざまな形で現在の資産を形づくってきたのであれば」、その不正義を是正してからでないと最小国家という彼の理想には進めないと述べています。ノージックはさらにこうも言っています。「過去の不正義があまりに大きいとき、短期的にはその是正のためにより大きな国家が必要とされる場合もある」[*21]

もしもウィキペディアが営利企業になったら

ここでウィキペディアを例にして考えてみましょう。現代のユートピア・プロジェクトともいえるウィキペディアは、人類の知の集積をすべて無料で世界に提供して、知識から値札を取り除くことを目指しています。百科事典の老舗であるブリタニカ百科事典は1768年に刊行が始まり、2012年に244年続いた紙書籍の発行を終了しましたが、この時点で全32巻セットの値段は1400ドルにもなっていました。[*22]現在はオンライン版で利用できますが、うるさい広告を消して会員限定記事を含めた全記事にアクセスするためには、毎年74・95ドルの会費を支払う必要があります。[*23]学校などの機関購読はもっと高額です。一方、ウィキペディアは多言語で同様のコンテンツを作成し、インターネット上で無料で発信しています。2016年に15周年を迎えたウィキペディアの月間平均ページビューは180億を超えました。[*24]ウィキペディアは完全に広告フリーで、記事の作成・編集・更新は世界中のウィキペディアンが無償でおこなっています。意義ある目的のために労働力を提供しているのです。サイトを運営しているのは非営利のウィキメディア財団で、ユーザーはこの団体に寄付をすることでウィキペディアの技術的インフラをはじめとする運営費用を支援できます。

もしもウィキメディアの創設者であるジミー・ウェールズが、2016年の時点で、ウィキペディアの閲覧を1ページあたり2セントで有料化すると決めたとしたらどうでしょう。その場合、ウィキペディアは毎月3億6000万ドル、年間で43億ドルの収益を生みます。このお金は編集に従事するウィキペディアンへの報酬として貢献度に応じて分配されるかもしれませんし、あるいは発案者であるウェールズが全額を自分のものにするかもしれません。後者を選んだ場合、ウェールズはコミュニティによって共同で生みだされた富を不当に収奪しているといえるでしょう。

では、仮にジミー・ウェールズとウィキペディアが最初から編集者を有償で雇っていたとしたらどうでしょうか。編集者にはある程度の時給が支払われますが、しかし人件費やサイトの運用コスト、その他の経費を支払ってもウェールズの手元に数十億ドルの利益が残るとします。これは公正なやり方でしょうか？　そう、もちろんこれは自由市場社会でほとんどの企業が採用している基本的なビジネスモデルです。雇用主は、労働者が生みだす価値（この場合はウィキペディアの記事）よりも低い賃金を労働者に支払い、差額で利益を得ています。労働者がその条件に同意しているのであれば、別にかまわないように思えるかもしれません。

しかし社会主義者やコミュニスト、アナキストの人であれば、労働者の側に選択肢などないことをすぐに指摘するでしょう。かつて共有だった財産、とくに土地が奪われたせいで、貧しい人は自分が食べるだけの食料さえ生産できなくなりました。だから大多数の人は、とにかく自分の労働力を買ってくれる人がいれば文句を言わずに働くしかありません。国が最低賃金を定めていなければ、賃金はどこまでも下がります。先ほどのウィキペディアの例でいうと、最初のシナリオでは人々が公共の利益のためにと思って提供していた労働の果実をウェールズが勝手にせしめるわけですが、2番目のシナリオでは労働者たちが生計を立てるために仕方なく安い値段で自分の知識と労力を売り払っています。ウェールズは人件費を不当に安く抑えて利益の大半を自分のものにしますが、労働者は他にいい仕事もないので、文句をいわずにその条件で働くしかないわけです。

コミュニストやアナキストが抗議するのは後者のタイプの収奪、つまり生産的財産（生産手段とも呼ばれます）の所有者が労働者の生みだす価値を不当に奪う行為に対してです。ロシアの名門貴族出身でアナキストのピョートル・クロポトキンは、国家が私的所有権を暴力的に保護しているせいで、より高度で調和のとれた集団生活へと向かう人類の歩みが妨げられていると主張しました。本当は誰もが基本的なニーズを満たせる社会が作れるのに、それを邪魔しているのです。もしも先ほどのウィキペディアンたちが労働の成果を公平に分けろといってジミー・ウェールズの自宅を襲ったら、地元の警察、つまり納税者のお金で雇われた公務員がやってきてウェールズの私有財産を守ろうとするでしょう。同様に裁判官たちも、法律を守ることで結果的に経済エリートの財産的利益を保護しています。クロポトキンは、利口な（あるいは不正直な）人だけが抜け目なく富を溜め込まないように、社会のあらゆる人の暮らしが守られるために、国家は――そして国家による合法的な暴力の独占は――廃止されなければならないと説きました。すべての生産的財産は、個人的な用途のものを除いて、ふたたびみんなで共有されるべきだと。

19世紀から20世紀初頭にかけてのアナキストとコミュニストは両者ともに、国家も法律もなく（法律があるとそれを強制する人が必要になるので）、生産手段の私的所有もないユートピア世界を目指していました。両者の大きな違いは、コミュニストが「社会主義」と呼ばれる中間段階を想定し、無産階級の代理として国が一旦すべての生産手段を所有できると考えていた点です。クロポトキンのようなアナキストは、この中間段階が必然的に権威主義につながり、個人の自由を侵害するだろうと論じました。クロポトキンが提唱したのは、集団所有を維持するのに必要最低限の小さな政府です。

しかし、マルクスやエンゲルスに言わせれば、資本主義から一足飛びに理想の無国家社会に到達することは不可能です。まずは労働者による国家が力を握り、富裕層が不当に奪いとった生産手段を人々の手に返還する必要があります。私有財産やそれを保護する国家のないユートピア社会という最終目標は同じでも、そこへ到達するための道筋が違うわけです。先ほどのジミー・ウェールズがウィキペディアを私有化した例でいえば、マルクスとエンゲルスはひとまずの措置として、編集者と読者のために政府がウィキペディアを国有化すべきだと言うでしょう。クロポトキンや他のアナキストは、ウィキペディアを即座に現在のような分散型でボランティアベースの、自由に利用できるプロジェクトに戻すべきだと考えるでしょう。

生産者を生産するのは誰か

こうした話はすべて、女性と家庭の話につながってきます。なぜなら生産的財産の所有者は、誰かが育ててくれた子どもたち（たとえば成長してウィキペディアを編集するようになった子どもたち）の仕事から利益を得ているからです。

将来の労働者である子どもの生産はシステムを回すのに不可欠な要素ですが、子どもはすぐに働ける状態で工場のベルトコンベアから出てくるわけではありません。育成とメンテナンスに長い年月が必要です。生産的財産の所有者は、労働者の育成にかかるコストをほぼ支払うことなく、貴重な資産を手に入れているわけです。さらに将来的な労働者の不足が懸念される場合、子宮のある身体そのものが生産的財産の扱いを受けます。身体のインテグリティ〔身体を他人に侵害されない権利〕を守るために妊娠・出産を拒否すれば、経済システムへの深刻な脅威と捉えられかねません。1936年から1955年にかけてのソ連、1966年から1990年にかけてのチャウシェスク政権下のルーマニア、そして現在アメリカのますます多くの州で見られるように、出生率の低下にともなって国家が避妊手段へのアクセスを制限したり、中絶を違法化したりするのはそういう理由です。

フェミニストの視点から見ると、生産的財産の共有と女性の立場について論じた最重要テキストはフリードリヒ・エンゲルスの1884年の著書『家族・私有財産・国家の起源』です。1883年にカール・マルクスが亡くなったあと、遺稿のなかから人類学者ルイス・ヘンリー・モーガンの1877年の著書『古代社会』について詳細に記したノートが見つかりました。エンゲルスはこれが一冊の長編になる予定だったと考え、みずからその仕事を引き継ぐことにしました。こうしてできあがったのが、フェミニスト経済学の元祖とも言われる『家族・私有財産・国家の起源』です。エンゲルスの詳細かつ複雑な議論は長年にわたって多くの論争を呼んできましたが、内容をざっくりまとめるなら、社会のなかで女性の地位が低いのは自然な状態ではなく、私有財産が作られた結果として生じた状態なのだと論じています。

エンゲルスによれば、農耕以前の社会では女性が母として敬われており、母系制と母方居住が一般的でした。人類が狩猟採集の生活スタイルを捨て、生存に必要な以上の食料を生産できる農耕社会に移行して初めて、女性の生殖能力は将来の労働者生産の手段と捉えられるようになったのです。「母権制の転覆は、女性の世界史的な敗北であった」とエンゲルスは言います。「男子は家庭内でも舵をにぎり、女子はおとしめられ、隷従させられ、男子の情欲の奴隷かつ子どもを生む単なる道具となった」[*25]。この見方からすると、生産的財産を共有する社会に戻って余剰分を共同体のみんなで公平に分けあえば、エンゲルスの想像した農耕以前の女性の地位が回復されるはずです。

エンゲルスの説はなるほどと思えますが、必ずしも正確とはいいきれません。最近の考古学的・人類学的研究は、人類の歴史が明確な段階に分けられるとか、人間には何らかの「自然な」傾向があるといったエンゲルスの仮定に疑問を投げかけています。狩猟採集から農耕への移行時に私的所有の欲求が目的論的に形成されたわけではなく、いつの時代にも世界には文化の多様性を反映する形でさまざまな政治的・経済的な形態がせめぎあっているのだ、という見方も増えてきています[*26]。

私的所有と不平等の起源をめぐる議論は今も勢いよく続き、そもそも問いの立て方が適切なのかという点も問い直されていますが、そのあいだにも多くのコミュニティが世界各地で小さなユートピアを営みつづけています。血縁的な家族を超えた集団で暮らし、実際に財産や収入を共有している人たちの様子を、ここで少し見てみましょう。

信仰深いコミュニストたち

現存する財産共有コミュニティのなかでもっとも歴史が古いのは、16世紀ドイツ農民戦争の時代にトマス・ミュンツァーと改革急進派に触発された中央ヨーロッパのキリスト教再洗礼派の末裔です。ヤコブ・フッターが立ち上げたフッター派は1528年からコミューンを結成しはじめますが、ローマ・カトリック教会に異端認定されて迫害を受けます。当初は商品を製造していましたが、中央ヨーロッパの工場を追われて農業を始めました。18世紀にはロシアに定住し、やがて北米に渡ります。現在、北米には約5万人のフッター派が住んでおり、米国とカナダ各地に最大250人ほどのコミュニティを作って暮らしています。[*27] そんなフッター派の一人であるリンダ・メーンデルは、カナダにある120人ほどのコミュニティの住人です。ウェブサイト「アーミッシュ・アメリカ」のインタビューに答えて、次のように語りました。「私たちが共同体での暮らしを選ぶのは、使徒言行録の2章がそう教えているからですし、また新約聖書の説く隣人愛を実践するのに最善の方法だと思うからです。財産の共有とは、つまり個人の銀行口座を持たないということです。そんなものは要らないのです。必要なものは共同体から供給されますし、ゆりかごから墓場まで共同体のみんなでやっていくのです[*28]」

もうひとつ、共同体で暮らすキリスト教の一派にシェーカーがあります。シェーカー教徒は1747年頃にイギリス人女性によって創設された宗教コミュニティに端を発し、1780年代のアメリカで基盤を固めました。シェーカー教徒はほぼ自給自足の集落に住み、すべての財産を共同所有します。またそれ以前のボゴミル派やカタリ派と同様、女性が重要な宗教的リーダーの役割を担うことを認めていました。質素で慎ましい生き方を大事にし、父系制や父方居住の慣習を拒んで独身主義をつらぬきました。

シェーカー教徒のコミュニティは改宗者を呼び込んだり、孤児や捨て子、あるいは未婚で妊娠した女性を受け入れて人口を維持していました。かれらにとって財の共有はごく自然なことでした。なぜなら「キリスト教徒の仕事は、今この瞬間を生きることであり、天からもたらされたパンを明日のために蓄えることではない」からです。[*29] 1978年に21歳の若さでシェーカー教徒のコミュニティに入ったブラザー・アーノルドは、ポートランド・プレス・ヘラルド紙に掲載された2019年のインタビューで次のように語っています。「物を手放すのは、そんなにたいしたことじゃありません。やってみれば簡単なんです。わけないですよ。自分では何も持たなくても、みんなで共有すればいいだけです」[*30]

しかし、生涯独身で通す方針が、結果的に参加者を狭めてしまったのは事実です。自分たちでは子どもを作れませんから、シェーカー教徒の数はだんだん減少し、今ではメイン州のサバスデイ湖にあるコミュニティがひとつ残るのみです。サバスデイ湖のコミュニティは1783年に設立され、観光業

サバスデイ湖のシェーカー教徒村。コロナのため閉鎖中の看板

や特産品、工芸品、器、かご、椅子の生産で生計を立ててきました。2022年3月に私が訪れたとき、コミュニティは新型コロナの影響で部外者は全面的に立入禁止となっていました。ブラザー・アーノルドが納屋のほうに出てきてくれて、少しだけ一緒に周囲を歩いて写真を撮ることができましたが、すっかりさびれた印象は否めませんでした。今ではブラザー・アーノルドとシスター・ジューンが、この村に住む最後のシェーカー教徒となってしまいました。

もうひとつ、全財産を共有する現代の宗教コミュニティに、ブルーダーホフがあります。1920年にドイツで生まれたブルーダーホフの共同体は、食料をほぼすべて自分たちで栽培し、小規模な製造業を営むなどして生計を

1880年のサバスデイ湖、シェーカー教徒村のドローイング

立てています。新たにメンバーになる人は貯蓄と相続財産をすべて共同体に寄付し、その代わりに共同体は将来にわたって住人の基本的な生活を保障します。現在、メンバーの数は世界でおよそ3千人。オーストラリア、オーストリア、ドイツ、パラグアイ、韓国、イギリス、アメリカにある29の集落に暮らしています。独自のキリスト教のビジョンを持ち、次のように説きます。「隣人を愛しなさい。おたがいを思いやりなさい。すべてを分かちあいましょう。ブルーダーホフの私たちは、別の生き方が可能だと信じています。私たちは完璧な人間ではありませんが、貧富の差のない生活を築くために、すべてを賭けるつもりです[*31]」

ブルーダーホフでは性別役割分業が維持されています。イギリスのイースト・サセックスにあるコミュニティでは「コミュニティ・プレイシングス」という会社を経営し、木製のおもちゃや遊具、子ども向け家具などで大きな成功を収めています。会社の利益はメンバー全員に平等に分配されます。男性も女性も会社に関わっていますが、男性は主に遊具や家具を作り、女性は販売部門を担当します。英国ガーディアン紙の記者がこのコミュニティを訪れ、いまだに女性が料理や子どもの世話をして男性が薪割りをするのですねと指摘したところ、住人のレイチェルはこう答えました。「別に気になりませんん。キリスト教徒としてそれを選んでいるんです。私の考えでは、男性と女性には異なる役割がありますが、どちらかが優れているわけではありません[*32]」

共同体での生活といえばヒッピーのように無宗教で進歩的な若者のイメージがあるかもしれませんが、このように伝統的で信仰深い生き方との両立も可能なのです。フッター派やブルーダーホフでは家父長制を（父系制・父方居住も）採用していますが、妻は夫に経済的に依存していませんし、孤立して苦しむこともありません。一般的な核家族で暮らす女性よりも、経済的な立場はむしろ強いくらいです。そこでは性別役割分業が夫婦間の経済格差につながりません。集団での労働で生みだされた富は、全員に平等に分配されるからです。また財産はすべて共有なので、子どもたちは成長すると共同体の資源を公平に受けとることができます。個々の家族はあっても、富と特権の格差を次世代に移転する装置ではなくなっているのです。

ユートピアの税金問題

では、このようなコミュニティのお金の処理はどうなっているのでしょう。法律や税金の面で問題はないのでしょうか？

アメリカのような資本主義国で、銀行口座を持たない人たちが土地を購入して共同体を運営するのは現実的に困難だと思われるかもしれません。でも実は、思ったよりずっと簡単なのです。フッター派やブルーダーホフなどの共同体は、税法のかなりマイナーな分類にもとづいて設立され、課税されています。所得を共有する非家族集団は、内国歳入法５０１条d項に定められた「宗教や信仰による団体または法人で、共有の資金または共同体としての資金を持つもの」に該当します[*33]。コミュニティ全体の平均所得で判断するため、たいていは所得税の課税基準額より低くなります。２０２２年の成人単身者の基礎控除額は１万２９５０ドル、全体の所得をメンバー数で割った数字がそれを超えないかぎりは所得税がかからないということです[*34]。２０１６年の論文「ユートピアと税金」は、この免税制度のユニークな歴史的背景を次のように説明します。

19世紀アメリカの宗教運動は、アメリカ社会の多くの側面に挑んでいった。こうした集団の最もよく知られた側面はセックスや結婚の価値観に対する挑戦であろう。だが伝統的なアメリカ経済に対する挑戦も同じくらい重要である。新たなキリスト教運動の多くは財産の個人所有を避け、すべての財産を共有する信仰共同体という新約聖書のモデルに従った。20世紀初頭になると、こうした宗教的共同体は新たな敵に直面した。所得税である。共同体主義は、所得税の起草者が想定した個人主義的な経済システムになじまなかったのである。[*35]

「イスラエルのダビデの家」(18世紀イギリスの預言者ジョアンナ・サウスコットの教義に根ざしたキリスト教の宗教的共同体)およびフッター派の団体が国税庁を相手取っていくつかの訴訟を起こしたあと、1936年の税制改正で宗教団体の扱いに関する特別条項が盛り込まれることになりました。これにより、所得を共有する集団はその収益が共同体の成人メンバーの生活費として公平に分配されるかぎりにおいて、農業や製造業、サービス業を自由に営めるようになりました。この501条d項の適用を受けるための条件としては、団体が法人として登記され、共通の信念や指針を持ち、共同体の資金が必ず成員の利益のために使用され、各メンバーが所得の申告時に共同体からの配分を所得額に含めることが必要です。団体が受けとった寄付金は控除対象に含まれません。また501条d項では(教会などの宗教団体とは異なり)、税制上の資格を保ったまま政治活動をおこなうことが認められています。

こうした税制上の扱いに異議を唱える声もあります。ある法学者が次のようにまとめています。

この選択肢に対する最もよくある批判は、社会主義を助長するとか、そんな共同体はユートピアやヒッピーの理想であって現実には存在しえないというものだ。しかし実際、501条d項であれ別の形であれ、何千ものインテンショナル・コミュニティが現にあり、その事業はより「資本主義的」なビジネス組織と共存している。いずれにせよ、オルタナティブな生活様式を選択するほんの少数の人が国全体の市場の価値を変えるとは考えにくいし、誰もそんなことは意図していない。そうではなく、政治の騒動から離れて、土に根ざした共同生活を送りたいと真に願う人たちがおり、そうした人を法的に保護するために501条d項という選択肢が用意されているのである。[*36]

所得を分かちあう人たちが社会主義を助長するのではないか、「国全体の市場の価値を変える」のではないかと恐れる一部の保守派は、この税制上の地位が正式な宗教団体にのみ適用されるべきだと主張しました。聖書に基づいて暮らす人たちのほうが、無宗教のコミューンよりまだ害がないと考えたのでしょう。しかし裁判所はそれを否定し、共通の信念に基づいて財産を共有している団体であれば、宗教団体かどうかにかかわらず税制上の優遇を受けられるという立場をとっています。1986年のツインオークス・コミュニティをめぐる裁判で、租税裁判所は501条d項の団体メンバーが清貧の誓いを立てている必要はなく、また全財産を取消不能な形で団体に寄付する必要もないとの判決を下しました。

少なくとも米国の501条d項のもとでは、共同体は全員に公平に所得を分配しなくてはいけませんから、そこに男女の格差はありません。団体によって家父長制的な体質はあるかもしれませんが、所得の面では男女平等なのです。これに対して米国の主流社会では、専業主婦として夫のために家事育児をする既婚女性には自分の所得がなく、社会保障税を納付しないので自分自身の公的年金をもらう資格さえありません。健康保険も夫の勤め先を通じて加入するケースが大半です。家計への非金銭的な貢献が認められ、結婚していた期間に貯めた財産の一部が自分のものと認められるのは、離婚する場合だけです。

皮肉なことに、一見保守的にも見える宗教コミュニティのほうが女性は平等に資源を配分され、団体が運営する健康保険にも自身で加入できます。高齢の住人への支援も共通の資金から公平に拠出されます。単身女性や夫に先立たれた女性も貧困に陥らず、公平に所得を受けとって生活できるのです。

世界に広がるエコビレッジ

現在、世界各地で物質主義を批判し、もっと平等な社会を望み、環境にやさしい持続可能な生活を送ろうとする人たちがネットワークを広げています。2022年4月時点で、「インテンショナル・コミュニティ案内」というデータベースには222の団体がコミューンとして登録されています。そのなかにはベネズエラのアマゾナス州にある「第1先住民エコビレッジ」、ベルギーのブリュッセルにある「ラ・プードリエール」、アルゼンチンのブエノスアイレスにある「エコビラ・ガイア」などが含まれます。

環境の保全と再生を主眼に置いたコミュニティ運営を支援する包括的な組織として、グローバル・エコビレッジ・ネットワーク（GEN）も挙げられます。[*37] 2022年4月時点で、GENのデータベースにはインテンショナル・エコビレッジが238団体、宗教的またはスピリチュアルなエコビレッジが138団体、伝統的または先住民のエコビレッジが49団体登録されています。ここではコミューンという呼び名に代わってエコビレッジやインテンショナル・コミュニティという名称が使われており（コミューンという名称がいわゆる「カルト」やドラッグ漬けのヒッピーを連想させるため）、より広い意味でのエコビレッジを含んでいるので、実際どれくらいの団体が所得共有制の共同体生活を営んでいるのかははっきりとわかりません。[*38]

昔のコミュニティが神への献身や精神的な調和を重視していたのに対し、最近では環境問題への関心からコミュニティに入ったり、性別役割分担や家族のあり方を変えたいという思いで共同生活に引き寄せられる人が増えています。2022年現在、エコビレッジがどこよりも集中しているのが西ヨーロッパです。多くのエコビレッジでは自分たちで食料を栽培し、パーマカルチャーと呼ばれる持続可能な土着型農業に取り組んでいます。完全な所得共有型コミュニティの一例として、タメラ平和研究教育センターがあります。1978年に設立されたコミュニティをもとに、1995年にドイツ人のグループが立ち上げました。タメラには現在200人以上が参加し、ポルトガル南西部にある335エーカーの土地で「ポスト資本主義世界のための自律分散型モデルを目指した活動」をしています。[*39]タメラのコミュニティは貨幣制度に縛られない贈与ベースの経済で動いていて、収入の59％はコミュニティについて学ぶためにやってきた訪問客や学生から得ています。そのほか35％は各種寄付金によるものです。[*40]

タメラの住人が目指すのは「暴力と戦争のないポスト家父長制文明」です。パーマカルチャーの実践や雨水の貯水を通じて気候変動の影響から自然を取り戻す活動をしながら、テラ・ノヴァと呼ばれる「新たな惑星共同体」のユートピア的ビジョンを推し進めています。タメラの人たちは地球規模の人為的な大量絶滅が迫っていると考えており、資本主義と国民国家のシステムが崩壊したあとの時代を見据えて「自給自足のコミュニティからなるグローバルシステム」の創造に取り組んでいます。[*41] 究極のサバイバル戦略ともいえるでしょう。

日本では「新しき村」と呼ばれるユートピア共同体が1918年から現在まで、浮き沈みはありつつも続いています。また1950年代に発足したヤマギシ会は、特定のリーダーを持たない所得共有コミュニティを日本全域の30か所以上に展開しています。[*42] 富士山のふもとにある「木の花ファミリー」は1994年に設立された所得共有コミュニティで、およそ100人の大人と子どもが血縁を超えて集まり、「現代社会にユートピアを復活させる」ことを目指して持続可能な自給自足の生活を送っています。[*43]「菩薩の里をつくろう」という精神で始まった木の花ファミリーは、仏教や神道の教えに根ざした環境保護活動にとりくんでいるのが特徴です。中国では近年、都市部での忙しすぎる労働や燃えつき症候群から逃れるため、ミレニアル世代を中心に田舎暮らしのインテンショナル・コミュニティを選ぶ人が少しずつ増えています。[*44]「南で暮らすコミュニティ」と「もうひとつのコミュニティ」はいずれも2015年に設立されました。[*45]

イスラエルのキブツも、長く続いている所得共有コミュニティの一例で、宗教的な面とそうでない面の両方を兼ね備えています。完全な所得共有型キブツの数は1980年代に減少しはじめましたが、2008年の世界金融危機を受けて一部で復活の動きも見られました。[*46] 2015年には、29%のキブツが完全な協同組合方式をとっていました。[*47] しかしハイファ大学キブツ研究所のシュロモ・ゲッツ博士によると、2020年時点で完全な所得共有型をとっているキブツは、私が1990年に住んでいたキブツ・ハツェリムを含めてわずか45か所。現存するキブツ全体の2割にも満たない数字です。残りは協同組合的な性格を一部だけ残したハイブリッド型に移行しました。[48] 一方で、都会の大学を出て「普通」の生活を送っていたキブツ出身者のなかから、自分の子どもが生まれたのをきっかけに元のコミュニティに戻る人も出てきました。Uターン希望者の順番待ちリストができているキブツも増えています。[49]

さらに興味深いのが、最近新たに登場してきた都会のキブツです。若い人たちが現代的なマンションで、財産と所得を共有する共同生活を営んでいます。[50] マクデブルク、ロンドン、ベルリン、バルセロナといったヨーロッパの都市に作られている都市型エコビレッジに近いかもしれません。都市型キブツは一般に宗教色がなく、社会主義的です。一例としてミショルというコミュニティは100人ほどのメンバーを抱え、2019年時点でさらに増えつづけています。[51] ミショルは教育NPOでもあり、メンバーは周辺地域の小学校で教鞭をとっています。ミショルのメンバーの多くは伝統的な田舎のキブツ出身で、その経験を生かして都会での共同生活を再創造しようと熱心に活動しています。世間から距離を置いて自分たちのユートピアに引きこもるのではなく、ユートピアの実践を世界に広げようとしているのです。

もっともプライベートな場所を共有する

米国バージニア州中部の田舎町にあるツインオークス・コミュニティは、B・F・スキナーのユートピア小説『ウォールデン・ツー』に感化された大学院生のグループによって1967年に設立されました。この非宗教的なコミュニティはアメリカの主流社会から遠く離れた場所で、50年以上にわたって存続しています。

ツインオークスでは食料の栽培のほか、手編みのハンモックや手作り豆腐、本の索引作成サービス、植物の種や苗の販売で収入を得ています。100人ほどのメンバーは、訪問者の数によって変動はあるものの、平均して週に45時間働きます。皿洗いの当番は全員に回ってきますが、あとはいつどこで働こうと自由です。家事労働（育児、料理、掃除など）はすべて労働時間にカウントされますし、コミュニティ内でのリーダーの職務や外の社会での政治活動も労働として認められます。また高齢の住人は労働の義務が軽くなるように設計されており、50歳になった人は1週間につき1クレジット（約1時間）分の労働免除が付与され、年齢を1歳重ねるごとに週あたりのクレジット数が増えていきます。[*52] 労働の対価として、メンバーには仕事と住居、食事、健康保険が保障され、コミュニティの共用施設も利用できます。それに加えて毎月約100ドルのお金が全員に支給され、コミュニティで生産されていないもの（コーヒー、チョコレート、化粧品など）を自由に購入できます。毎年2週間の休暇があり、希望者はさらに長期の休暇を申請できます。

ツインオークスでは大型家電や備品をみんなで共有することで、生活費を抑えています。冷蔵庫や洗濯機、食器洗い機などを個別に80台も買うかわりに、頑丈な家電を全員で長く使って二酸化炭素排出量を削減しています。車を運転する人は自動車組合に入っておけば、必要なときに車を借りられます。また私と娘のように、衣服も共有制です。「コミュニティ・ウェア」専用の部屋があり、好きなときに好きな服を借りられます。着たあとの服は共同ランドリーに返却しておけば、ランドリーで労働する人が洗濯して乾かし、必要なら修繕もして、種類とサイズごとに整理して収納してくれます。もちろん自分だけの服を所有することもできますが、個人用の服は自分で空いた時間に洗濯・修繕しなくてはいけません。

　シェア自転車もたくさんあり、敷地内の自転車店でメンテナンスしてくれます。自分で自転車を所有してもいいのですが、修理を依頼する場合は対価として追加の労働が割り当てられます。そうした個人の持ち物も、いらなくなればコミュニティに寄付して再利用されます。子どもたちはみんな、おもちゃや本を共有し、無料の教育や音楽のレッスンを受けて、350エーカーの共有地を自由に駆けまわっています。高齢の居住者は、必要に応じてコミュニティのサポートや介護を受けられます。

　もちろん、いいことばかりではありません。ツインオークスの元メンバーによれば、共同生活ならではの難しさもあるようです。コミュニティには共同で住むための大きな家がいくつかあり、従来の家族向けに設計されたものもあれば、単婚にとらわれないポリアモリーのスタイルに合わせて作られた家もあります。10人から20人程度の「スモール・リビング・グループ」を単位として、各メンバーはそのうちの1つか2つに所属して一緒に暮らします。このグループが家族のようなものです。一緒に暮らすなかで、楽しいこともあれば険悪になることもあります。通常の家族にも揉めごとはありますが、規模が大きいだけに厄介です。歯磨き粉のフタを閉め忘れるとか、無駄にトイレが長すぎるなど、20人それぞれに生活の癖があるわけです。「キッチンやバスルームの使い方でけっこう文句が出ますね。たぶんバスルームをシェアするのが一番難しいんじゃないでしょうか」と、1991年からツインオークスで暮らしているクリステン・〝ケルピー〟・ヘンダーソンがメールで語ってくれました。

　たいていのコハウジング・コミュニティと同様、ツインオークスにも住民間の対立を解決するための明確な手順があり、あらゆる意思決定を合意ベースでおこなうよう努めています。合意に至るまでのプロセスは大変で時間がかかりますし、ときにはメンバーのかなり個人的な領域に踏み込まなければいけません。たとえば子どもを産みたいと思っても、まずはコミュニティの許可が必要です。養育にかかるコストはメンバー全員で負担することになるからです[*53]。たくさん子どもが欲しい人はコミュニティを出ていけばいいのですが、今度はお金がないという問題に直面します。ツインオークスの場合、加入するときに個人の資産を手放す必要はありませんが、コミュニティで暮らしているあいだは所得がありません。労働はコミュニティ全員のためのもので、個人の所得にはならないからです。どれだけ多く働いてもお金は貯まりません。脱退したメンバーのなかには、ツインオークスを相手取って訴訟を起こした人もいます。ハンモックや豆腐の販売でかなりの収益を上げているのだから、メンバーに払い戻すべきだというのです。しかし法律上、こうした所得共有コミュニティではメンバーに賃金を払う必要は基本的にありません。加入も脱退も自由ですが、加入時に条件に同意した以上、あとから労働の対価を求めることはできないのです。加入も脱退も自由ですが、出ていくときに持っていけるのは自分の持ち物と、月々のお小遣いがいくらか残っていればそれだけです。また加入するときに持ち込めるのは「身の回りのもの」にかぎられています。つまり携帯電話、パソコン、家具、寝具、衣服といったところです。テレビは持ち込み不可、自動車は組合に預けるか、そうでなければ敷地の外に置いておかなければいけません[*54]。

そうした欠点はありますが、それでも世界金融危機のあと、ツインオークスは加入希望者が多すぎて順番待ちリストができている状態でした。それが何年も続きましたが、2020年にパンデミックの影響でいったん門戸を閉ざしています。2022年時点では、すでに受け入れ審査を通った人たちを「優先リスト」として、空きができ次第コミュニティに入れるように手配しています。ときにはメンバーが一時的にコミュニティを離れたいというケースもあり、そういうときは1〜2年の短期で滞在したい若い人がかわりに受け入れられます。メンバーの入れ替わりが多いのは、ある程度仕方ないと考えられています。半世紀以上も続いているコミュニティで暮らすのは、それほど簡単ではないからです。独特の暮らし方にあこがれて入ってみたけれど、実際暮らしてみると思っていたのと違うかもしれません。「小さい学校みたいなものですからね。夏休みはありませんが」とヘンダーソンは言います。

誰にでも合うわけでないことは住人も承知していますから、加入希望者にはそれなりの条件をクリアしてもらいます。3週間の体験期間に一定の労働をこなすほか、健康診断を受け、過去1年間に自殺企図がないことを証明し、既存のメンバーから加入を認めてもらう必要があります。30年以上ツインオークスで暮らし、2人の息子を育ててきたヘンダーソンはこう語ります。

「みんなで分けあって生活するほうが、外よりずっと楽だと思いますよ。ほとんどの人はそう感じているんじゃないかな。子どもたちもここが好きですし。郊外の住宅地よりもずっと安全です。息子は二人とも朗らかで、元気に育ちました。下の子がバージニア大学に行っているのですが、外の人はみんなお金を持ちすぎじゃないかと言ってきます。たしかにそうですよね」

シェアリング・エコノミーの先にあるもの

このように世界中で今も各種の所得共有コミュニティが存在し、紀元前6世紀にクロトンのピタゴラス派がやっていたのとそれほど変わらない方法で私有財産に縛られない暮らしを営んでいます。最近では社会科学の研究対象にもなっており、財産を共有する人々は生活満足度が高いという調査結果も出ています。2004年のある研究によると、コミュニティの共同資金で生活している人たちは経済的資本は少ないものの、物質的な不足を補って余りあるほどの社会的資本・人的資本・自然資本があると報告されています。つまり安定した対人関係に恵まれ、自分の才能やスキルを伸ばす機会があり、自然とふれあう時間が長いということです。[*55]

米国とカナダのインテンショナル・コミュニティに住む913人を対象とした2018年の調査によると、住人のウェルビーイング（心身の幸福度）は過去の主要な研究を含む国際比較でトップレベルでした。[*56] 自ら選んでインテンショナル・コミュニティに住んでいる人というサンプル選択のバイアスは考慮しなくてはいけませんが、研究の著者らは「ウェルビーイングを犠牲にすることなく、持続可能な生活を促進できる可能性が示された」と論じています。[*57] 先に紹介したコハウジングと同様、女性はとくにインテンショナル・コミュニティの恩恵を受けやすい可能性があります。家事が労働として正当に評価されますし、家事を複数世帯でまとめてやると効率化できて余暇が増えるからです。

もちろん、生活の仕方による個人のウェルビーイングの違いを測定するのが容易でないという批判はあるでしょう。そこには生活形態以外に多くの要因が絡んでくるからです。また自ら望んで共有型のコミュニティに入る人は、もともとそういう暮らしに適性がある少数派なのかもしれません。誰もが今の暮らしを投げだしてエコビレッジに入れるわけではないですし、それを望むわけでもありません。この資本主義社会に生まれた多くの人は、お金や所有物の蓄積をモチベーションにして生きています。ここまで取り上げてきたユートピア的な試みのなかでも、財産や所得のシェアはもっとも抵抗感が大きいのではないかと思います。とくに経済的な安定をめざして必死で働いてきた大人の読者は、なかなか気が進まないかもしれません。

また、経済的自立が女性のエンパワメントになることは私も理解しています。とくに社会的セーフティネットが少ない国の女性にとっては、経済的自立が人生の選択肢を広げる鍵となるでしょう。しかし物質主義に対する批判的視点を知り、その歴史的な深みと多様さを認識することもまた大事です。財産への集団的執着が不満や分断を生むことは、プラトンからブッダまで、そして聖書から『共産党宣言』まで、各種の哲学・宗教・政治運動が指摘しています。エコビレッジやインテンショナル・コミュニティについて知れば、私有財産に対する自分の態度を振りかえるきっかけになりますし、それが対人関係の質や形にどう影響するかも見えてくると思います。

現状を変えようといっても、今すぐコミューンに駆け込む必要はありません。アーティストのジェニー・オデルがいうように、「その場にいながら」抵抗する方法はいくらでもあります。[*58] 小さな一歩を踏みだすだけでも、人々の連帯を育み、二酸化炭素排出量を減らし、家父長制的な所有関係が家庭生活にもたらす影響を抑えるのに役立ちます。たとえば多くのユートピア団体が「フリーストア」を設置し、不要になったものを持ち寄って無料で欲しいものと交換する試みを実施してきました。1960年代にサンフランシスコのアナキストたちが立ち上げたフリーストアは、ボランティアの手で引き継がれ、インターネットで「あげます・譲ります」の掲示板が登場するずっと前から市場に代わるオルタナティブなお店として存在感を放っています。またアメリカ各地に何万という数の「小さなフリー図書館」が設置され、誰でも読み終わった本を寄付して好きな本を持っていける読書のシェアが実現されています。[*59] みなさんの地域の公共図書館でも、書籍やDVDが借りられて、館内のコンピューターやインターネットが無料で使えるのではないでしょうか。そのサービスを、おもちゃや工具に広げてみてはどうでしょう？　図書館と同じように、キッチン用品や庭仕事の道具を借りられる場所があってもいいはずです。

シェアリング・エコノミーという形で、私たちはすでにそういうサービスを体験しつつあります。カーシェアリングやシェアサイクル、部屋や洋服のシェアを提供するサービスも登場してきました。ただしこれはビジネスですから、物を減らしたいという現代人のニーズで儲けているとも言えますし、人々の所得が減って欲しいものが満足に買えない現実を反映している部分もあります。しかしたとえ今は営利企業に仲介される形であっても、若い人がこういうサービスを日常的に使うことで、持ち物の共有は以前より身近になっていると思います。私有財産の蓄積を競いあう社会のなかで、シェアリング・エコノミーは共有という行為を当たり前のものにしてくれるかもしれません。

もちろん、主流から外れた生き方をするのは簡単ではありません。親や友人の期待を裏

ペンシルベニアの無料の本交換所

切るような生活を選ぶと、社会的コストが高くつきます。ですが、もしも財産や家事労働の共有によってストレスが減り、より健康的で公平で持続可能な生活が送れるのだとしたら、なぜそういう生き方が叩かれなくてはいけないのでしょう。私たちの社会には何か、共有生活を強く阻む制度が立ちはだかっているのでしょうか？

プラトンに始まる多くのユートピア思想家は、そう考えていたようです。この制度のせいで、娘と服を共有するのは自然なのに、他の人と共有するのはおかしいと感じてしまいます。この制度が父系制を存続させ、近所の人や友人とのあいだに壁を作ります。この制度は共同的な子育てを困難にし、学校教育をわが子が勝ち抜くための選別システムに貶（おとし）めます。

想像力の壁を打ち破り、日々の暮らしをユートピアに変えていくためには、核家族という制度を批判的に考えてみる必要がありそうです。

第6章 君をボス猿に喩えようか

私の家族は昔から複雑な道をたどってきました。祖母の祖母はスペインのバレアレス諸島出身で、若くして夫を亡くしたあと、単身プエルトリコに渡って小さな農場に住みつきました。当時スペイン領だったカリブ海の島で、祖母の父にあたるグレゴリオを産みます。1898年の米西戦争にも従軍したグレゴリオは、結婚して妻のロサとともに農場を継ぎ、14人の子どもを儲けました。私の祖母クリスティーナは、その12番目です。1927年生まれのクリスティーナは、大恐慌のさなか、食いつなぐために幼い頃から農業を手伝いました。第二次世界大戦が始まって男兄弟が徴兵されると、祖母とその姉妹らは懸命に働いて農場を回していましたが、やがて一人また一人と結婚し、夫と住むためによその土地へ引っ越していきました。

1946年4月7日、クリスティーナはサンファアンの空港で、トランス・カリビアン航空のダグラスDC－4プロペラ旅客機に搭乗します。ヌエヴァ・ヨーク（ニューヨーク）に降り立ったとき、彼女は19歳で、靴は1足きりしか持っていませんでした。でも裁縫の腕には自信があったので、活気づく服飾業界ですぐに仕事を見つけることができました。その1年後、クリスティーナは妊娠し、お腹の子の父親と結婚します。相手はすでに4人の別々の女性とのあいだに4人の子どもがいて、女たらしと悪名高い男性でした。数年も経たないうちにその男は出ていき、祖母はひとりで私の母を育てることになりました。

祖母は初め、私の母ジョセフィンをプエルトリコの家族のもとへ送りました。5歳までそこで面倒を見てもらい、それからニューヨークへ引きとったのですが、保育園のようなサービスも見つからず、働きながら育てるのに限界を感じました。そこでカトリック信者だった祖母は、母をニュージャージー州ニューアークのセント・ルーシー・スクールに預けることにします。バプテスト派の修道女たちが親代わりになり、それから8年にわたってジョセフィンを育てました。祖母はほとんど訪ねてきませんでした。ニューヨークのワシントンハイツから地下鉄とバスを乗り継いで会いにいくだけのお金がなかったのです。

セント・ルーシー・スクールを卒業すると、母ジョセフィンは高校に通うため、ようやく親元で暮らしはじめます。祖母は世間知らずの母をひどく心配し、過保護にふるまいました。早く経済力のある男性と結婚して、安定した暮らしを手に入れてほしいと思っていました。母は1968年10月、ローズランド・ダンス・シティで、アメリカに移住して間もない父と出会います。祖母の監視下で二人は何度かデートし、2か月後には結婚しました。母は19歳、父は30歳でした。

母は1969年1月に、父とカリフォルニアに移り住みました。半年一緒に暮らしたあと、父がすでにブラジル人と結婚していて、妻と子どもがニュージャージーに住んでいることが判明しました。二重で結婚はできませんから、母との結婚は法的には無効です。騙された怒りと悔しさで母はニューヨークに戻ろうとしますが、そのとき妊娠が発覚します。私がお腹にいたのです。祖母に怒られると思い、母は父のもとに留まることにしました。カリフォルニアの法律では前妻との離婚手続きに半年かかるため、父と母はネバダ州に移りました。そこなら6週間で離婚が成立するからです。離婚が完了すると、父はラスベガスで母とあらためて結婚しました。妊娠3か月のときでした。父の前妻と子どもたちは、そのまま置き去りにされました。

しかし父の最初の裏切りは、苦難の始まりにすぎなかったのです。幼少期に親との暮らしを経験できなかった母は、自分の子どもには満ち足りた家族の暮らしを与えたいと何より願っていました。郊外の庭つきの家に、素敵なフランス窓、ふかふかのカーペット。外から見れば、私の家族はまさにアメリカの中流階級そのものだったと思

著者の父母、最初の結婚式

います。「移民っぽい」と思われないように、家でも英語を話すよう徹底されました。でも、そのいかにも幸福そうな一戸建ての内側には、惨めな苦痛が隠されていました。2、3人の子どもに車2台分のガレージという夢の暮らしを守るため、母は父の暴力に耐えていたのです。

母が自分を修道女に預けた祖母のことを許せなかったとすれば、私はあの家にしがみついた母のことを何十年も許せませんでした。母は自分を守るべきだった。私たちを守るべきだった。なのに何もできなかったのです。「お前のせいだと言われるうちに、実際私が悪いんだと思うようになった」と母は言います。

サンディエゴですごした幼少期のわずかな記憶には、荷物を詰めたスーツケースがつきまといます。泣きながらタクシーで空港に向かうのですが、最後の最後で母が怖気(おじけ)づき、「家族を壊すわけにはいかない」といって家に戻るのです。警察が何度家に来たのか、もう思いだせません。たいていは近所の人が心配して通報したのだと思いますが、一度は私が警察に電話しました。母はその頃の記憶が途切れがちで、でも少なくとも2回は自分で警察を呼んだと言います。一度は、父が弟を階段から突き落としたとき。それからたぶん、弟が食事も与えられずクローゼットに閉じ込められて2日目に。

1980年代半ば頃までは、虐待を受けている女性や子どもが頼れる場所はほとんどありませんでした。カリフォルニア州で警察がドメスティック・バイオレンス（DV）に介入できる体制ができたのは1984年になってからです。それ以前は、たとえ配偶者が助けを求めて通報しても、警察には目の前の武器を押収する権限さえありませんでした。裁判が進行中でないかぎり、一時的な接近禁止命令を出すこともできませんでした。1985年以降、ようやく警察が近くのシェルターの連絡先を教えたり（シェルターがあればの話ですが）、地域の支援活動や法的保護に関する情報を提供するよう義務づけられました。[*1]

警察はいつも、面倒くさそうな顔をしてやってきました。父と外で少し話をするだけで、とくに何もせず帰っていきます。母が父を告訴することはありませんでした。どんなに父がひどくても、母ひとりでは私と弟を養える見込みはなかったですし、修道女のもとに預けることだけは避けたかったからです。祖母からも離婚はするなと言われていました。妻子を置いて逃げる男にくらべたら、生活費を払うだけマシじゃないかというのです。それに母はカトリックなので、離婚は罪だと思っていました。教会は夫を赦せと言うでしょう。実際、機嫌のいいときには素敵な人なのです。年若い母の心は揺れました。「そのうちやめてくれると思ってた」「自分に父親がいなかったから、子どもには同じ思いをさせたくなかった」「家族を壊してしまうのが怖かっ

著者の幼少期の家族写真、1974 年撮影

たの」

1982年の終わりか、1983年の初めだったか、母も私も正確なところは覚えていません。夜中に両親の争う音で目が覚めました。怒鳴り声、母の悲鳴、何かグエっという音、声にならない呻き。そっと廊下を覗くと、弟の部屋のドアが開け放たれていました。弟がじっと見下ろす先で、母が酸素を求めてもがき苦しみ、父の両手がその首をがっしりと締めつけています。私は鋭い叫び声をあげました。父の耳には入らないようでしたが、ちょうど家に来ていた祖母がそれを聞きつけ、脱兎のごとく階段を駆けのぼってきました。ああ神よイエス・キリストよ聖母マリアよマグダラのマリアよ洗礼者ヨハネよ聖霊よ、と甲高いスペイン語でわめきながら全力で突進し、頑丈なプエルトリコ系の体軀を思いきりぶつけて父の体を打ち倒し、私と弟を指差しながら父を怒鳴りつけました。

誰も警察を呼びませんでした。母はそれから何週間もタートルネックを着ていました。祖母クリスティーナはこのときようやく、母の離婚に同意しました。

核家族というブラックボックス

当時を思い返すと胸がざわつきます。私が子どもの頃は、こういうことを他人に話すものではありませんでした。読者のみなさんに打ち明けたのは、家族の抱える問題というのが私にとって単なる仮説ではなく、この身で体験したことだと知ってほしかったからです。そして今も至るところで起こっている問題だと気づいてほしかったからです。

昔よりは法律が整備されてDVという言葉も広く知られるようになりましたが、閉ざされたドアの向こうで苦しんでいる人は今も世界中にいます。新型コロナによるロックダウンで浮き彫りになった家庭内暴力の問題を、国連女性機関は「影のパンデミック」と名づけました。家族が一日中同じ屋根の下で過ごさなくてはならなくなった結果、女性や子どもに対する暴力が著しく増加したのです。[*2] 2019年以前でさえ、世界の女性の3分の1が人生のどこかの時点で配偶者や付き合っている人からの身体的・性的暴力（親密なパートナーからの暴力、略してIPV）を受けていると指摘されていました。アメリカ疾病予防管理センターの推計によると、2018年だけで女性の25%、男性の10%がIPVの被害者となっています。[*3] 電話相談やシェルターに関わる人たちの並々ならぬ努力にもかかわらず、核家族というブラックボックスは、ときに悲惨な虐待やネグレクトを覆い隠してしまうのです。

たとえ肉体的暴力がない場合でも、核家族を聖域化してしまうと、子育ての重圧を抱えた親の苦しみが見えにくくなります。世の中には親になるつもりのなかった人もいますし、またどんなに前向きな親でも、子育て支援がまったく足りない社会で子どもを育てなければならない状況に嫌気が差すことはあります。育児放棄はアメリカの多くの州で重罪となるため、この子さえいなければと思いながら仕方なく育てている親もいます。さらに第3章で論じたような産後うつの問題もあります。親たちの絶望の深さを理解するために、2008年にネブラスカ州でセーフヘイブン法（赤ちゃん避難所法）が可決されたときに何が起こったかを見てみましょう。

セーフヘイブン法は子どもの遺棄・殺害を防ぐため、新生児を合法的かつ匿名で、病院などの施設に引き渡せるようにする法律です。この法律を取り入れている多くの州では、生後30日以内という条件でそれが可能になっています。しかしネブラスカ州議会議員のアマンダ・マギル・ジョンソンは、あえて生後30日制限を外すことにしました。2017年のカナダ放送協会のインタビューで、ジョンソンはこう語っています。「絶望して子どもを浴槽に沈めた母親の姿を、私たちは全国で目にしてきました。なのになぜ、保護の対象を新生児だけに限定するのでしょうか？」[*4]

そのあとの展開は人々に衝撃を与えました。法律成立から120日間で、10歳から17歳の年長児が計35人、州内の病院に置いていかれたのです。[*5] 病院のソーシャルワーカーによると、一部の親は子どもを病院に連れてきて、精神や行動の問題を説明してからスタッフの手に預けました。しかし、なかには緊急治療室の入り口で子どもを車から下ろし、そのまま走り去る親もいました。子どもたちは困惑し、身分証明書もお金もないままふらふらと病院に入っていきます。結局、成立から4か月で、ネブラスカ州はセーフヘイブン法に生後30日の年齢制限を加えることにしました。法律さえ許せば、いったいどれだけの親が子どもを捨てるのだろうと考えさせられるできごとでした。[*6]

2020年3月、新型コロナによるロックダウンが始まる直前の時期に、保守派のコラムニストであるデイヴィッド・ブルックスが「核家族は間違いだった」という記事をアトランティック誌に寄稿して話題になりました。ブルックスは孤立した二人親の核家族の欠点を鋭く批判し、アメリカ人はかつて祖父母や曾祖父母がしていたように、複数世代で共に暮らす拡大家族の形を受け入れるべきだと論じました。「我々が過去半世紀にわたって文化的理想として掲げてきた家族の形は、多くの人にとって最悪のものだった。そろそろ共に暮らすためのより良い方法を見つけるべきだ」とブルックスは言います。[*7] 普段デイヴィッド・ブルックスと意見が合うことはまずないのですが、両親の不確かな恋愛関係に依存する子育てのしくみの脆弱さを、この記事は的確に突いていると思います。

ブルックスの記事は、すぐにインターネット上で炎上しました。家族というのは、とりわけ米国では、いまだに侵してはならない聖域のようです。マイホームで子どもを育てる異性愛者のカップルという戦後の家族観に私たちはどっぷり浸かっているため、社会に何か問題があればすぐにこの、いわゆる伝統的家族が揺らいでいるせいだと言われます。初期の例として、ダニエル・パトリック・モイニハンの1965年のレポートを見てみましょう。「黒人家族：求められる国民的行動」と題されたレポートのなかで、モイニハンは黒人の二人親世帯の少なさが貧困率の高さを招いていると論じます。人種差別と闘うだけでなく、「黒人の安定した家族構造の確立」を支援するような「国レベルでの努力」が必要だと彼は言います。[*8]

米国では「健全な結婚推進」キャンペーンに何百万ドルもの国家予算がつぎ込まれてきました。ジャーナリストのキャサリン・ブーはそれを「結婚療法」と呼びますが、要するにシングルマザーを減らして核家族を作らせれば貧困は解決するという考え方です。[*9] モイニハンのレポートから50年、今もその支持者は子どもの貧困率とシングルペアレントの世帯数の相関を指摘し、二人親の核家族こそが子どもと国のために最適だと主張しています。[*10] 保守派団体「家族問題研究所」のW・ブラッドフォード・ウィルコックスとハル・ボイドは先のブルックスの記事への反論をアトランティック誌に寄せ、核家族こそが「もっとも安定した育児環境」であり、「子どもが育つには村が必要だが、貧しい子がアメリカンドリームを手にする確率を高めるためには、結婚した人々の村で育つべきだ」と論じました。[*11] ですが、もしも核家族が解決策ではなく、問題の一部だとしたらどうでしょう？

話を進める前に、ちょっと不安になってきた人もいると思いますので、私の意図を少しお話しさせてください。コハウジングや集団保育の考え方に抵抗がない人でも、家族の形に手を入れるのはさすがに行きすぎだと感じるかもしれません。多くの読者はしっかりした愛情深い親に育てられたことでしょう。苦労を乗り越えて育ててくれた親のありがたみを否定するつもりはありません。また、この食うか食われるかの超個人主義的社会のなかで、家族が安心な避難所として機能するのもわかります。損得勘定抜きの愛情を感じられる唯一の場所だと感じる人も多いと思います。それに子どもがいる人や、将来親になりたい人にとって、安全とケアの拠点となる環境を築く作業は人生に意味と方向性を与えてくれます。子どもを持つべきという社会的期待による部分があったとしても、その意義が否定されるわけではありません。

また一夫一妻が当たり前とされてきた社会のなかで、同時に複数のパートナーと安定した愛情関係を築くことができるという考え方――心理療法家のジェシカ・ファーンはそうした関係性を「ポリセキュア」、つまり多重の安全性と呼びます――に抵抗がある人も多いと思います。[*12]「所有のない世界を想像してごらん」と世界に呼びかけたあのジョン・レノンでさえ、妻のオノ・ヨーコに関してはかなり「嫉妬深い」と自分で言っています。亡くなる前の数年間、ジョン・レノンは妻と息子と一緒に、ほとんど平凡ともいえる核家族の暮らしをしていました。ロシアの革命家ウラジーミル・レーニンもまた、妻ナジェジダ・クルプスカヤとのあいだに伝統的な家庭を築きました（子どもはいませんでしたが）。世界初の労働者国家を建設するにあたって一夫一妻制と「ブルジョア的」核家族はそのままでいいのか、と同志アレクサンドラ・コロンタイが問いかけたとき、レーニンはコロンタイを黙らせて、革命にはもっと大事な問題があるのだ、親密圏の再編成など考えている場合じゃない、と一喝しました。愛やセクシュアリティをめぐるユートピア的なアイデアが世の中の嘲笑と反発にさらされてきたのも、この問題になると人は客観的でいられないからでしょう。

気持ちはわかります。私たちはずっと、核家族が自然なものだと教え込まれてきました。進化的な必然だとか、合理的なやり方だとか、あるいは神がそう決めたとか。私自身、つらい子ども時代だったにもかかわらず、やはり郊外の素敵な戸建てで父母と子どもで暮らすのが理想的だと思い込んでいました。しかし愛情あふれる安定した核家族でさえも、家族に押しつけられるさまざまな社会的重圧に苦しんでいるのが現実です。核家族を新たな目で捉え直せば、私たちみんながもっと楽に生きられるかもしれません。その理由を本章と次章で論じていきます。そのために、まずは先史時代を振り返り、核家族がどのように発展してきたのかを探ります。そのうえで、クリエイティブな代替策をいくつか紹介します。

核家族こそもっとも安定した育児環境だと主張する人は、それ以外のやり方を想像してみたことがあるでしょうか。今ある社会の構造を、ずっと変わらないものだと思い込んでいないでしょうか。現代の核家族は個人主義的な社会とセットで存在し、そこでは富や暮らしの極端な不平等がはびこり、経済と雇用は不安定さを増し、社会的セーフティネットは乏しくなるばかりです。もしも状況が違っていたなら、私たちが「もっとも安定した環境」と考えるものも変わってくるのではないか。それをじっくり検討してみたいと思います。

ユートピア思想家のなかには「家族廃止（アボリション）」という言葉をさまざまな意味合いで使う人もいますが、私はこの言葉は使いません。誤解を呼びやすい言葉ですし、攻撃的な印象を与えかねないからです。とつぜん邪悪な国家が現れて「家族は違法だ」と言いだすようなイメージを持つ人もいるかもしれません。逆に家族を守らねばという気持ちになる人もいるでしょう。これから見ていくのは家族廃止というより、家族拡大の思想です。国家や宗教の決めた枠に閉じ込められない、もっと自由な家族の形を探りたいのです。

それはつまり、家族の定義を自分で選べる世界を作ろうというユートピアの呼びかけです。数千年にわたるドグマとお粗末な社会工学の束縛から、家族を解放しましょう。

チンパンジーの精巣が教えてくれること

人はいつの時代も、今ある家族の形が当たり前のものだと信じ、人間はつねにそうやって生きてきたのだと思い込んで暮らしています。しかし歴史学や人類学、考古遺伝学、心理学、進化生物学といった分野の研究結果は、異なる見方を示しています。一夫一妻のペアで構成される核家族が生物学的な子孫のケアと資源の一切をまかなうというやり方は、けっして必然ではないのです。核家族を経済・社会・育児のひとつの単位とする見方は、かなり最近になって生まれたものです。

私たちの進化的な祖先について調べてみると、生物学的な二人の親で育児をする「二親性」のケアはまったく普遍的でないことがわかります。現存するヒト以外の霊長類を見ても、単独の子育てから協力的な子育てまで、その営みは多種多様です。スペクトラムの一方の端にあるのが、オランウータンやチンパンジーの子育てです。母親が子どもを独り占めする傾向が強く、群れのメンバーが赤ちゃんに手を触れるのを極端に嫌がります。それと対照的なのが、マーモセットやタマリンの子育てです。人類学者で霊長類学者のサラ・ブラファー・ハーディらの研究によれば、マーモセットやタマリンは「母親がすすんで赤ちゃんへの接近を許可し、群れの多くのメンバーが積極的に養育に関わることで子どもの成長と生存率を高めている」そうです[*13]。

私たちの直接の祖先がその幅広いスペクトラムのどこに位置したのかはわかりませんが、ヒトには他の霊長類と大きく異なる特徴がいくつかあり、そのため集団での子育ての恩恵をいっそう受けやすい点は注目に値します。まずヒトは出産間隔が短く、年の近い子どもが何人もいる状態になりやすい特徴があります。そのため年長の子どもが母親を手伝って妹や弟の面倒を見る傾向が高かったと考えられます。[*14] 次に、ヒトの赤ちゃんは他の霊長類よりも未熟な状態で生まれてくるため、非常に手のかかる期間が長く続きます。考古学的・人類学的な証拠によると、ヒトの祖先はこの問題を「共同繁殖」によって解決してきました。つまり、親以外に複数の養育者がいて、共同で子どもの世話をするということです。この養育者（アロペアレント）は血縁者であることが多いですが、そうでない場合もあります。[*15]

ヒトの閉経後寿命の長さを考えれば、共同繁殖の習慣が生まれてきたのも不思議ではありません。閉経後のメスがこれほど長生きするのは、霊長類のなかでヒトだけです。[*16] 生殖年齢を過ぎた女性は祖母になり、しばしば孫の世話を手伝います。ハーディらはこうした母親以外の個体による養育行動が「ヒトの社会性、ひいては人間特有の認知を誘発する要因となった」と述べています。[*17] つまり私たち人間に高度な社会的能力があるのは、大昔の祖先たちが共同繁殖をしていたおかげではないかということです。子育てという社会的な共同作業から言語が生まれ、文化的知性が育まれ、宗教や、さらには複雑な国家の形成が可能になったとも考えられます。[*18] 次々と生まれてくる赤ちゃんを協力してケアする営みこそが、人間を人間たらしめる大きな要因だったのかもしれません。

単婚制の進化的起源についても、霊長類の研究から興味深い事実がわかってきています。[*19] 類人猿の「家族」の形はさまざまですが、なかでも両極端なのがゴリラとチンパンジーです。まずゴリラは、ボス的なオスが多数のメスを独り占めする一夫多妻（一雄多雌）の家族です。オスのゴリラは大人になると、生まれた群れにとどまってボスの後釜になれる日をじっと待つか、あるいは群れを出て独立し、他の群れのメスを誘いだして自分自身の群れを作ろうとします。首尾よく自分のハーレムを作ったら、新ボスとしてまず最初にやるべきは、メスが連れてきた子どもを殺すことです。ヒトと同じように授乳中は排卵が抑制されるのですが、子どもを殺せばメスがふたたび生殖可能な状態になります。そうして自分の子を産ませ、群れの子ども全員を自分の子にしておけば、他人の子にリソースを割かなくていいので遺伝子を残すうえで有利になります。しかしメスのゴリラにしてみれば、せっかく産んだ子どもが殺されてしまっては困ります。そこでメスはなるべく強いオスを交尾相手に選び、どこかの若いオスに子どもを殺されないようにするのです。こうしてメスが大きくて強いオスと交尾するうちに、大きさと強さに関連する遺伝子の選択が進み、結果として性的二形性が強まります。つまり、オスの体格がメスにくらべて大きくなるのです。ゴリラの場合、オスの体の大きさはメスの実に2倍にもなります。

その対極にあるのがチンパンジーの家族です。チンパンジーは多数のオスと多数のメスからなる大きな群れで生活し、メスは排卵期になると複数のオスと次々に交尾します。こうすればオスはどれが自分の子かわからないので、ゴリラのような子殺しをする理由がありません。[*20] また大きくて強いオスを選んでも進化的なメリットが特にないので、小さなオスの遺伝子も淘汰されず、結果的にオスとメスの大きさがほとんど変わらなくなります。ただし、チンパンジーのオスの進化的選択は別のところに現れています。メスが複数のオスと交尾するということは、受精をめぐって複数のオスの精子が競いあうということです。ある個体の精子の数が多ければ多いほど、受精にいたる確率は高まります。たくさんの精子を作るためには精巣が大きいほうがいいので、進化の過程でだんだん精巣の大きなオスが生き残ります。その結果チンパンジーの精巣はなんと、脳と同じくらいにまで巨大化しました。

ちなみにゴリラの精巣はかなり小ぶりです。

ゴリラもチンパンジーも、単婚ではありません。ゴリラは一夫多妻のハーレム、チンパンジーは人間風にいえば乱交グループです。実はヒト以外の霊長類では、一夫一妻の単婚制はあまり見られないのです。人類学者のクリストファー・オピーとその同僚の心理学者・進化生物学者らは、単婚制が進化した理由を、オスによる暴力や子殺しのリスクに対応するためだったと考えています。[*21] たとえばテナガザルはほぼ一夫一妻で暮らし、他のオスやメスから離れて赤ちゃんを育てます。オスは自分の子であることを確実にするために他のオスを遠ざけ、メスは他のオスの暴力から赤ちゃんを守ってもらうためにこの排他的な関係性を受け入れます。群れの助けが得られないので、子どもの食糧調達はパートナーのオスに頼るしかありません。単婚でない霊長類のメスが、メス同士の助けあいを含めた幅広い戦略を使って子どもを守るのに対し、単婚の霊長類では子どもの養育と保護を父親だけに依存することになりがちです。

単婚制がオスの子殺し対策として生まれたという考え方に異論を唱える学者もいます。ペアで子育てするほうが子の生存率が高まるからだ、あるいは繁殖期のメスは行動範囲が広くなりがちで、オスが複数のメスを同時に守るのが難しいからだという説もあります。[*22] しかし霊長類230種の行動特性と単婚制の進化の相関を調べた結果、オピーらは子殺しのリスクがまず先にあったと結論づけています。二親による世話やメスの行動範囲の広さはむしろ「単婚が現れたあとの二次的な反応」なのです。[*23]「単婚制以前から確実に存在し、単婚制の発生に関与していた可能性がある要素は、子殺しのみである」[*24]

では、ヒトはどうなのでしょう。ゴリラやチンパンジー、テナガザルは私たちの進化上の親戚ですが、より直接的な進化上の祖先はどのような交配習慣を持っていたのでしょうか？　残念ながら、たしかなことはわかっていません。実証的なデータは乏しく、その示すところも一貫しないのが実状です。[*25]ヒトの男性は女性よりも一般にサイズが大きめですが、極端には違いません。ゴリラほどには性的二形性が強くないのです。ということは、オス同士の争いやメスによる選択がある程度はあったけれども、ゴリラのように一頭のオスがハーレムを作るような状態ではなかったと考えられます。またクリストファー・オピーらの説が正しいとすると、オスによる子殺しの危険がヒトにおいても単婚を引き起こした可能性はあります。オスの暴力から子どもを守るために、メスが独占的な交尾を許したということです。そうすれば父親は自分の子どもにリソースを注いでくれますが、それと引き換えに母親たちは孤立を強いられます。

とはいえ、人間の単婚制は本当に「自然な」営みなのでしょうか？　ヒトの男性の精巣は、チンパンジーよりもかなり小さめです。体格比ではもちろん、絶対的な比較でもチンパンジーよりずっと小さいのです。一方、ゴリラとくらべると、ヒトの精巣のほうが体格比でも絶対的なサイズでも大きめです。これはつまり、私たちの祖先はチンパンジーのような乱交ではなく、しかしある程度は複数の相手と交尾していたことを示唆します。父親のリソースが独占的に手に入らないとすると、共同繁殖は人類の生存に不可欠な選択だったでしょう。母親だけでは複数の子どもに必要な食料を調達できないからです。人類学者のカレン・クレイマーとアンドリュー・F・ラッセルによると、単婚制の出現によって二親による養育が主流になる以前、初期の人類は集団で協力的に子育てをしていたようです。そこから考えられるのは、ヒトの単婚制は特定の状況に合わせて出現してきたものであり、その状況はすべての人類にとって同じだったわけではないということです。[*26]

他の霊長類とは違って、ヒトは進化の歴史を通じてかなりの柔軟さを保ってきました。だから世界には多種多様な交配と結婚の習慣が見られるのです。[*27] ヒトのオスは今も昔も、自分の子孫を多く残すための戦略を競いあっています。手当たり次第に孕ませて、あとは子が殺されないように祈り、世話は母親と周囲の人に任せる戦略もあります。こうしたプレイボーイ戦略をとる場合、どれが自分の子なのかわからないので、父親は子育てにほとんど資源を投入しません。子どもが充分に食べて育つかどうかに関与しない、質より量の戦略です。一方、特定のメスを選んでその相手のもとにとどまり、2～3人の子どもに時間と資源を集中的に投じる戦略もあります。自分の遺伝子を継ぐと思われる子どもに注力する、量より質の戦略です。

こうしたオスの戦略の違いが、さまざまに異なる交配習慣につながります。単婚ではなく父子関係が保証されない社会、たとえば第1章で紹介したモソ人の通い婚の社会では、女性は母方の親族の近くに住み、男性は自分が孕ませた（かどうかわからない）子どもよりも姉妹の子どもに資源と労力を投じます。姉妹の子どもは確実に自分のDNAの25％を受け継いでいるからです。このような社会では、父親よりも母方のおじさんの役割のほうがはるかに重視されます。親戚が子どもの面倒を見てくれるおかげで、異性愛の関係がいつ始まろうと終わろうと、子どもに悪影響が及ぶことはありません。こうした社会は母系制・母方居住になる傾向があります。

一方、DNAの25％を受け継ぐ甥・姪よりも、DNAの50％を受け継ぐ自分の子どもに投資したほうが進化上有利だという考え方もあるでしょう。とくに女性の浮気を厳しく禁じる社会では、姉妹の子よりも自分自身の子に資源を注いだほうが効率的です。ただしその場合、女性の性を厳しく取り締まらなくてはならず、父子関係を確実にするために女性を母方の親族から隔離するような習慣も出てきます。しばしば住居の壁によって物理的に他者から切り離され、親戚に頼れなくなった女性は、性的パートナーに生活面で強く依存するようになります。これが共同繁殖から母親または父母による排他的なケアへの移行につながる場合もあります。

そのような変化が普遍的というわけではありません。長期間の戦争で男性の数が少なくなれば一夫多妻に進むかもしれませんし、逆に女性の数が少なかったり資源が限られている場合は一妻多夫になることも考えられます。実際ヒマラヤの一部の社会では、耕作地が少なく食べ物が限られているため、女性が複数の夫と結婚することで子どもの数を制限しています。一度に複数の夫の子は妊娠できませんから、一妻多夫が自然な産児制限として機能しているのです。[*28] アマゾンの先住民族では、女性の性的パートナー複数を「部分的な父」と呼んでいます。父親が複数いれば、一人が死んでも安全や食料調達の面で困りません。[*29] ここで重要な問いは、なぜ一部の集団が単婚と二親ケアの方向に進み、なぜ他の集団が共同繁殖を保ったのかです。

進化の図式は不透明で論争も多いのですが、大まかな輪郭は見えてきました。私たちの祖先は、けっしてつねに単婚だったわけではありません。そして単婚が広まった理由は、ロマンチックな筋書きよりもずっと暗いものだった可能性があります。核家族は進化的な必然ではなく、現代の私たちの交配習慣は「自然」か「不自然」か、「正しい」か「間違い」かで語れるものではありません。私たちが愛し、欲望し、結婚し、子どもを育てるやり方は多様で、柔軟で、創造的です。だからこそヒトはさまざまな環境に適応し、変化のなかで生き延びてきたのです。家族の形は、さまざまに異なる人口構造や環境、経済体制に適応して変化します。ヒトの家族形態の進化を追ってきた研究者らは次のように結論づけます。

「各種文化圏の実証的記録が示すところによると、家族とは高度に柔軟な社会組織であり、経時的・文化的・生態学的な順応性がある。これは父系制・父方居住・男親による保護という伝統的な立場から見えるよりも、ずっとダイナミックな光景である[*30]」

あなたの祖先はチンギス・ハンかもしれない

歴史的に見れば、一夫一妻よりも一夫多妻を好む文化が多く存在していました。とりわけ政治的エリートでその傾向が強く見られます。旧約聖書でも、一夫多妻は普通のことでした。神はモーセにこう告げます。「もし、彼が別の女をめとった場合も、彼女から食事、衣服、夫婦の交わりを減らしてはならない[*31]」。つまり最初の妻を見捨てないかぎり、複数の妻を持つのはまったく問題ないのです。ソロモン王には正式な妻700人と、愛人300人がいたという記述もあります[*32]。

ソロモン王の記述は歴史的にどこまで正確かわかりませんが、もっとたしかな証拠が存在するケースもあります。2003年にアメリカ人類遺伝学の学会誌に掲載された論文によると、なんと1600万人の男性、つまり地球上の男性200人に1人が、モンゴル帝国の創始者チンギス・ハンの直系の子孫にあたるそうです。チンギス・ハンには6人の妻と500人以上の愛人がいたとされ、Y染色体をたどる検査の結果、西はカスピ海から東は太平洋にいたるまで、ユーラシア大陸各地に暮らす男性の8%にチンギス・ハン由来のY染色体が発見されました[*33]。

オスマン帝国の歴代スルタンも、愛人を多く持っていたことで有名です。イスタンブールのトプカプ宮殿内のハーレムには、300以上の部屋があります。また19世紀に末日聖徒イエス・キリスト教会（モルモン教）を立ち上げたジョセフ・スミスは30人以上の女性と結婚し、その後継者ブリガム・ヤングには50人以上の妻がいました。[*34] 最近の例では、2021年6月にインド北東部で亡くなったシオナ・チャナという男性が「世界最大の家族」を残したことで知られています。[*35] チャナには39人の妻、94人の子ども、それに33人の孫がいて、76歳で亡くなった時点で妻子の数は合計166人でした。一夫多妻的な進化上の親戚のなかでも、これほど多くの妻を持つ種はまずいません。ゴリラがハーレムで暮らすといっても、メスの数はせいぜい3頭から6頭程度です。

現代でも合法的に、あるいは内々に、一夫多妻を実践する文化は世界中に残っています。アメリカの調査機関ピュー・リサーチ・センターが2010年から2018年にかけての国際的な統計データを分析した結果、サハラ以南のアフリカでは人口の11%が複数の妻がいる世帯に住んでいることがわかりました。ブルキナファソでは一夫多妻の世帯は全体の36%、マリでは34%でした。ナイジェリアでは全人口の28%が一夫多妻の家庭に住んでいますが、これは全地域をひとまとめにした数字で、実際には北部のイスラム教徒と南部のキリスト教徒のあいだで大きな差があります。イタリアやフランスでは法律上は一夫一妻ですが、公然と愛人を持つ人は少なくありませんし、社会的にもそれが容認されています。1996年にフランスの元大統領フランソワ・ミッテランが亡くなったときには、妻のダニエル・ミッテランが、夫の長年の愛人だったアンヌ・パンジョを葬儀に招待しました。[*36]

女性が多くの妻の一人に甘んじるには、それなりの理由があります。家父長制的な慣習のせいで女性が経済的に自立するのが難しい場合、富の不平等が大きい社会では裕福な男性の2番目や3番目の妻になる（あるいは愛人になったりパパ活をする）のが合理的な選択肢になりえます。一部の男性が他の男性よりずっと多くの富を持っているなら、貧しい男性のリソースを独り占めするよりも、裕福な男性のもとで一夫多妻に甘んじるほうが分け前が多くなるのです。経済学者のゲーリー・ベッカーは、男性の扶養能力の格差が一夫多妻の予測因子であり、したがって社会が一夫一妻を強制しなければ不平等の程度に応じて一夫多妻が増えるだろうと論じています。[*37]

西洋を中心に、多くの国では実際に一夫一妻が法的に強制されているわけですが、これは古代アテネに由来する社会的慣習ともいわれています。[*38] アテネでは個々のオイコス（私的な家族）の富と地位を守り存続させるために、正当な相続人を作る必要がありました。男性たちは十代の若い女性を妻にめとり、父の名を継ぎ富を相続する息子を産ませました。[*39] 古典的な一夫一妻制では理論上、夫妻はバージンの状態で結婚し、生涯その相手としか性交をしないことになっています。離婚は禁じられ、再婚できるのは配偶者が亡くなった場合だけです。ただし実際には、女性の側だけに処女と貞操が押しつけられ、男性は愛人や奴隷と関係を持ったり、買春をしても許されるダブルスタンダードで成り立っていました。

それでも法的には、古代ギリシャの男性はどんな社会階級であれ、一人しか妻を持てませんでした。この一夫一妻の結婚制度が、一夫多妻を認めていた周辺諸国に対するアテネの優位性を作りだしたという説もあります。[*40] というのも、一夫多妻の社会では（たとえ妻を複数持つのが少数の人であっても）、結婚市場から締めだされる独身者層が必然的に出てきます。限られた数の妻をめぐって男性どうしの競争が激しくなり、社会に分断をもたらします。未婚男性は競争相手を貶めるのに忙しくて街を守るために協力できず、結果として防衛力が弱まってしまうのです。それに対し、アテネ人は一夫一妻制によって多くの男性が妻を得られるようにし、社会の結束を強めました。女性をめぐって争いがちな近隣諸国を尻目に、アテネの男性は嫉妬にエネルギーを奪われることなく街の防衛に専念できたのです。

一方、人類学者のローラ・フォルトゥナートは、西洋で一夫一妻制が主流になった理由を別のところに見ています。一夫一妻制は「集約農業によって使える土地が欠乏し」、また「複数の相続人に分割されることによって土地の価値が減少する」地域において、父親の資産を単独で移転するための手段になったというのです。[*41] 農地は細かく分割すればするほど生産性が落ちるので、まとめて相続するほうが価値が保てます。一夫一妻制は妻の数を制限して嫡出子の数を減らし、土地が多くの子どもに分割されるのを防いだということです。また土地の細分化を防ぐために、多くの農耕社会では長子相続制が採用されました。たとえ妻が複数いたとしても（同時にせよ再婚にせよ）、最初に生まれた息子が遺産の大半を相続する制度です。末子相続といって一番下の子が遺産を相続する慣習もあるにはありますが、かなり少数派でした。

中世には、父の財産を相続できない次男以降の息子が教会に入ることが増えました。もしも裕福な長男が男子の相続人を残さずに亡くなった場合、そのお金や土地の権利は弟に移り、したがって弟の所属する教会の収入となります。このことから、カトリック教会が厳しく一夫一妻を強制した理由の一部は、教会の経済的利益にあったのではないかと歴史家のローラ・ベツィグは考えています。[*42] 一夫多妻や離婚・再婚を禁じれば、長男が相続人のいないまま亡くなる確率が高まり、教会にお金が入りやすくなるというわけです。

教会は婚外恋愛までは禁止しませんでしたが、婚外子には地位や財産の相続を認めませんでした。イングランド王ヘンリー8世は1519年に愛人エリザベス・ブラントとのあいだに息子をもうけ、1525年には息子として正式に認知しましたが、愛人との息子であるヘンリー・フィッツロイは非嫡出子なので王位を継承できません。嫡出子の欲しいヘンリー8世は、妻と離婚して別の女性と結婚しようと考えます。あのマルティン・ルターもこの件に口を出し、ヘンリー8世は最初の妻を捨てるくらいなら二人の妻を持つべきだと論じました。聖書は離婚を禁じていますが、重婚を禁じてはいないからです。[*43] しかしヘンリー8世は耳を貸さず、24年間連れ添った妻キャサリンを宮廷から追放しました。さらに修道院を解散させ、ローマ教皇と決別してみずからイングランド国教会を創設し、反対する者の首をはねました（「汝、殺すなかれ」の教えはどこにいったのでしょう?）。最初の妻と離婚するために、重婚を避けるために、そこまでしたのです。

教会が一夫一妻を支持したため（前述したように旧約聖書の記述は違いますが）、一夫一妻こそが正しいとする宗教的理想と法制度は宣教師とともに海を渡り、植民地統治者と手を結んで、先住民族に西洋の慣習を押しつける「文明化」の一翼を担いました。ヨーロッパの経済的成功に追いつくにはヨーロッパの慣習に倣うべしと、一夫一妻を法律で義務づける国も増えてきました。日本は1880年、中国は1953年、インドは1955年、ネパールは1963年に一夫多妻を禁止しています。にもかかわらず、1969年の「標準比較文化サンプル」という学術データベースによると、前産業社会の85%が依然として一夫多妻を許容していました。ただし複数の妻を持つのは政治的・経済的エリートが多く、一般の男性は妻が一人だけ、あるいはそもそも結婚できないことが多かったようです。[*44]

北米では一夫一妻の規範が、人類学者キム・トールベアのいう「白人入植者のセクシュアリティ」として力をふるいました。トールベアによると、先住民族のダコタ人はかつて流動的なセクシュアリティを尊重し、単婚にとらわれず複数のパートナーと交わることを許容していました。イヌイットの人たちが冬になると寄り集まって財産を共有し、配偶者を交換して楽しむ慣習とも似ています。[*45]「先住民族を排除／同化する政策の一環として、教会と国家は結婚と核家族および一夫一妻の価値観を布教した」とトールベアは言います。この規範に従わない人たちは「だめな家族」「壊れた家族」という烙印を押されました。後からやってきた入植者が規範を押しつけ、異なる慣習を徹底的に批判したのです。カナダとアメリカの国家権力は一夫一妻の核家族を「文明化」および「白人化」の鍵として掲げ、先住民族の文化を抹消しようとしました。多くの子どもたちが収容された先住民寄宿学校は、その政策の冷酷さを物語っています。[*46]

一夫多妻は重罪なのか

政府はさまざまなやり方で人々に一夫一妻の単婚を強制します。たとえばアメリカでは結婚するのに結婚許可証が必要で、すでに結婚している人には結婚許可証が発行されません（私の父は別々の州で結婚することでこの規制をくぐり抜けましたが）。また結婚しているカップルに有利な制度を整え、独身者が損をする税制を作るのも、結婚を促す手法のひとつです。そして単婚の歴史を振り返るとき、かつてアメリカ政府が一夫一妻以外の営みを脅威とみなし、人々を投獄までしたことを忘れるわけにはいきません。

末日聖徒イエス・キリスト教会（モルモン教）の信者は白人中心の家父長制的キリスト教徒ですが、19世紀のアメリカで単婚という文化的規範を拒絶した団体でもあります。米国で重婚を犯罪と定める法律の多くは、モルモン教の一夫多妻をめぐる議会決議や最高裁判決に由来するものです。モルモン教では旧約聖書に従い、一夫多妻で暮らすのが神の意志だと考えていました。複婚は信教の自由として憲法で保護されるべきだ、とモルモン教徒は主張しましたが、1878年の最高裁判決はそれを否定し、一夫多妻という「犯罪」は信教の自由で許されるものではないと言い渡しました。[*47] 裁判官（全員そろって白人男性）は次のように述べています。「複婚は、北欧や西欧ではつねに忌み嫌われてきたのであり、モルモン教の設立以前は、アジアやアフリカの人々にしかまず見られない現象であった」[*48]

この判決のあと、チェスター・アーサー大統領が1882年エドマンズ法に署名し、アメリカ全土で複婚を重罪に定めました。一夫多妻で有罪になった人は選挙権を剝奪され、陪審員を務めることや公職に就くことも禁じられました。[*49] この法律によって1000人以上のモルモン教徒が懲役刑になっています。それでもモルモン教徒は、一夫多妻をやめませんでした。憲法修正第1条によれば、公序良俗および政府のやむにやまれぬ利益に反しない限り、市民は好きなように信仰を実践できるはずだからです。

しかし、連邦政府はなんとしても複婚を撲滅したいと考えていました。グロバー・クリーブランド大統領は1885年の一般教書演説で、一夫多妻を全力で非難しています。[*50] 単婚の女性を土地の母と持ち上げ（息子たちの人格を形成し行動を導くことでこの国を動かし、神の聖なるしきたりに従って生活し、子どもたちの父親の愛を一身に受けて安全かつ幸せに暮らし、それぞれが真の女性として、倒錯せず汚されず、純粋で健全な家族の輪のなかに温かな光を投げかけるのである）、複婚の女性を「打ちのめされて陰気な、女らしくない母親」とさげすみながら、単婚の男性を「国家の最高の市民である」とまで言いきりました。モルモン教がどんどん資金力と影響力を強めていくのに危機感を抱き、一夫一妻の家庭をアメリカの国民的アイデンティティの中核として確立したいと考えたのです。「一夫多妻に穢されることなく、自らの家で妻と子どもに囲まれて暮らす男は、この国に深いつながりを持ち、それによって法を尊重し、国を防衛する勇気を持つようになるだろう」とクリーブランドは高らかに述べました。[*51] 複数の配偶者を持つ暮らしは、国家の安全保障上の脅威と見られていたようです。

法廷での争いはその後も続きましたが、1890年に最高裁判所が一夫多妻を完全に否定する判決を出しました。「複婚の普及と実践を進める共同体の編成は、ある意味で野蛮への回帰である」と判決文は述べています。「これはキリスト教の精神に反し、キリスト教が西洋世界に生みだした文明に反するものである」[*52]。この年にモルモン教の主流派は一夫多妻の慣習を放棄しましたが、一部のグループは旧約聖書が複婚を許しているという解釈に固執したため、重罪に問われ、投獄されました。最高裁が支持したエドマンズ法のもとでは、一人の男性と複数の女性が一緒に住むことさえ違法になります。この影響は長く続き、ユタ州が合意に基づく一夫多妻をようやく非犯罪化したのは2020年、罪に問う対象を強制・欺瞞・未成年者を巻き込む複婚だけに限定したときでした[*53]。

誤解しないでほしいのですが、けっして家父長制的な一夫多妻を未来の家族モデルとして推しているわけではありません。私が言いたいのは、一夫多妻は世界中に存在してきた一般的な慣習であり、一夫一妻の核家族にくらべて自然でも不自然でもないということです。

現在、3人以上での結婚を法的に認めるという意味で、一夫多妻を認めている州はアメリカにはありません。しかし2003年のローレンス対テキサス州裁判で、最高裁は同意のある成人同士の性的関係について「プライバシーの権利」であるため法的に禁止されるべきではないとの判決を出しました。この判決によってアメリカでは、国による一夫一妻（および異性愛）の押しつけがひとまずは緩和されています。とはいえ、一夫一妻の核家族こそが正しい家庭のあり方だという理念がいまだに力を持っていることには変わりありません。一夫一妻制のメリットを説き、非西洋諸国にもそれを押しつけようとする西洋の学者たちの論調を見れば、それは明らかです。

独身者の怒りをなだめる装置

　2023年になっても、単婚以外の関係性が「キリスト教の精神に反し、キリスト教が西洋世界に生みだした文明に反する」という1890年時点での最高裁の意見に賛成する人は一定数います。複婚にはどこか不道徳で危険なイメージがあるのです。最近では裁判での争いよりも、アフリカや中東の一夫多妻社会における経済開発の遅れを論拠として一夫一妻の優位を説く論調が中心になっています。こうした議論に目をこらすと、西洋人がなぜ一夫多妻に抵抗を感じるのか、その奥にひそむものが見えてきます。とりわけ結婚の慣習と社会の不平等の関係を考えるとき、深い不安が呼び起こされるようです。

　一夫多妻制の危険を説く現代のロジックは、古代ギリシャの人々にとってはおなじみのものかもしれません。2015年にエモリー・ロー・ジャーナル誌に掲載された論文は、イスラム過激派テロの背後にある根本的な問題として若年独身男性人口の多さを挙げています。地位の高い男性が妻を大勢抱え込むせいで若者が結婚市場から締めだされ、暴力に走るというのです。「テロリスト集団は、大量の未婚男性がどのような脅威になりうるかをよく知っている」と、政治学者のローズ・マクダーモットと医療ソーシャルワーカーのジョナサン・カウデンは書いています[*54]。イスラム社会で「政治的暴力」が絶えないのは一夫多妻制を続けているからだ、したがってテロリズムを解決する鍵は一夫一妻制の導入である、とかれらは主張します。

　2012年に英国王立協会のフィロソフィカル・トランザクションズ誌に掲載されたあるレビュー

論文は、数々の研究結果をもとに一夫多妻の経済的デメリットを説く内容となっています。一夫多妻婚が広くおこなわれている国では経済生産性低下および一人当たりGDPの低下など、さまざまな社会的悪影響があると論文は指摘します。[*55] 一夫多妻婚の減少が夫婦間の年齢差を縮め、家父長制社会における女性の地位を向上させるというデータも紹介されていますが、研究の主眼は女性の地位向上ではなく、独身男性人口の多さがもたらす暴力や犯罪、社会の不安定さ、生産性の低さや政治的混乱にあります。論文の著者である人類学者のジョセフ・ヘンリッチとロバート・ボイド、生物学者のピーター・J・リチャーソンによれば、一夫一妻を法制化している社会には総じて数多くの利点があり、結婚している男性は独身男性より犯罪率が低いだけでなく経済的にも成功しているといいます。「リスクの高い行動に出ていたかもしれない地位の低い男性たちは、結婚して落ちつき、よりリスク回避的で未来志向になり、長期的に自分の子どもの養育に力を注ぐようになる」[*56]

しかしこの話には裏があるかもしれません。「地位の低い男性たち」は、怒りを社会にぶつけるかわりに、妻や子どもに暴力の矛先を向けただけかもしれないのです。公的領域における犯罪が減少すると、それにともなって私的領域での暴力が増加する場合があります。新型コロナのロックダウン中に多くの国で起こったのがまさにそれで、街中での暴行や強盗が減ったぶん、親しいパートナー間での暴力件数が跳ね上がりました。[*57] つまり一夫一妻の強制は問題を閉ざされたドアの向こうに隠しているだけとも考えられ、その場合、見えないところで犠牲になるのはいつも女性や子どもたちです。たしかに妻子のいる男性がリスク回避的になる部分はあるでしょう（テストステロン値の低下を示唆するデータもあります）。[*58] でも結婚したからといって、社会的な地位が急に高くなるわけではありません。私の父も（20年以上前に亡くなりましたが）、移民として社会的地位の低さにコンプレックスを感じており、とにかく成功者に見られたくて必死でした。自分はもっと評価されるべきだと苛立ち、怒りをくすぶらせていました。もしも家にそのはけ口がなかったら、いったいどこでどのように暴力を噴出させていたのだろうかと時々考えます。「人前で暴力をふるう人じゃなかった」と母は言います。「誰も見ていないところでしかやらなかった」

また一夫多妻の普及と男性の暴力に相関があったとしても、因果関係があるとはかぎりません。一夫一妻を押しつければ問題が解決するという主張の背後には、男性の暴力性は社会環境とは関係なく、その人のなかに必然的に存在するという前提があります。[*59] 家父長制文化や経済的不平等といった要因に目を向けず、ただ暴力を抑制する方法だけを見ているのです。しかしたとえば、社会階層による平均寿命の格差を30年にわたって追跡した疫学者のリチャード・ウィルキンソンとケイト・ピケットは、社会の所得格差が広がるほど殺人率が上昇すると指摘しています。[*60] また39か国の殺人率と37か国の強盗率を分析した別の研究によると、国内比較でも国際比較でも、犯罪率と社会の不平等とのあいだに正の相関が見られました。「この相関は、他の犯罪因子を考慮しても、犯罪率の高さが不平等に起因することを示している」と論文の著者らは述べています。[*61] ２０１８年にはエコノミスト誌が「所得格差と犯罪のあからさまな関係」というグラフを紹介し、[*62] ２０２１年にはネイチャー誌に掲載された論文が、所得格差の増大によって社会の連帯が急速に損なわれる様子をモデル化しました。[*63] 上に這い上がる望みが絶たれた人にとっては、犯罪の報酬が相対的に高くなることが指摘されています。そのほかにも経済的不平等が社会の暴力を増加させる決定的な要因となりうることを示す研究は数多くあります。１９９０年代に社会主義から資本主義に移行した東ヨーロッパでも暴力の増加が見られました。[*64]

暴力犯罪の加害者の大半が男性であるのは事実です。２０１９年、国連は世界の殺人の90％を男性が犯していると発表しました。[*65] 格差拡大の影響は、とくに男性が地域社会の脅威となるような形で表に現れてくる可能性があります。しかし単婚制核家族の熱心な支持者は、暴力増加の原因となる経済格差の是正には目を向けず、「怒れる独身者」の攻撃性を抑制または撲滅するために社会のメンバー全員の私生活を縛りつけようとします。ひょっとすると、父系制と父方居住という二つの伝統に貫かれた一夫一妻の核家族は、不平等な社会を維持するための体のいい道具なのかもしれません。つまり少数のエリート男性が分不相応に蓄えた富を奪われないように、外敵および内部の革命家から既得権益を守る手段として核家族を利用しているのではないでしょうか。

もしも進化生物学者や心理学者、経済学者、人類学者の主張が正しいなら、今の世界は少なくとも部分的には、不平等社会における地位をめぐる闘争で社会が壊れないよう適応してきた結果であると考えられます。現代の核家族を特徴づける社会的・感情的・物理的な孤立は、「勝ち組」のお金持ち男性が「負け組」の男性を搾取する社会のなかで、格差に起因する男性の暴力を抑えてお金持ちを安心させるための特殊な適応形態なのかもしれません。だとすると、強制的な単婚制とは、特定のグループの怒りをなだめるために社会のメンバー全員でその機嫌をとっている制度であるとも言えそうです。家父長制と不平等という病巣にはけっして手を触れず、絆創膏を貼ってごまかしているのです。

もうひとつ、女性の役割に直接関係する問題があります。レベッカ・トレイスターが著書『結婚しない女性たち』(*All the Single Ladies*) で描いたように、女性が経済的に自立して独身でいられるようになった場合、「余った」男性による暴力はやはり増加するのでしょうか？[*66] その場合、非難されるのは女性でしょうか。レズビアンやバイセクシュアルのカップルが宗教的理由から忌み嫌われ、シングルマザーが子どもを不幸な環境で育てていると誹られ、独身を選んだ女性がワガママだ、売れ残りだと中傷される――そうやって世間から叩かれ、女性の人生の選択が狭められてしまうのでしょうか。女性の権利拡大を押し戻す動きが強まり、生殖の自由が奪われ（2022年に米国ではロー対ウェイド判決が覆されて中絶の自由が保障されなくなりました）、新たな税制や文化的メッセージによって女性が夫の稼ぎに依存するよう仕向けられるのでしょうか。そもそも独身男性の不満が社会のリスクになると主張する人たちにとって、身体の自己決定権を持つ自立した独身女性の存在は、たくさんの妻を抱え込む一夫多妻の男性と同じくらい危険なものなのではないでしょうか？

何千年ものあいだ、女性や少女たちは――誰か他人が起こす問題のせいで――親族のネットワークから切り離され、勝手に交換され、取引の材料にされ、売られてきました。法制度や宗教的なルールによって父親や夫に依存させられ、自活する道を奪われてきました。自分の身体を他人にコントロールされ、一部の階層に属する男性が資源を独り占めする道具として使われてきました。核家族の背後にあるこうした力学が見えてきたなら、もっといいやり方はないかと考えるのは当然のことです。

だからこそユートピア思想家は、地位や資源の格差を生みだす政治的・経済的構造に挑むための重要な場として核家族に着目してきたのです。次章では、かれらの描く新たな家庭の可能性に目を向けてみましょう。

第7章　幸せな家庭はどれも似ていなくていい

両親の離婚で、うちの家計は壊滅的なダメージを受けました。父は国外に逃亡し、母は子ども2人とローン3つを抱えてサンディエゴの家に取り残されました。父はクレジットカードの支払いをずっと滞納していたらしく、母のところに取り立て屋が何年もしつこく押しかけてきました。もちろん養育費も払われず、本当に苦しい生活でした。母も私も掛け持ちで働きました。初めての仕事は14歳のときの新聞配達で、ローラースケートをはいて配達ルートを回りました。母方の親戚は遠く離れたニューヨークやプエルトリコにいたので、勇敢な祖母を除けば誰も助けてくれる人はいません。ますます悪化する状況に耐えられなくなり、高校3年生の3月に私は家を飛びだしました。ひとりきりで、ポケットに60ドルだけ突っ込んで、長距離バスのターミナルにたどり着きました。時刻表をじっと見つめて、どこへ行こうかと考えます。でもその日のバスは終わっていたので、とりあえず一晩泊まる場所が必要でした。私は公衆電話を見つけて、英語の先生の番号を押しました。

ベティー・オルソン先生の授業を初めて受けたのは1983年、マーストン中学校でのことです。

先生がクレアモント高校に転勤になり、高校でもまた先生の授業を受けることになりました。シェイクスピアを愛するオルソン先生が『十二夜』や『お気に召すまま』、『ロミオとジュリエット』の完全版のレコードを貸してくれて、私は初めてその多彩な戯曲の世界に出会ったのでした。授業では任意で毎週エッセイを書く宿題があり、授業で読んだ本を通して世界がどう立ち現れるかを表現してみるように言われました。親が離婚したばかりの年で、家に帰っても冷蔵庫は空っぽ、空腹で機嫌の悪い弟に、ストレスと鬱と過労でぼろぼろの母。そんな日々の苦悩を、私はオルソン先生の宿題に吐きだしていました。

15歳になる直前に私は成績優秀者の特別コースに移り、翌年そのコースの共同ディレクターにオルソン先生が就任しました。決まった時間割はなく、興味に合わせて学習を進める形だったので、文章創作をはじめ数々のプロジェクトでオルソン先生と関わる機会が持てました。そして高校生活が終わりに近づいた頃、オルソン先生が私に言いました。「卒業したらどこに進むの?」

私が思いつくままに就職先を並べ立てると、先生はそのまま私を進路指導室へ引っぱっていきました。そこで進路指導のカウンセラーと話して初めて、自分が奨学金で大学に行ける可能性があると知りました。カウンセラーに説得された私は、一校だけ出願してみることにしました。カリフォルニア大学サンタクルーズ校を選んだのは、学校公認キャラのバナナナメクジが意味不明でおもしろいと思ったからです。オルソン先生は手助けが必要なら何でも言うようにと、自宅の電話番号を教えてくれました。SAT試験の受験料を払ってくれたのもオルソン先生です。先生は大学に送る応募用エッセイを何度も添削し、推薦状の手配を手伝い、締め切りの数日前になんとか揃った出願書類の郵送代まで出してくれました。そのオルソン先生が1988年の春、夜の11時にいきなり電話で起こされて、長距離バスのターミナルまで私を迎えにきてくれたのです。

9月に北カリフォルニアの大学へ旅立つまで、私はオルソン先生の家で暮らしました。先生の夫のトーマス・ポールさんは海軍病院で衛生兵をしていた人で、今は引退してラジオの討論番組にはまっていました。子どもはもう独立して家を離れていたので、二人はまるでわが子のように私の面倒を見てくれました。生まれて初めてプロの劇団の舞台にも連れていってもらいました。バルボアパークのオールドグローブ劇場で上演された『真夏の夜の夢』と、ラホヤ劇場で上演されたアントン・チェーホフの『かもめ』です。先生にすすめられてイサベル・アジェンデやガブリエル・ガルシア＝マルケスの小説に出会い、ラテンアメリカ文学のマジックリアリズムにすっかり魅了されました。高校のプロムのときには青いサテンのドレスとラインストーンのジュエリーを買ってもらいました。でも何より心動かされたのは、オルソン夫妻がけっして喧嘩をせず、声を荒らげず、私が自分を不要な存在だとか、愛されていないなどと一度も感じないようにしてくれたことです。「幸せな家庭はどれも似ているが、不幸な家庭にはそれぞれ異なる不幸がある」というのはトルストイの『アンナ・カレーニナ』の有名な冒頭です。でも私はオルソン家で暮らすまで、幸せな家庭という言葉が何を意味するかも知らなかったのです。

とはいえ、オルソン夫妻は私の家族ではありません。なぜあれほど優しく寛大だったのだろうと、今でも驚いてしまいます。オルソン夫妻はおそらく私の人生の進路に誰よりも深く影響を与えた大人でした。もしもあのまま長距離バスに乗っていたら、大学に行かなかったら、すべての家庭が暴力的で悲惨ではないのだと知ることがなかったら、私の人生はどうなっていたかわかりません。今もどれだけ多くの子どもが、「家族を壊したくない」という理由で暴力から逃げられない不幸な両親のもとに囚われていることでしょう。もしも世界がもっと公平で、幸せな家族の形が多様だったなら、私たちはどんなに安全で、安心で、一人ではないと感じられるでしょうか。社会から閉じこもるのではなく社会に開かれた住居で、みんなで協力して子育てができたなら。もっと持続可能な形で資源をシェアし、競争よりも協調の大切さを子どもたちに教えられたなら。もっと広い横のつながりを持ち、愛とケアとサポートのネットワークのなかで現代生活の孤独や不安や生きづらさに立ち向かうことができたなら。でも私たちの多くは、そのようには暮らしていません。

前章では私たちの社会が単婚の核家族に至った経緯を見てきました。本章では、核家族の規範に挑むさまざまな試みを検討したいと思います。21世紀の社会的・経済的要求の変化にともなって核家族に明らかな綻び(ほころび)が見えているにもかかわらず、その家族観はいまだに強力で、保守派のなかには「伝統的な」家族を死守しようとする人が多くいます。その根深さを理解するために、ちょっと気まずい問いを自分に投げかけてみましょう。私たちはなぜ、いまだに単婚の核家族を存続させているのでしょうか。二親によるケアが最善だという幻想を未だに信じているから？　男性の暴力が増えるかもしれないから、あるいは男性のリソースがないと生活できそうにないから？　それとも国や宗教の伝統で、それが「普通」だと決められているから？　私たちはただの惰性で、もはや合理的ともいえない時代遅れの家族モデルに固執しているのでしょうか。家族とはこうあるべきだという世間の期待を裏切るのが怖いのでしょうか。

今よりもっといい家族の形が可能だとしたら、それはいったいどんなものでしょう？

古代スパルタの女たち

ここでもユートピア思想の元祖、プラトンから話を始めることにしましょう。

プラトンは『国家』のなかで、哲人統治者や補助者が集団婚をして共同で子育てするのがいいと公然と主張しています。「これらの女たちのすべては、これらの男たちすべての共有であり、誰か一人の女が一人の男と私的に同棲することは、いかなる者もこれをしてはならないこと。さらに子供たちもまた共有されるべきであり、親が自分の子を知ることも、子が親を知ることも許されない」とプラトンは言います。[*1] アテネの単婚制は妻をめぐる男性間の競争を減らして庶民の協調性を高めたかもしれませんが、家族(オイコス)の私的で閉鎖的な体質は、プラトンが指導者に求める無私と協働の精神を損なうものだったようです。

プラトンは集団婚の実践について、かなり細かく検討しています。指導者たちは定期的に大規模なお祭りをおこない、くじ引きで選ばれた相手と交わります。特定のお祭りのときにできた子ども、つまり約9か月後に生まれる子どもはみんなきょうだいと見なされ、そのお祭りに参加していた大人は全員がその子たちの共同の親になります(孫が生まれたら、共同の祖父母になります)。近親相姦を避けるため、親世代と子ども世代は誰であれ性的に交わってはいけません。また表向きはくじ引きですが、実は裏で担当者が手を回して、健康な子どもを産むために最適な男女の組み合わせをこっそり手配しています。というのも、プラトンは残念ながら、多くの同時代人と同じく優生思想的な考え方をしていたからです。

プラトンの主張は、見方によっては女性の国有化に近いものです。ただし女性だけでなく、男性も同じく国有化されるのですが。女性も男性も、その生殖能力を国のために役立てるべきだとプラトンははっきり言っています。そのために女性は20歳から40歳までの20年間、交配の祭りに参加します。男性の場合は「疾駆(はやがけ)の盛り」を過ぎたあと、つまり25歳頃から、55歳までの30年にわたって祭りに参加します。[*2] この年代を過ぎれば、うっかり妊娠しないかぎりは、誰とでも自由に性的な交わりを楽しめます。[*3] 興味深いことに、女性は20歳から子どもを産むべきというプラトンの意見は、当時のアテネ人よりもスパルタ人の慣習にずっと近いものでした。アテネではもっと早く、10代の前半に娘を嫁がせるのが一般的だったのです。『国家』が書かれたのがペロポネソス戦争の敗戦直後だったことを考えると、戦争の勝者スパルタ人の家族モデルがプラトンの理想社会にいくらかの影響を与えた可能性は否めないでしょう。

スパルタ人は戦士階級の人々をホモイオイと呼んでいました。みんな同じとか、等しい人々、という意味です。ホモイオイの男の子は7歳になると家族を離れ、30歳になるまで男性だけの集団で兵舎で暮らしました。その期間は労働の義務はなく、ひたすら戦士としての訓練に励みます。スパルタ軍は各地で敵を打ち破り、最強の戦士として名をとどろかせました。ホモイオイの女性はどうだったかというと、家父長制の支配こそ受けていましたが、当時の他の社会にくらべれば大きな力を持ち、性生活も自由に楽しんでいました。ホモイオイの男性は晩婚で、30歳までは家にいなかったため、家庭を取りしきる権限は妻にあったのです。

スパルタ人にとって、丈夫で健康な子どもは何よりの宝でした。そのため年輩の夫は、強い子どもを産んでもらうため、自分が見込んだ若い男性に妻と寝ることを許したそうです。[*4] また結婚は望まないけれど子どもは欲しいという男性が、他の男性に頼んでその妻と寝ることもありました。ときには兄弟が一人の妻を共有して一緒に子どもを育てました。充分に子どもを作り終えた男性が親しい友人に妻との性生活を譲ったり、妻自身に別の性的パートナーを選ばせたりすることもありました。女性のほうも、少なくとも一部の人は、健康な子どもを授けてくれる若い男性を積極的に求めたようです。

　こうした一妻多夫的な関係のおかげで、スパルタ社会では女性の地位が高まりました。スパルタの女性はみずから富と資源を相続し、管理し、自由に処分できました。家庭の領域で女性が大きな権力と影響力を持っていたのです。アテネ人はそんなスパルタの女性を「女らしくない」と揶揄(やゆ)していました。アリストファネスの戯曲『女の平和』では、スパルタ人の女性ランピトが無骨な田舎者として描かれ、その屈強さは雄牛を素手で絞め殺せるほどだ、と誇張されています。あるいはトロイア戦争の引き金となったとされるスパルタの女性ヘレネのように、夫がいながら別の男性についていく不誠実な女性というイメージもありました。しかしアテネの哲学者プルタルコスは、堂々と妻を共有するスパルタ人の慣習を「嫉妬や独占欲にとらわれない性的関係」として評価しています。[*5]

　プラトンは集団婚と共同育児を提唱しましたが、そもそも家族自体を否定する宗教的伝統も一部にはありました。単婚以外の家族の形というと一夫多妻やポリアモリーを思い浮かべる人が多いと思いますが、独身暮らしを忘れるわけにはいきません。古代世界では独身を通す人は稀で、ギリシャやローマの市民は結婚しなければ法律で罰せられました。例外的に聖職者に独身が求められる例はあり、古代ローマには「ウェスタの処女」と呼ばれる巫女(みこ)がいましたし、古代中近東では去勢された宦官が豊穣の女神キュベレーのために宗教的な乱交の祭りを取りしきっていました。[*6]しかしキリスト教で一般の修道者が独身生活をつらぬいたのは、慣習から大きく逸脱する変化だったといえるでしょう。普通は古代ギリシャやローマと同様、人口増加のために子どもを作ることが重視されます。明治時代の日本も例外ではなく、西洋に倣って一夫多妻を禁止する8年前、政府は「肉食妻帯(にくじきさいたい)」を認める布告を出して僧侶の肉食と結婚を奨励しました。仏教の伝統である独身制を真っ向から否定したわけです。そのため日本の僧侶は今でも結婚して家庭を持つ人が大半です。[*7] 国としては、独身者や子どもを持たない人が少数であれば問題ないのですが、あまりに多いと労働者や兵士、納税者の数が足りなくなって困ります。とくに日本のように民族的均一性を重視する国ではそれが大問題となるのです。

第2章で紹介したように、ヨーロッパには独身制の深い歴史があります。使徒パウロは起源53〜54年に書かれたコリントの信徒への第一の手紙で、結婚制度を明確に批判しました。この手紙はパウロがギリシャで立ち上げたキリスト教コミュニティにあてて書かれたものですが、そのなかでパウロは「結婚する人たちはその身に苦労を負うことになるでしょう」と述べています。[*8] その理由はプラトンが集団婚を支持した理由と大きくは違いません。パウロの言葉を引用しましょう。「独身の男は、どうすれば主に喜ばれるかと、主のことに心を遣いますが、結婚している男は、どうすれば妻に喜ばれるかと、世の事に心を遣い、心が二つに分かれてしまいます。独身の女や未婚の女は、体も霊も聖なる者になろうとして、主のことに心を遣いますが、結婚している女は、どうすれば夫に喜ばれるかと、世の事に心を遣います[*9]」

この記述はカトリックの司祭や修道女が独身をつらぬく根拠ともなっています。ボゴミル派やカタリ派、シェーカー教徒の独身主義も、現世の問題より精神的な世界を優先させるというパウロの教えに由来します。貞潔はその後何世紀にもわたって重要な文化的理想と見なされ、性的関係を慎む人はそうでない人より高潔だと考えられるようになりました。パウロの言葉を借りれば、性的関係を持つ人は「自分を抑制できない」のであり、「情欲に身を焦がすよりは、結婚した方がまし」だから結婚が許容されるにすぎないのです。[*10] 修道者が「自分で選んだ家族」ともいえるコミュニティで暮らし、しばしば孤児や親と暮らせない子どもを引きとって世話をしていることを考えれば（バプテスト派の修道女たちが8年間にわたって母を育ててくれたように）、独身主義もまた血縁を超えた共同生活と共同育児のすぐれた成功例といえるでしょう。

誰にも苗字のない世界

ヘンリー8世を批判して処刑されたトマス・モアも、ユートピア島の人々の理想の家庭生活を詳しく構想しました。同時代人に受け入れられやすい父方居住の制度は基本的にそのままで、つまりユートピア島の女性も生家を出て夫の家に住む設定なのですが、結婚できる年齢はやや高めで、女性は18歳以上、男性は22歳以上です。またユートピアでは、妻に健康上の問題があったり、加齢で体調が衰えても、夫は妻をけっして見捨てません（おそらくここでは不妊も念頭に置かれています）。人々は多世代の大家族で生活し、最年長の男性がその家族を取りしきります。ひとつの家族の人数は10人から16人で、もしも子だくさんで16人を超えた場合は「多産な夫婦の子が何人か、それほど多く恵まれない家に渡される」とモアは書いています。[*11] 子どもが多い家族から少ない家族へ、公平に分配されるのです。

子どものいる女性たちは外で働き、戦時には男性と肩をならべて戦います。富は共有され、誰もが欠乏の不安を感じることなく育ちます。単婚制ではあっても、家族間での競争がないので、両親が育児のすべてを背負う必要はありません。モアはユートピアで暮らす父親たちについてこう書いています。「子どもたちの不幸を恐れる必要がなく、娘の持参金を工面する必要もない。自分も妻も、子どもたちも孫たちも、何世代先までもみんな豊かで幸せに暮らせるとわかっているので安心である」[*12]
公平な富の分配は18世紀後半、初期のアナキストやユートピア社会主義者の関心を集めた問題でもあります。私有財産を廃止しつつも家父長制的家族を維持しようとしたトマス・モアとは異なり、アナキズム思想の父と呼ばれるウィリアム・ゴドウィンは、結婚の廃止が真の自由のために不可欠な前提条件であると考えました。ゴドウィンは1793年の著書『政治的正義』のなかで、結婚を「あらゆる独占のなかでもっとも醜悪なもの」と呼んでいます。私有財産と世襲特権を守るために男女を解消不可能な関係に閉じ込める制度だからです。性を結婚の制約から解放すれば、女性の身体に対する男性の支配を緩和できるとゴドウィンは理解していました。いずれは父子のつながりすら意味を持たなくなるだろうと彼は言います。「現在、われわれが父性に価値を置くのは、貴族主義、自己愛、家族のプライドによるものである」[*13]。さらにゴドウィンは、真に民主的な社会では苗字がいっさい廃止されると説きました。家系を名乗らず自分の名前だけを名乗るようになれば、誰が誰の子かを辿るシステムがなくなり、父系制の痕跡も消え去るはずだからです。
フランスでは、実業家であり政治哲学者であったアンリ・ド・サン＝シモンのユートピア社会主義思想が勢いを得て、1820年代から1830年代にかけてヨーロッパ全土に広まっていきます。1825年にサン＝シモンが亡くなったあとは、バルテルミ＝プロスペル・アンファンタンというフランス人がサン＝シモン派をまとめ上げ、まず学校を、次に社会運動を、そして最終的にはキリスト教の流れをくむ宗教団体を設立しました。アンファンタンは社会の基本単位が個人ではなく、男女のペアにあると考えました。これは神が男性および女性の二面性を持つというサン＝シモン派の考え方に基づいていています。地上において神の意志を代弁するのは単一の男性ではなく、「教父」と「教母」のペアであるべきだとアンファンタンは考えました。そして自ら共同体の教父となり、自分の隣に座るべき女性救世主である教母を信者たちに探させました。サン゠シモン主義者たちはメゾン・ド・ファミーユ（家族の家）で共同生活を送り、「兄」と「姉」のペアがその生活を監督しました。また協同組合的な事業を立ち上げ、これも男性と女性のペアで経営にあたりました。[*14]

アンファンタンとその支持者は、階級闘争や暴力革命よりも、社会階層間の平和的協力をめざす社会主義者でした。財産の所有はかまわないが、相続を廃止しようと提案しました。父から子への世代間資産移転がなければ、父子関係を保証するための一夫一妻の結婚制度も不要になります。相続の問題がなければ、子どもができても嫡出か非嫡出かを気にしなくていいため、男性も女性も自由に性的関係を結ぶことができます。プラトンが相続財産の蓄積という目標から人々の心を解放するために伝統的な家族を廃止しようとしたのに対し、サン゠シモン派はブルジョア的結婚の束縛から人々を解放するために、財産相続の廃止を提案したのです。

サン゠シモン派の女性たちはまた、フランス民法典の家族規定を全面的に見直すよう働きかけました。1789年の革命以降、フランスの女性は離婚の権利を享受していたのですが、1816年の王政復古によりこの規定は共和主義の忌まわしき残滓（ざんし）として廃止され、女性はふたたび結婚生活に閉じ込められていたのです。サン゠シモン派の女性が全員アンファンタンのいう性的自由に賛同していたわけではありませんが、1832年には女性だけの新聞「トリビューン・デ・ファム」を創刊し、離婚の自由化復活を求める主張やサン゠シモン派の教義に関する議論を掲載しました。記者の署名はすべてファーストネームだけですが、これは父親や夫の苗字を名乗ることを明確に拒否するためです（そして匿名性を保つためでもあったでしょう）。歴史家のクレア・G・モーゼスによれば、この新聞は「おそらく歴史上初めて、女性によって組織され、もっぱらフェミニスト的目標を明確に掲げた事業」でした。[*15]

サン＝シモン派の女性のなかには、結婚外でセックスをしたり子どもを作ったりすることによって、家父長制に支配されない生活を築こうとした人もいます。フェミニストでユートピア社会主義者のポーリーヌ・ロランは2人のパートナーを持ち、幼少期に亡くなった1人を含めて4人の子どもを産みました（またロランはフローラ・トリスタンが早逝したあと、トリスタンの娘アリンを引き取って育てました）。無事育った子のうち1人目は半年に満たない短い関係を通じてできた子でしたが、下の子たちの父親とは14年にわたって自由な関係を維持しました。子どもたちには父親ではなくロランの姓を名乗らせ、経済的にも男性に頼らず独力でなんとか生活を支えようとしました。またクレール・デマールという女性もサン＝シモン派の性的解放の支持者で、1883年に発表した文章「ある女性から人々への、女性の解放に関する訴え」では「結婚は合法的な売春である」と主張して人々を驚かせました。

ユートピア社会主義者のシュザンヌ・ヴォワルカンは、自由な女性として生きるために夫と離婚しました。独身女性のお産を助ける助産師の仕事に就き、いずれはシングルマザーも「本物の」母親として法的に認められ、社会の配慮と支援を得られるように願っていました。しかし当時のフランス社会は婚外子の権利に関心がなく、父親の財産を狙って騒ぐ厄介者程度の扱いでした。ロランもヴォワルカンも、やがて悲惨な貧困のなかで人生を終えます。1830年代のフランスで女性に支払われる賃金は、シングルマザーはおろか、独身女性がひとりで食べていくにもまったく足りなかったからです。クレール・デマールは家具を売り払ったお金でなんとか食いつなぎながら執筆したあと、みずから命を絶ちました。そして1832年にアンファンタンらが公序良俗に反する思想を広めたとして投獄されると、サン＝シモン派コミュニティの多くは解散し、一部はエジプトに逃亡して女性救世主を探しつづけました。あとに残されたサン＝シモン派の女性たちは、厳しい経済的現実を前にして、性的自由や男性に頼らない生活という理想を断念するしかありませんでした。そのかわりに結婚制度の改革、とくにフランスにおける離婚の権利および女性の親権保持という比較的控えめな目標に軸足を移していきます。

性的関係を結婚から解放するというユートピア社会主義の理想は、そのあとに続いた科学的社会主義者やコミュニスト、アナキストに望ましくない悪評として付きまとうことになりました。マルクスとエンゲルスは1848年に『共産党宣言』を発表したとき、女性の解放をめざす議論が「女性の国有化」と誤解されないようにあらかじめ反論しています。「君たちは女性の共有を採用しようとするのだろう、と全ブルジョア階級が、声をあわせてわれわれに向かって叫ぶ」とマルクスとエンゲルスは言います。「ブルジョアにとっては、その妻は単なる生産用具に見える。だから、生産用具は共同に利用されるべきである、と聞くと、かれらは当然、共有の運命が同様に女性を見舞うであろうとしか考えることができない。ここで問題にしているのは、単なる生産用具としての婦人の地位の廃止だ、ということにはブルジョアは思いもおよばない」[*16]。妻のことを嫡出子を産む機械くらいにしか思っていないブルジョア男性には、「生産用具」である女性が妻や母の役割に留まらない生活を望んでいるという発想すらなかったというわけです。

核家族は一種の牢獄？

そんななかでも、女性の合理的思考力や革命を起こす力を全面的に信じていた男性がいます。ドイツの社会主義者、アウグスト・ベーベルです。ベーベルは単婚の核家族を一種の牢獄と見なしていました。女性を父親や夫や息子に経済的に依存させて、外に出られなくするからです。ベーベルは1840年に生まれ、比較的貧しい環境で育ちました。父親は早くに亡くなり、母親が必死で働いてなんとか生活を支えていました。やがてベーベルは仲間とともに社会民主党を創設し、27歳の若さで国会議員に選ばれます。ウラジーミル・レーニンは後年ベーベルを「ヨーロッパでもっとも才能ある議員、もっとも才能ある組織者・戦術家、世界の社会民主主義を率いるもっとも影響力のある指導者」と評しています。[*17] ドイツ人はベーベルを「労働者の王」と呼び、その肖像画が多くの家庭に飾られました。[*18]

1871年、ベーベルは大逆罪で逮捕され、4年間の禁固刑に処されます。刑務所のなかでベーベルは執筆と読書にいそしみ、プラトンの『国家』やトマス・モアの『ユートピア』、トマス・ミュンツァーとドイツ農民戦争の歴史など、多くの書物を読みあさりました。[*19] そしてフランスの社会主義的・共産主義的ユートピアに触発されて、歴史の流れを変える一冊を執筆します。[*20]『社会主義と女性』(婦人論)は1879年にドイツで出版されてから50以上の版を重ね、オットー・フォン・ビスマルクの社会主義者鎮圧法によって当初は出版禁止となったにもかかわらず、1913年にベーベルが亡くなるまでに20以上の言語に翻訳されました。労働運動に携わる男性は女性を潜在的な競争相手と見なすことも多かったのですが、ベーベルはフランスのユートピア社会主義の影響もあり、女性と協力するのが当たり前だと考えていました。結婚に頼らずとも生計が立てられるという意味で、労働者が生産手段を共同所有する未来は女性にこそ大きな利益となるからです。「未来の社会における女性は社会的・経済的に自立し、支配や搾取は跡形もなく消え失せているだろう。彼女は自由で、男性と同等であり、自分の運命を自分で支配するだろう」とベーベルは述べています。[*21]

フローラ・トリスタンやサン＝シモン主義者と同じく、ベーベルも結婚と伝統的家族に反対し、教会と国家の束縛から人々の性を解放しようと望みました。「愛の対象を選ぶにあたり、女性は男性と同じく自由であり、何ものにも制約されない。女性は求愛することも求愛されることもでき、ただ自分自身の意向によってのみ相手と結びつくのだ」とベーベルは言います。[*22] さらに、彼が解放しようとしたのは異性愛者の性だけではありませんでした。1898年に同性愛を罰す

アウグスト・ベーベルを描いたストリートアート。
プレンツラウアー・ベルク地区、ベルリン、2019年撮影

る法律を廃止するよう国会に働きかけたベーベルは、世界で初めて同性愛者の権利を公に擁護した政治家としても知られています。[*23]

単婚核家族に対するベーベルの攻撃はあまりに強烈だったため、ニューヨーク労働新聞社から1904年に『社会主義と女性』のアメリカ版が出版されたとき、翻訳者のダニエル・デ・レオンは（アメリカの著名な革命的社会主義者で、急進的労働組合である世界産業労働者同盟の共同創立者でもあった人ですが）、その点についてベーベルに同意できないと断り書きを入れています。「私の考えでは、一夫一妻の家族は――現代社会の荒波に揉まれて傷つき、ごく少数の幸運な例外を除いて、男の被造物は肉体的にも精神的にも道徳的にも獣のように粗野な状態に押さえつけられているとはいえ――それでもその傷を癒し、夫婦愛や父性愛、親子の絆という徐々に獲得される道徳的な力によって高められ、人類を道徳的・肉体的に大きく向上させるためのテコとして、社会主義のもとで花開くであろう」[*24]

デ・レオンの関心が「男の被造物」（つまり男性）の傷つきだけに向いているのは興味深いところです。核家族に組み込まれた「夫婦愛や父性愛、親子の絆」が男性を癒やすためにあると言っているように読めます。ともかくアメリカの保守的な風土では、ヨーロッパ的な家族廃止論は受け入れられないと考えていたのでしょう。しかし家族廃止論はまもなく、世界初の労働者国家に肥沃な土壌を見つけることになります。

恋愛を結婚から解き放つ

ベーベルがフランスのユートピア社会主義者から着想を得たように、第3章でご紹介したアレクサンドラ・コロンタイも、ベーベルやエンゲルスといった思想家の著作を読んで学びました。コロンタイは若い妻であり母親であった自身の経験から、女性の抑圧の根源にあるのが、家庭生活を形作る制度や、既婚女性を夫の権威に従属させる法体系であることを理解していました。1909年のパンフレットにコロンタイはこう書いています。「慣習と法にその構造を裏づけられた今日の家族においては、女性は人としてだけでなく、妻としても母としても抑圧されている。文明世界のほとんどの国で、民法は女性を多かれ少なかれ夫に依存させ、夫には女性の財産を好きにする権利だけでなく、女性を精神的・身体的に支配する権利をも与えている[*25]」

ロシア革命後にソヴィエト政権が最初に出した布告のうち2つは、離婚の自由化と、教会婚から民事婚への移行を定めるものでした。1918年10月、ソヴィエト連邦最高会議はこれらの内容を新しい家族法に盛り込み、女性の生活を教会支配の重たい網から解き放ちます。こうして結婚と離婚に対する教会の権威を取り除く一方で、コロンタイとソヴィエトは、女性を父親および夫の所有物や従属物と定める法律をすべて廃止しました。男女が法的に平等になったのです。新しい家族法では嫡出子と非嫡出子の区別も撤廃され、すべての子どもが父親と国の扶養を受けられるようになりました。1920年には、妊娠12週目までの中絶も合法化されました[*26]。コロンタイは意図的に、家庭での家父長的権威を支える法律、慣習、制度を標的にしていったのです。

ロシア正教会に異議を唱え、家族法を書き換えただけではまだ足りないかのように、コロンタイはサン゠シモン派のフェミニストの足跡をたどり、伝統的な結婚の縛りから性を解き放とうと試みます。1923年に発表した文章『翼のあるエロス――若い労働者への手紙』のなかでコロンタイは恋愛の新たな枠組みを提唱し、男性も女性もそれぞれに、感情的・知的・性的な異なるニーズを満たしてくれる相手と同時進行で関係を楽しむべきだと論じました。そのためにも強い集団的絆を持つ社会を築き、第3章で述べたように幼稚園や保育園へのアクセスを大幅に広げて、アロペアレンティングの体制を公費で整えていこうとしたのです。

コロンタイは男性も女性も、恋愛のパートナーとの関係を見直す必要があると考えました。愛情や承認、精神的サポート、性的満足のすべてを一人の相手に求めるのは無理があるからです。もっと公平で協力的な社会で暮らせば、ソヴィエトの若者たちは単婚という社会通念を超えて進歩できるのではないか、とコロンタイは考えました。もちろん嫉妬や独占欲は恋愛につきものです。浮気されたり失恋すると傷つきますし、情熱のあまりとんでもない行動に走ってしまうこともあります。それでも、友人や仕事仲間のネットワークが広く愛情とサポートを提供できれば、恋愛の傷はそこまで深刻にならないはずだ、とコロンタイは言います。「共同体のメンバー全体の絆が強ければ強いほど、結婚相手と強固な関係を持つ必要性は少なくなる」[*27]。オナイダ・コミュニティのように排他的な性的関係を禁止するのではなく、強靭な社会的関係の海で包み込むことで、恋愛という不安定な関係が引き起こす衝撃を和らげようと考えたのです。

コロンタイはセーフティネットの拡大と家事労働の社会化による生活のストレス軽減も重視していました。そもそもカップルが不健全なほどにおたがいにしがみついてしまうのは、資本主義の不安定で利己的な性質のせいだとコロンタイは言います。資本主義の価値観で生きているからこそ、相手の愛情や性的関心を独占しなければと焦り、共通の目的に向かう仲間としてのふるまいを忘れてしまうのです。「ブルジョアジーの理想とは、おたがいを完璧に補完しあい、相手さえいれば社会との接触をまったく必要としないような夫婦である。一方、コミュニストの教育がめざすところは、若い世代が個人の人格を充分に発展させ、さまざまな興味関心を通じて男女問わず幅広い人とつながることにある。コミュニストの道徳は、人々が豊富で多様な愛情や友情の絆を育めるよう促進するのだ[*28]」

コロンタイは「同志愛」を提唱し、すべての人が自由に、友人関係と同じように恋愛できる社会を望みました。結婚に固執する政治家たちとは対照的に、コロンタイはソ連という国がより堅実でプラトニックな関係性を推し進めるべきだと考えていました。「友情は性愛よりも社交的な感情である」と彼女は言います。「友人は何人でも同時に持つことができる。ふれる相手によって、震える糸はさまざまに異なるからだ[*29]」。コロンタイの提唱する新たな性道徳はロシアの伝統的な規範とは相容れないものでしたが、都市部に住む若者には受けがよかったようです。1922年にモスクワの学生を対象におこなわれた調査では、性生活のあり方として結婚がベストだと考えている若者は男性で21%、女性でわずか14%でした[*30]。

こうした変化はロシアにとって画期的でしたし、ヨーロッパや北米でも前例のないことでした。欧米の女性がロシア革命後の女性と同等の権利にたどりついたのは、60年以上経ってからです。しかしすべてが順調だったわけではありません。男性の同志はコロンタイの主張から少し距離を置いていました。ダニエル・デ・レオンが保守的な米国人に配慮したのと同様、男性労働者からの支持を失うことを恐れたのです。また1830年代のフランスと同じく、ロシアの女性の賃金は一人で家庭を支えるにはあまりにも少なすぎました。離婚が自由化されると、恋人の妊娠を知ったとたんに逃げだす男性も出てきます。父親が扶養義務から逃げるのを防ぐ意味では、離婚を認めない旧来の制度にも利点はあったわけです。ユートピア的な視点を盛り込んだ1918年の家族法は、その後の20年間で徐々に後退させられました。それでも単婚核家族を批判したコロンタイの思想は20世紀を通じてこだまを響かせ、それに感化された新たな世代の活動家たちが、国の押しつける「普通の家族」の定義に異議を唱えつづけてきたのです。

非婚式とクリスマスケーキ

あなたが今この本を読んでいるのが2020年代半ばだとすると、コロンタイの生きていた1920年代にくらべて世界は大きく変わったと思います。避妊用のピルが開発され、西洋では1960年代から1970年代の性革命を経て、恋愛や結婚、セックスに関する社会的制約がだいぶゆるやかになりました。離婚や母子家庭への偏見は減り、女性の教育および就労の機会拡大により、多くの女性が男性に頼らず生計を立てられるようになりました。結婚前の性交渉や同棲も一般的になりました。また一昔前は女性がいつまでも結婚できないのは恥と言われましたが、今では独身もひとつのライフスタイルとして受け入れられるようになっています。

韓国では結婚しない若者が増え、結婚式ならぬ「非婚式」をする人もいるそうです。2021年のガーディアン紙のインタビューで、ソウル在住の25歳の学生がこう語っています。「非婚を誓ったのは、いい相手がいないからじゃありません。女性は結婚したら不利な立場に甘んじろという社会の圧力のせいです」[*31]。また日本ではかつて「女の年齢はクリスマスケーキ」などと言われ、25歳を過ぎて結婚していない女性を25日を過ぎても売れないクリスマスケーキにたとえて見下したものですが、今では独身を選ぶ女性が増えて、結婚率も出生率も大幅に下がりました。ある45歳で独身の日本人女性は、ニューヨーク・タイムズ紙の取材に答えてこう語っています。「女性が結婚する理由のひとつに、経済的な安定がありますよね。私は一人でいるのに不安はないし、収入も充分にあります。だからお金のために結婚に追い込まれるということがなかったんです」[*32]。過去のユートピアン・フェミニストたちも、こんな世界が来るとは予想していなかったのではないでしょうか。

ルーマニア系アメリカ人の歴史学者マリア・ブクールが「女性の世紀」と呼ぶここ100年の変化は、現状を変革するためにさまざまな社会運動が幅広く連帯して闘ってきた結果です[*33]。米国では裁判所がそのひとつの舞台でした。1965年のグリスウォルド対コネチカット州判決では避妊を禁じる法律が違憲と判断され、安全で効果的な避妊方法へのアクセスが開かれました。1967年のラヴィング対ヴァージニア州裁判では、異人種間の結婚を禁じる法律が撤廃されました。1973年のロー対ウェイド判決では中絶の権利が憲法で保障されていることが示され、アメリカの女性は生殖の自己決定権を手に入れました（ただし約50年後の2022年にこの決定は覆されますが）。2003年のローレンス対テキサス州裁判では同性愛の性行為を禁止するソドミー法が違憲無効とされました。1898年にアウグスト・ベーベルが国会で同様の主張をしてから約1世紀後の判決です。そしてイングランド、ウェールズ、スコットランドでは2014年、米国では2015年、北アイルランドでは2020年に、同性婚の権利がついに認められました。

ほかにも過去100年にユートピア思想家が闘ってきた闘争についてなら、いくらでも語ることができます。1970年代に家族廃止を掲げて鋭い議論を繰り広げたシュラミス・ファイアストーンのようなフェミニストも忘れてはならないでしょう。ファイアストーンは人工子宮や集団的子育ての普及した未来を想像し、同時代の人々を鼓舞すると同時に激しい怒りを買いました。しかし重要なのは、数多くのフェミニストが核家族を政治的介入の必要な場として問題視してきたにもかかわらず、やはり核家族がひとつの理想でありつづけた点です。私生活の営み方については以前より自由が広がってきたとはいえ、二人の人間が出会い、恋に落ち、結婚し、妊娠し、ともに子育てをし、一家族だけの家で私有財産に囲まれて暮らすイメージは、依然として私たちの社会の想像力を支配しつづけていきます。

ほとんどの人は単婚制などの交配習慣と、生物学的な親が二人で子どもを育てるなどの育児習慣を、本質的に結びつけて考えています。欧米では結婚前に何人ものパートナーとつきあうことが一般的になりましたが、それでもゆくゆくは「身を固めて」配偶者と子どもと一緒に暮らすものだという観念が強く残っています。いつまでも独身でいると、親や親戚や友人や同僚から明に暗にプレッシャーをかけられます。変わり者だと思われ、いい人はいないのかと露骨に聞かれたりもします。同性カップルでさえ、結婚して郊外の戸建てで子どもを育てるという従来の核家族の構造をなぞることが少なくありません。韓国や日本で独身をつらぬく女性たちも、結婚して子どもを作れという絶え間ない圧力にさらされています。

若いうちはそれでも友人や同僚や同級生など、恋愛以外の各種のつながりがあると思います。ところが年齢を重ねるうちに、横のつながりはどんどん希薄になります。誰もが「身を固めて」いくなかでは、新しい友達を作ろうと思ってもうまくいきません。カップルはだんだん孤立し、おたがいの存在に頼らざるをえないので、自然と相手に対する要求が多くなります。そもそも既婚者は友達づきあいが既婚者同士に偏りがちですが、そのうちに既婚者同士でもおたがい忙しくて会う機会が減り、気づけば子どもを寝かしつけたあとソファに倒れ込んでネットフリックスをだらだらと見るだけの生活になっていきます。独占欲の強いパートナーだと、相手が自分のほかに社会的・経済的・心理的なサポートを持っているのを嫌がり、人づきあいを制限しようとしてくるかもしれません。あるいは昔からの友人とパートナーとの趣味が違って話が合わず、結果的に夫婦でつきあえる友人のほうに流れていき、昔ながらの友人と疎遠になる場合もあります。

子どものいるカップルが孤立を深めるほどに、親以外のアロペアレントを巻き込んだ共同的な育児環境を作ることはますます難しくなります。新型コロナで学校が休校になったとき、人々は二親ケアモデルが内包する弱さに直面し、親同士で助けあって「パンデミック・ポッド」と呼ばれる学習グループを結成しました。育児と自宅学習の責任を共同で分担しはじめたのです。ただ、こうした例外的な状況を除けば、大多数の子どもはいまだに1人か2人の親の手で養育されています。

ですが、もしも交配と育児を切り離して考えることができたらどうでしょう。親子ともに最大限の愛情とケアとサポートを受けられるような新しい私生活の営みを、もっと創造的に考えられないでしょうか？

自分で選んだ家族

過去2000年にわたって多くのユートピア思想家が指摘してきたように、家族の作り方は政治的に大きな意味を持っています。そして特定の政治体制を変えたいと思うなら、ひとつの方法はその体制を支える基本的な制度を創造的に考え直してみることです。

今も世界中で、抵抗と創造の精神のもとに、あらゆる政治的立場の個人やグループが既存の家族の形に抗っています。古代ギリシャから受け継がれ、宗教的および国家的権威によって人々に押しつけられてきた家族制度を変えようと立ち向かっているのです。といっても、家族をすっかりなくすわけではありません。「家族とは何か」という定義を広げ、誰とどう暮らすかを自分で決められる自由を増やそうということです。こうした法的な闘いや新たな家族実践の根底にあるのは、私たち人間の多様な歴史をよりよく反映する形で、社会の最小単位である家族の多様なあり方を受容していこうという思いです。

こうした試みをよりよく理解するためには、核家族の概念を二つに切り分け、性的な単婚関係と、二親による排他的な育児を別々に考える必要があります。これらは関連づけて語られがちですが、実は完全に分離可能です。交配についていえば、長い歴史のなかで人々が営んできた多様なモデルがすでにあります。独身主義、連続的単婚、「複合婚」、プラトニックな絆、一夫多妻、ポリアモリー、オープンなノンモノガミーの関係性などです。人のセクシュアリティや恋愛傾向は実に多彩で、いま一般的に選ばれるのが一度に一人とつきあう連続的単婚だからといって、それが国家のお墨つきの唯一受容可能な形である必要はまったくありません。

コロンタイは「同志愛」で結ばれた広いネットワークのなかで人々が感情的・知的・肉体的に満たされ、同時に子育ての重荷から解放されるような未来を信じていました。そして国家が次世代の担い手の養育を進んで引き受けることで、家事育児という非ロマンティックな激務から恋愛関係を救いだそうとしたのです。[*34] 先述の人類学者キム・トールベアも、同時に2人以上とつきあうことが非所有の実践として政治的行為になりうると論じています。「複数の恋人から得るさまざまな糧は、いかに私を強くし、世界への貢献力を高めるだろうか?」と彼女は問います。「もしも私が豊かに満たされたなら、私は何を、誰を養うことができるだろうか?　もしも愛とつながりが、大事にとっておくべき希少なものではなく、社会的に決められたカップルや核家族の枠を超えてどんどん増えるものだとしたら、いったい何が可能になるだろう？[35]」

恋愛やセックスに関心がなく、友情のつながりを大事にしたいと感じる人もいるでしょう。近頃ではいわゆるプラトニック婚や友情結婚を選ぶ人も増えています。[36] 家族としての公的な権利を得るためには現状まだ法的な結婚が必要ですが、プラトニックな友人と人生を共にして子どもを育てるスタイルは従来の核家族モデルに代わる選択肢になりえます。あるテキサス在住の25歳の若者は、ニューヨーク・タイムズ紙の取材に答えてこう語っています。「人に出会うのは難しいし、絆や恋愛感情を得るのも難しい。それに若い世代は性愛以外にも結婚の意義があると気づきはじめています。要するに大事な人と暮らすのが結婚なんですよね。だったら大事な友達と結婚して何が悪いんでしょう？[37]」

友達と結婚するのに抵抗があるなら、ほかにも家族としての愛やケア、サポートを得る方法はあります。ＬＧＢＴＱＩＡ＋のコミュニティには「自分で選んだ家族」（Chosen Family）という言葉があり、血縁でない絆も血縁関係と同じように法的に尊重され、権利が認められるべきだと考えられています。実はベトナム戦争時代のアメリカでも、親しい友人が戦死したときに政府職員が忌引休暇を取れる制度がありました。また１９９４年に制定された連邦職員家族休暇法は、フルタイムの職員が家族や親族の看護または葬儀のために病気休暇を取得できる制度ですが、家族の定義も従来より広く定められました。「血縁などの近しい関係にあり、従業員との関係が家族に相当する程度である人」がその制度の対象となっています。[38] 最近ではアメリカの多くの州で家族休暇の対象が拡大され、２０２０年の家族ファースト新型コロナウィルス対策法では、従来の意味での家族にかぎらず、従業員がその人をケアすべき関係性であれば看護や世話のために最大2週間の有給休暇が取れることになりました。[39] 2

021年には英国政府も新たなケア休暇制度の導入を発表し、従業員の家族または「従業員のケアに頼るのが妥当である人」の看護や介護のために、最長1週間の休暇を付与する方針を明らかにしました。[*40]

一方にはもっと積極的に、ポリアモリーと共同育児を実践するインテンショナル・コミュニティで暮らす人たちもいます。ポルトガル南部のエコビレッジであるタメラでは、19世紀のオナイダ・コミュニティにも似て、核家族にとらわれない暮らしが実践されています。タメラの人たちは個別の住居または男女別の寮に住み、多くの人は恋愛や性的感情にもとづく1対1のつながりを持っていますが、他のメンバーとも性的関係を持つことが推奨されています。これは嫉妬などのネガティブな感情を乗り越えて相手の性生活をポジティブに受容しようという実践で、一般にコンパーション（compersion）とも呼ばれます。「愛のなかに闘争があるかぎり、地球に平和は訪れません」とタメラの共同設立者サビーネ・リヒテンフェルスは言います。「人類は愛の扱いをまちがえて、所有と恐れの狭い檻に閉じ込めてきました。だから多くの愛は怒りや憎しみに転化してしまう。暴力が世界を覆い地球を破壊しているのは、愛を抑制する文化のせいなのです」[*41]

タメラにはフリーラブの実践に関する11項目の倫理的ガイドラインがあります。たとえば「パートナーシップと自由な性愛は相補的なものであり、相互に矛盾しない」、「愛と性は法的に要求できるものではない」などです。[*42] 子どもが生まれたら、4歳までは母親のもとで育てられ、そのあとは学校を兼ねた「子どもの居場所」で暮らします。タメラの教育はポルトガルの公立学校のカリキュラムに沿う形で、コミュニティ内でおこなわれます。他のインテンショナル・コミュニティと同様、すべての大人はコミュニティの子どものケアと養育に責任を持ち、幼児期を過ぎた子どもは複数のアロペアレントに世話されながら育ちます。

私たちの恋愛の形は、必ずしも子育ての形を規定するものではありません。単婚のカップルであっても、血縁者と非血縁者を含めた大人たちの愛情あるネットワークで子育てをする選択はありえます。近くに親戚が住んでいる場合、祖父母や叔父、叔母、年上のいとこが子育てを手伝うのはよくある話です。とくに母方および父方の祖母は子育てで頼りにされやすく、国や文化によっては祖母による子どもの世話が当然のものとして期待されます。より協力的な子育てモデルでは、親族以外の人々がつねに子育てで大きな役割を担ってきました。

赤ちゃんが生まれたとき、親のほかに「代父母」を選ぶ慣習はさまざまな宗教や文化に見られます。カトリックやキリスト教正教会では、代父母に特別な名誉と責任が付与されます。スペイン語圏の多くの文化では、子どもにはパドリーノと呼ばれる代父母がいて、洗礼後は両親と代父母がともに共同親（コンパドレ）になります。文化にもよりますが、代父母の制度はかなり正式なもので、両親に何かあった場合は代父母が責任もって子どもを育てる誓いを立てます。その他のキリスト教の宗派でも代父母は認められており、非血縁者の親は子どもの成長を見守りながら特別な関係を築いていきます。また中国の一部の文化にも、子どものいない親戚や友人を代父母に指定し、アロペアレントとして子どもと密接な関係を築いていく慣習があります。[*43] ユダヤ教には代父母に似たサンデクという役割があり、一部の伝統ではクヴァッターとクヴァッタリン（両親の使者）が、通常は結婚しているカップルから選ばれて、割礼の式典に参加します。この名誉ある役割は子どものいない夫婦に与えられることが多く、代父母とよく似た意味合いがあります。

代父母の制度がこれほど世界各地で普及しているにもかかわらず、米国では代父母に何の法的な権利もありません。そしてほとんどの国で、子どもの法的な親は2人までと定められています。出生証明書の親の欄は2つしかなく、親以外の人が養育者として関わっているケースへの配慮はほとんどありません。離婚率と再婚率の上昇で継親（けいしん）（ステップペアレント、またはボーナスペアレントとも呼ばれます）がいる家庭も多くなり、親以外の養育者が存在感を増しているにもかかわらずです。英国では再婚相手の子どもを正式に養子にした場合、子どもと以前の親との法的関係はその時点で終了します。以前の親は子どもの扶養義務を負わず、子どもは以前の親の財産を相続する権利がなくなります。そのかわりに子どもは継親の法定相続人になり、仮に離婚に至った場合でも、継親は親として子どもに対する法的責任を負いつづけます。[*44] また米国では、再婚相手の子どもを養子に迎えるには「実親」双方の同意が必要で、養子が成立すると親としての法的責任はすべて継親のほうに移ります。親権の放棄に同意する父親が多いのは、養育費の支払い義務がなくなるためでしょう。

3人で親になる

同性カップルの場合、精子提供者、卵子提供者、出産する人がそれぞれ育児に参加することを望む場合もあると思います。子ども1人につき親は2人だけと制限する法律は、こうした新しい家族の形や生殖技術の進歩といった複雑な現実に対応できていません。

2016年、ミトコンドリア置換法という新技術によって、母親2人と父親1人の計3人のDNAを受け継ぐ子どもが初めて誕生しました。[*45] ミトコンドリア置換法は不妊治療のために開発された技術で、母親のミトコンドリアDNAに由来する遺伝性疾患を防ぐ効果も期待されています。2人の女性の卵子を使うので、生まれてくる赤ちゃんには生物学的な母親が2人いることになります。現在、英国では遺伝性疾患の予防治療としてミトコンドリア置換法が認可されていますが、米国では遺伝子操作で望む形の子どもを作る「デザイナーベビー」にあたる懸念から禁止されています。しかしウクライナに渡航できるお金と余裕のある人なら（少なくとも戦争が始まる以前は）、キーウの不妊治療クリニックで1万5000ドル払えば誰でもこの治療を受けることができました。[*46] 3人の遺伝子を引き継ぐ子どもが現実に存在するのですから、親を2人までに制限する法律は時代錯誤な風習にも見えてきます。

恋愛関係以外のパートナーと一緒に子育てをするシングルペアレントの人も増えています。共同子育て、またはプラトニック・ペアレンティングとも呼ばれるもので、2人またはそれ以上の大人が共同で育児をする契約を結びます。共同親はそれぞれ異性愛者の友人同士の場合もあれば、セクシュアリティの異なる親しい友人だったり、共同子育てのマッチングサイトを通じて出会った人同士の場合もあります。[*47] 2011年に「3人親について」という論文を書いた倫理学者ダニエラ・クタスは、プラトニックな共同子育てや3人親が、子どもにとってよりよい環境になるのではないかと述べています。恋愛を通じたパートナーよりも理性的に、子育ての仲間としてふさわしい人を選べるからです。また恋愛のように冷めて終わりということがないので、長期的に安定した養育環境を提供できるとも考えられます。[*48]

アメリカでは需要の高まりを受けて、カリフォルニア、ロードアイランド、バーモント、メイン、マサチューセッツ、ワシントンなどの州で3人親の養子縁組が合法化されています。大人3人で養子をとる、または生物学的な親2人にもう1人の親が加わる形です。3人全員が子どもの法的な保護者となり、子どもの利益のために意思決定をする権利を持ち、親の誰かが亡くなった場合は残った人が親権者となり、仮に家族が別れることになった場合も子どもと面会交流をする権利を持てます。2020年9月にアトランティック誌に掲載された記事「3人親家庭の台頭」では、異性愛者の夫婦がアセクシュアル（無性愛者）のデヴィッド・ジェイと一緒に法的な3人親として子育てをする様子が紹介されています。アセクシュアルの団体AVEN（アセクシュアル・ビジビリティ・アンド・エデュケーション・ネットワーク）の創設者でもあるデヴィッド・ジェイはこう言います。「もしあなたが僕のように、子どもはすごく欲しいけれど恋愛やセックスの相手は欲しくないとしたら、それを実現する方法はありますす」[*49]。また2022年現在、イギリスでは法律上の親は2人までしか認められていませんが、継親が「親責任」を申請すればパートナーの子どもの実質的な親になることができます。これには子どもを保護し、養育し、教育する経済的責任が含まれます[*50]。

保護者を2人だけに限定する制度は、一夫多妻やポリアモリーの家庭に生まれた子どもたちを不利な立場に置くことにもなります。ニューヨークの裁判所は2017年、家族関係を解消したポリアモラスな3人親に「3人親権」を認める画期的な判決を下しました[*51]。もともと2人の夫婦だったのですが、階下の住人と合意のうえでポリアモラスな関係になり、夫婦の妻が不妊だったため、夫と階下の女性で子どもを作って3人で育てていたのです。やがて女性2人が関係を終わらせたいと考え、法律上の妻が離婚を申請したのですが、裁判所ははじめ生物学的な親2人にしか親権を認めませんでした。とはいえ、子どもは両方の女性をお母さんと認識しています。サフォーク郡最高裁判所のH・パトリック・レイス3世判事はその点を考慮し、3人全員に親権を与える判決に踏みきったのです。2021年には南カリフォルニア在住の医師イアン・ジェンキンスが著書『男3人でパパになる』（Three Dads and a Baby）を出版し、ポリアモラスな関係にある3人の男性が親として認められるまでの裁判の経緯について書いています。ジェンキンスと2人のパートナーは、1人の卵子提供者と2人の代理母の助けを借りて2人の子どもを授かりました。出生証明書に父親3人の名前を載せたいという申請を裁判所ははじめ拒否したのですが、やがて訴えが通って3人の名前が親として出生証明書に並ぶことになりました。

3人親にもデメリットがないわけではありません。親の人数が増えれば、いざこざの可能性も高まります。もしもそれで家庭がぎくしゃくすれば、子どもが不安定な立場に置かれるかもしれません。親としての意思決定で意見が対立することもあるでしょう。「3人いるのですから、子育てをめぐるすれ違いも通常より多いかなとは思っていました」とイアン・ジェンキンスは言います。[*52] しかし倫理学者のダニエラ・クタスは、3人親家庭が2人親とくらべて特に仲がいいとか悪いとか考える理由はないと述べています。[*53] あえて世の中の期待とは異なる家族の形を選んだわけですから、3人親家庭のほうがいっそう協力的な関係を築き、思慮深く意思決定ができる可能性もあるのです。

親が3人いると、子どもが友達から変な目で見られないかという心配もあるでしょう。クタスによれば、たしかに偏見によって子どもが傷つく可能性はあります。しかし家族をとりまく社会規範はかなり流動的で、今はおかしいと思われることも数年後にはすっかり社会に浸透しているかもしれません。以前は両親が女性同士や男性同士の家庭はめずらしかったものですが、今ではだいぶ一般的になりました。さまざまなジェンダーの3人親家庭も、やがて同じくらい一般的になる可能性は充分にあります。

もうひとつ心配な点として、大人の数が増えれば虐待する可能性のある人の数も増えることが挙げられます。血のつながらない父親は子どもを虐待する可能性が高いという説もありますが（いわゆるシンデレラ効果)、その点は研究者のあいだでも意見が分かれます。[*54] ただ別の見方をすれば、家庭内に信頼できる大人がもう1人いたほうが、子どもの安全をより手厚く保護できるとも考えられます。もしも親の1人が心の調子を崩したり、暴力的になったとしても、他に大人が2人いれば適切な対処がしやすいでしょう。私自身の経験でも、あのとき母が殺されずにすんだのは、祖母がたまたま家にいてくれたおかげだと思っています。

哲学者のアンカ・ゲオスとカレ・グリルもまた、多親育児の利点と欠点について議論しています。グリルの2020年の論文「家族には親が何人いるべきか?」では、さまざまな議論やデータを検証した結果、親は1人より2人のほうがよく、おそらく2人よりも3~4人のほうがいいと論じられています。[*55] とくに子どもが複数いる家庭では親も多いほうがいいようです。「親は2人という思い込みを捨て、異なる数の親を社会的にも法的にも許容していこう」とグリルは提案します。[*56] またアンカ・ゲオスは多親育児のさらなる利点として「子どもに対する権力の独占状態」を緩和できる点を挙げています。子どもは親を選べませんし、あらゆるリソースを親に頼るしかありませんから、とても脆弱な立場です。仮に親の収入が少なく、なけなしのお金をすべてお酒につぎ込んだとしても、子どもにはどうすることもできません。親が別の街に引っ越せば、子どもはついていくしかありません。離婚した親が別の人と付きあいはじめていきなり知らない人と同居することになっても、子どもには拒否する権利すらありません。親子ほどに非対称な権力関係が法的に認められる例はきわめて稀なのです。親がその権力を濫用する可能性がある以上、「子どもの依存先を増やして特定の保護者への依存を減らす」ほうがいいとゲオスは提案しています。[*57]

家族の定義を拡大する

多親育児のメリットを享受できるのは、子どもだけではありません。核家族を標準とする文化、とりわけ孤立した核家族で男性が稼ぎ女性が家事をするという従来の家族モデルは、男性にとっても苦痛なものです。親に子育ての責任をすべて押しつける社会では、家庭内の役割分担として父親に一家を支える経済力が期待されますが、今の経済状況でそれだけの稼ぎを得るのはそう簡単ではありません。経済学者のデヴィッド・オーターらは2019年に「仕事が消えるとき——製造業の衰退と若い男性の結婚市場価値の低下」という挑発的な論文を発表しました。他の要因をコントロールしたうえで、国際貿易の圧力で石炭産業や鉄鋼業が衰退してブルーカラーの雇用が減った地域では、結婚率および出生率が低下したことが示されています。労働組合加入率の高い安定した仕事が失われると、もちろん男性の収入は減りますが、それだけでなく「結婚可能性のある若い男性の利用可能性および魅力の低下を招き」、無為に過ごす（つまり就業も修学もしていない）男性の割合を増やし、さらに「薬物依存やアルコール依存、HIV／エイズ、殺人による男性の死亡率を経済的に大幅に上昇させる」と論文の著者らは述べています[*58]。

核家族を形成させるべく広告キャンペーンを打ったり、「結婚阻害要因を減らす」ためにシングルマザー支援を削減するなどの動きを進める団体もありますが、それよりも家族の定義を広げたほうが、人間を「結婚市場価値」で値踏みする方向性から離れられるのではないでしょうか[*59]。従来の家族の形を変える試みは、家計を支えるのが父親の役目だという固定的な価値観への抵抗でもあります。子育ての責任を3人以上の親で分けあえば、誰か1人が稼ぎ手の責任を一手に引き受ける必要もなくなります。男性はもっと自由に、お金以外の価値を家族に与えられるようになるはずです。

言い換えれば、パートナー選びの基準が多様化し、この不安定な労働市場のなかで充分な稼ぎを得る経済力が必ずしも求められなくなるということです。こうして男性の役割を更新すれば、男性のメンタルヘルスの改善にもつながるはずです。産業のアウトソーシングや自動化が進む現在、かつては給料のいい仕事についていた男性が労働市場から締めだされ、絶望死につながる問題が深刻化しています。この問題を解決するのに必要なのは、男性がふたたび「男らしく」なれるように、過ぎし日の経済や家族の形を無理に取り戻すことではありません。そうではなく、「男らしさ」の定義を変える必要があるのです。既存の「男らしさ」の定義は特定の社会関係を維持するために作られたものですが、それはもう男性にかぎらず大多数の人にとって何の役にも立たないものだからです。

さらにもうひとつ、子どもを持つことの環境負荷を心配する若い人が増えていますが、多親育児は人口の過度な増加を防いで地球環境を守りながら、より多くの人が子育ての喜びを体験できる可能性を開いてくれます。「過剰消費の有害な影響を防止または緩和するために世界的な人口増加に歯止めをかけることが不可欠」と主張するアンカ・ゲオスは、環境保護の観点から多親育児にメリットがあると見ています。[*60] 私の同僚や教え子のなかにも、地球環境のためにヴィーガンになり、飛行機での旅行を諦め、けっして子どもを作らないと決めている人たちがいます。でも子どもを断念するかわりに、3人以上の親で子どもを育てる選択肢があってもいいはずです。

今後は夫婦で子どもを独占せず、共同で育てることを選ぶ人が増えてくるかもしれません。シングルマザーがおたがい助けあえる共同育児の団体を作ったり、あるいはタメラやツインオークス・コミュニティのように、法的な親の定義に縛られず地域の大人みんなで子どもを育てるのが当たり前になるかもしれません。ツインオークスでの子育てを振り返って、クリステン・〝ケルピー〟・ヘンダーソンはこう語ります。「たくさんの大人の手を借りて、私も息子たちも成長させてもらいました。頼れる保育施設もあって、いい友達もいて。手を伸ばせばすぐに助けが来るんです、ときにはおせっかいなほどに。子どもが小さいときは何をどうすればいいか戸惑いますが、子育ての経験のある人たちがどんどんアドバイスをくれました。勉強会も開いてくれて、親になる前にあらかじめ子育てについて学ぶことができました」。家族拡大の思想はただひとつの正解を万人に押しつけるのではなく、人類が長く実践してきた共同繁殖の歴史をふまえて生き方の幅を広げる試みです。私たちはもっと多様なやり方で友人や仲間の輪を広げ、恋愛関係や性的な絆を育み、子どもを産み育てることができるはずです。それらの営みをひとつに束ねることは可能ですが、そうしなければならない理由はどこにもありません。

私たちの暮らしをユートピアに変えていくためには、従来の核家族という枠組みにとらわれない発想が必要です。その昔、高校時代の先生が見せてくれたのも、まさにそんな実践でした。オルソン夫妻は私の親でも親戚でもなく、私の養育を買って出る必要などありませんでしたが、それでも私のためにしっかりとリソースを割いてケアしてくれました。今も世界中で多くの人が、継親や代父母、その他あらゆる形で血縁を超えたアロペアレントとなり、次世代を担う子どもたちを育てる試みに乗りだしています。

横のつながりを大事にして、自分で選んだ家族を広げていけば、誰もがより広い愛情とケアに守られて暮らせるはずです。それはまさに今、かつてないほど必要とされているものではないでしょうか。

第8章　スタートレックの未来へ

1988年5月16日、私がまだオルソン先生のところで暮らしていた頃に、テレビシリーズ『新スタートレック』が第1シーズンの最終回を迎えました。ロイヤル・シェイクスピア・カンパニー出身の名優パトリック・スチュワートを艦長のジャン＝リュック・ピカード役に迎えたこの作品は、冷戦後期の不安とシニシズムの中にあって、力強く楽観的な1960年代のオリジナルシリーズの希望を再びよみがえらせようという試みでした。

高校卒業を間近に控えたその時期、私も同級生たちも未来には希望なんてないと思っていました。きっと現在の高校生も似たような感覚だと思います。ただし私たちの世代にとっての脅威は気候危機やパンデミックではなく、核戦争でした。レーガンとサッチャーの時代の末期、米国もソ連も、地球上の生命すべてを何度か吹き飛ばせる程度の核兵器をたっぷりと蓄えていました。そして当時のアメリカでは、核の先制攻撃を主張する強硬派の声が大きかったのです。核の冬について考えられる程度の冷静さを持ちあわせていた人たちは、なかば諦めの目で絶望的な事実を見つめていました。もしも超大国が核戦争を始めたら、人類は完全におしまいだと。

新スタートレックの第1シーズン最後のエピソードは「突然の訪問者」というタイトルで、ピカード率いる宇宙船エンタープライズ号が大昔の人工衛星を見つけます。中には20世紀の地球人が冷凍保存されていました。1980年代末を生きていたアメリカ人たちです。一人はミュージシャン。一人はホームメーカー（主婦）を名乗る女性で、アンドロイドのデータ少佐はそれを聞いて「家の建設の仕事でしょうか」と首をひねります。残る一人はラルフ・オッフェンハウスという投資家で、冷凍されたときに持っていた銀行預金の利息が3世紀でどれほど膨れ上がっているかと、そればかりを気にしています。オッフェンハウスは自分の財産の件で弁護士に会わせろとしつこく要求し、ピカード艦長はうんざりしてこう言います。

「この300年で多くが変わった。人はもう物を溜め込んだりしない。貧困も物欲も、財産を所有する必要もなくなった。我々は成長したんだ」

ゴードン・ゲッコーの「強欲は善だ」というセリフで有名な映画『ウォール街』の翌年に公開されたこのエピソードは、富裕層をもてはやす『ダラス』や『ダイナスティ』といった当時の人気番組の風潮に真っ向から挑戦するものでした。多くの視聴者が大富豪を見るのに夢中になっているなかで、当時「宇宙の支配者」とも呼ばれた大金持ちの投資家を一人、お金のない未来に投げ込んだのです。エピソードの終盤、ピカードは20世紀から来た人間たちを故郷の地球へ帰らせることにします。オッフェンハウスはうろたえてピカードに言います。

「戻ったところでどうなる？　私の財産も、会社も消えた。いったいどうやって生活しろと？」

「ここは24世紀だ。もうお金を貯める必要はない」とピカード。

オッフェンハウスはため息をつきます。「じゃあ何を生きがいにすればいいんだ?」
ピカードが我慢強く答えます。「自分自身を向上させるんだよ。自身を高め、豊かにする。それを楽しめばいい」

このやりとりを見て、当時の私は頭をガツンと打たれた気がしました。18歳になったばかりで、暴力的で崩壊した家庭を追われて英語教師の家に避難していた私は、核兵器の相互確証破壊に対する恐怖でいっぱいでした。でもそのとき初めて、未来があるのだとしたら、それは今とはまったく違うものかもしれないという可能性に思いをはせたのです。ちょうど若き日のウーピー・ゴールドバーグが初代スタートレックで活躍する通信士官ウフーラを見て、未来にも黒人は存在するのだと思えたように。スター・ウォーズのようにはるか彼方の銀河系ではなく、ワンダーウーマンのようにギリシャの神々がいる平行世界でもなく、スタートレックは私の世界の延長線上にありました。このまま閉じ込められ、変えられないと思っていた世界の先にあったのです。

いつも空想の中でアマゾン族の島やジェダイの惑星に逃げ込んでいた私は、1988年の時点で輝かしい成功を意味するお金が、24世紀には何の意味もなくなる可能性に気づいていませんでした。考えてみれば、300年前に重視されていたものの多くが今では意味をなさなくなっています。300年後の世界はまったく違うものでありうるし、それをいえば50年後もそうです。10年後の世界だってどうなっているかわかりません。

いつか「貧困も物欲も、財産を所有する必要もなくなった」世界を生きられるかもしれない。その可能性に私は魅了されました。お金よりも人が尊ばれ、自分の内面を豊かにすることが何よりも大事な世界。スタートレックの制作者たちは、そこへ辿りつくまでの困難を考えるかわりに、すでに達成された未来を軽やかに描きだしたのです。宇宙船エンタープライズの乗組員は人種的に多様です。船にはレプリケーターという装置があり、食べ物や飲み物、洋服、楽器など、何でも好きなものを合成できます。人々を悩ませていた物質的な欠乏は、新技術の登場によって過去のものとなりました。投資家のオッフェンハウスは富の蓄積こそが生きる意味だと思っていたようですが、物の希少性がなくなれば、人より多く持っているかどうかという基準には意味がなくなります。誰でも自分が欲しいだけ手に入れることができるからです。

そのように豊かな世界では、男女の関係も比較的平等になっているようです。子どもを産んだとしても、子育てにかかるお金の心配はまったくありません。未来の人々も恋をしてカップルになり、宇宙船で子どもを育てたりしていますが、家族はすでにお金のやりくりをする単位ではなくなっています。それはまさに究極のユートピアでした。脳がぱっくりと開かれた気がしました。〈ここではないどこか〉へ行くための鍵は、時間にあったのです。今とは違う未来を信じてみれば、自分の住みたい世界に向かって手を伸ばし、いくらか近くにたぐり寄せることもできるかもしれません。

1966年にスタートレックの最初のエピソードが放映されて以来、そのポジティブな未来像は60年近くにわたって世界中のファンに夢を与えてきました。スタートレック・シリーズは史上もっとも成功したメディア・フランチャイズのひとつとなり、文化的にも大きな影響力を持っています。初期のぱっとしないスタートを思えば、これは驚くべきことでしょう。オリジナルシリーズは視聴率が低く、当時の配信元だったNBCはたった2シーズンで打ち切りを決定しました。しかしこれに対して、ファンが前代未聞のアクションを起こします。15万人を超える人たちが番組継続を求める手紙を書き、カリフォルニア工科大学の学生200人がテレビ局の前でデモ行進を繰り広げたのです。ファンの熱烈な反応に驚いたテレビ局は、打ち切りを取り消して第3シーズンの制作を決定します。[*1] こうして作られた全3シーズン、計79話のオリジナルシリーズは、番組販売による再放送でファンダムをどんどん拡大し、20年後の1986年までには全米でもっとも多く番組販売されたシリーズとなりました。[*2]そしてこの年、新たなシリーズとなる『新スタートレック』の制作が発表されます。新スタートレックは放映開始直後から高い評価を得て、1994年に放映されたファイナルシーズンは、テレビ界のアカデミー賞とも呼ばれるプライムタイム・エミー賞のドラマ・シリーズ部門にノミネートされました。

スタートレックが今も愛されつづけるひとつの理由は、現代のポップカルチャーの風景から消えつつあるポジティブな未来像を描いているからでしょう。2022年5月時点で、8本のテレビシリーズ、3本のアニメーションシリーズ、1本の短編アンソロジー・シリーズ、13本の劇場版が作られ、そのエピソード数は合計で700を超えます。全部見ようとしたら、24時間ノンストップで再生しても1か月はかかる量です。現在も5つのシリーズが進行中で、さらに新作のシリーズや映画の製作も進められています。[*3] アメリカのファンは1972年に最初の大規模なコンベンションを立ち上げ、ヨーロッパでも1992年からフェドコンという大規模なイベントが毎年開催されています。[*4] これほど長きにわたってさまざまな世代の多様なファンを獲得した作品は類を見ませんし、ファンダムは今もどんどん広がっています。2019年には「スタートレックのファンが人々の命を救う」という記事がガーディアン紙に掲載されました。たとえばある女性は恋人の暴力に苦しんでいましたが、ファン仲間がクラウドファンディングで引っ越しの初期費用を寄付してくれたおかげで、恋人と別れて自分のアパートに移ることができました。この女性は次のように語っています。

「150人以上のトレッキーが我先にと支援してくれました。ほとんどは見ず知らずの人です。まるで救難信号を発したら、宇宙艦隊の船がいっせいに救助に来てくれたみたいでした」[*5]

戦闘的オプティミズム

スタートレックはそのシリーズ全編を通して、ドイツの哲学者エルンスト・ブロッホの言う「戦闘的オプティミズム」を体現しています。これは社会と個人が積極的によりよい世界を想像し、その実現のために闘うべきだという考え方です。ブロッホは希望の政治について全3巻〔日本語版は全6巻〕の大著を書き、歴史はどこかから降りかかってくる制御不能なものではなく、私たちが日々生活するなかで能動的に作りだすものなのだと論じています。現在はつねにどう転ぶかわからず、そこを生きる人々の行動の集積が歴史を動かしていくのです。

どうせ現状は変わらない、選択肢はないのだと言い張る人はいつの世にもいますが、ブロッホはそんな悲観論を否定します。私たちは日々この世界の創造に参加しているのだから、世界は私たちの手で変えられる。私たちには歴史の流れに抗い、それを変える力がある。

なぜならあらゆる歴史は、今この瞬間に始まるからです。

この文章を読んでいる今、あなたは現在という時間の枠の中にいます。しかし明日になれば、この文章を読んでいる今は過去になります。その過去がやがて「歴史」と呼ばれるものになっていくのです。デヴィッド・グレーバーとデヴィッド・ウェングロウは挑戦的な大著『万物の黎明：人類史を根本からくつがえす』のなかで、「私たちは、集団的自己創造のプロジェクトである」と言います。それなのになぜ、私たちは「みずからを再創造する可能性を想像することさえできないほど、がんじがらめに思考の束縛に囚われてしまった」のでしょう?[*6]

私たちをとりまく世界が揺るぎないものだという思い込みは、日常生活を無難に乗りきるためのフィクションです。例を挙げましょう。今、財布から20ドル札を取りだせば、お店に行ってそこそこのワインを買うことができます。でもそのお札は実際のところ、ただの紙切れにすぎません。20ドル札でワインが買えるのは、この特定の紙切れに価値があるという共通の信念があるからです。手帳のページを1枚破って「20ドル」と書いたところで、店員さんは受けとってくれません。20ユーロ札やカナダドル札を持ってお店に行っても、ここはアメリカですから、やはり断られるでしょう。物価が急に上がれば、今日20ドルで買えるワインが明日には60ドル、来週には２００ドルになっているかもしれません。インフレの進んだ国に住んだことがある人なら、紙幣が一夜にして紙くずになる様子をよくご存じだと思います。１９３０年代のドイツ人は、食料品を買うのに手押し車いっぱいの紙幣を積んでいきました。ブルガリアに住む私の元親戚は、１９８９年に共産主義が突如崩壊したあと、ハイパーインフレのせいで長年貯めてきたお金をほとんど失いました。そんな実例を知りながら、私はいまだに紙幣を使い、銀行にドルを預けています。そうするのが便利だし、みんなそうしているからです。地元の農家の人がやっている直売所でさえ、物々交換はまず受けつけてもらえません。この複雑な社会で物々交換が主流になるとしたら、それはお金の価値がなくなって、みんなが暖を取るために紙幣を燃やしはじめたときでしょう。

紙幣を信じるのと同じように、多くの人は今ある家族の形が唯一可能なものだと信じています。多くの問題があることは、頭ではわかっているはずです。子育て中の親に降りかかる重いプレッシャー、恋愛関係と育児との衝突、高い離婚率、児童虐待やDVのまん延。パートナーが長期的な失業状態になったり、障害を負ったり、突然亡くなる可能性もリアルにあります。それなのに私たちは、きわめて脆弱な形の家族をそのまま複製しつづけています。そうするのが便利で、みんなそうしているからです。世の中の経済が「不換紙幣」と呼ばれるフィクションの上に成り立っているのと同じで、私たちのプライベートな生活もある一定の家族像の上に成り立っています。それが自然なあり方だとか、神がそう定めたのだと主張する人もいますが、今ある家族の形が既存の社会・経済関係を維持する役目を果たしている事実を忘れてはいけません。たとえば保守的な団体である家族問題研究所のミッションステートメントを見ると、伝統的な核家族の崩壊と経済的な悪影響を明確に結びつけて論じています。「アメリカの子どもの2人に1人は、婚姻関係にある両親の揃った家庭で暮らしていない。これはアメリカの未来の安定と繁栄にとって何より深刻な脅威である」[*7]（強調は引用者）。そして2022年初頭に同研究所が掲げた最重要研究課題のひとつが、まさに「結婚の強靭さと国家経済の繁栄との関連性」でした。[*8]

アメリカの保守派は変化する世界を目の当たりにして、自分たちの生き方が根本的に脅かされていると感じているようです。結婚率の低下、出生率の急落、莫大なローンを背負って家を買うことを拒むミレニアル世代、そして文化理論家ケイト・ソーパーが「オルタナティブ・ヘドニズム」と呼ぶように、モノを買うことに依存しないポスト消費社会的な幸福観の広まり。「両親揃った円満な家庭」が崩れゆく光景は、アメリカの経済的覇権の終焉を予感させる意味でも恐ろしく感じられるのでしょう。この覇権の基礎をなす社会経済システムの支えとなる価値観や願望を若い世代が拒絶すれば、壮大な建物は足もとから崩れ落ちるかもしれません。しかしそれは大多数の庶民にとって、むしろ望ましい変化ではないでしょうか。

「ユートピアとは、単に人々の今あるニーズをよりよく満たすような世界や生き方の創造を意味するのではない」と政治理論家のダヴィナ・クーパーは言います。「人々が異なる生き方を経験するなかで、その興味関心、欲望、アイデンティティの持ち方や表現が変わりゆく、その変化にもユートピアの主な関心は向いているのである」[*9]。カップルになって子どもを作り、家を買い、物をため込む、そんな既存の営みに人々が価値を感じなくなれば、それは20ドル札が信用を失うのと同じくらいに、世界を揺るがす力となりえます。

本書では私的領域の営みを再編成するためのユートピアの試みを幅広く見てきました。遠い過去のものもあれば、私たちが現在と呼ぶもののなかで進行中の試みもあります。すべてに納得してほしいとは言いません。ちょっと現実離れしているな、今の世界ではうまくいかないのでは、と感じる部分もあるでしょう。無償の保育園や集団での寮生活ならすでにある程度存在しているので、どういうものか把握しやすいと思います。うまく想像しづらいのは、財産の共有や、核家族ではない形での子育てです。あまりなじみがないですし、正しいやり方、いわゆる「健全な」家族のあり方に反すると感じられるかもしれません。隣人と洗濯機を共有すれば廃棄物を減らして地球環境に貢献できますが、それよりもまず「不便だ」と拒否反応が出る人もいるでしょう。3人以上の親で子育てすれば子どもに手厚いケアと安心を与えられる可能性は増えますが、自分の存在が必要とされなくなる不安を感じることもあるでしょう。

ユートピアという言葉はそもそも「良い場所」と「どこにもない場所」という二重の意味を持って

います。大事なのは探索の旅に出ること、そして今よりもっと豊かで柔軟で持続可能な暮らしへの変化を考えていくことです。充実した保育制度、孤立しない共同生活、自分で考え行動できる力を育む教育、財産の共有、家族の定義の拡大。今すぐには変わらないかもしれませんが、不断の努力のなかに変化への道はあります。ウルグアイの作家エドゥアルド・ガレアーノはかつてこう言いました。「ユートピアは地平線上にある。2歩進めば、2歩遠ざかる。10歩進めば、地平線はさらに10歩先へ行く。どんなに歩いてもたどり着くことはない。それならユートピアに何の意味があるのかって？　意味はある、歩きつづけることに[*10]」

もしもここまでの章を読んできて、やっぱり全然受け入れられないと感じるなら、それはかまいません。無理に納得する必要はありません。ただ、できれば少しだけ時間をとって、その抵抗感がどこから来るのかを振り返ってもらえたらうれしく思います。

認知能力としての希望

エルンスト・ブロッホによれば、ユートピア的思考の価値は、関連しながらも異なる2つの形の希望を生じさせる力にあります。認知能力としての希望と、感情としての希望です。

人の心の構造からいうと、希望はちょうど未来についての記憶のようなものです。記憶力のいい人は昔のできごとを細部までよく覚えています。人の顔を忘れなかったり、曲の一部を耳にするとメロディーが完全によみがえったりします。記憶はまた、過去のできごとに根ざした自己感覚やアイデンティティを持ち、過去の経験をもとに自分が何者なのかを物語るための力でもあります。認知能力としての記憶は試験勉強に役立ちますし、大切な思い出を味わう助けにもなります。

一方で希望は、未来を想像する能力です。まだ見ぬ景色に思いを馳せ、不確かな可能性にみずからを投げかける力です。希望の心理学の第一人者であるC・R・スナイダーは、心理学的に見た希望の定義について「望ましい目標への道筋を導きだし、それらの道筋をとるべく主体的思考によって自らを動機づける知覚能力」と言い表しています。[*11] つまり希望が得意な人は、明確なゴールを設定し、そこに至る方法を幅広く検討し、困難や失望の恐怖にも負けずに進みつづける意志力を行使できる人なのです。

こうした認知能力としての希望は習得可能である、と心理学者は考えています。希望トレーニングが抑うつや不安、ストレスの克服に役立つという研究結果もあります。[*12] 希望に関するセラピーの多くはC・R・スナイダーの研究に由来するもので、希望マッピング、誘導空想、希望日記といった多様な手法を使って目標の明確化を助け、起こりうる（内的および外的な）困難を特定し、そして想像力を駆使して困難を乗り越えるためのさまざまな方法を考案していきます。科学者が難問に直面したとき、思いきった発想で活路を見いだすのとよく似ています。たとえば「遂行意思をともなう心的対照」（MCII）と呼ばれる技法では、未来を想像しながら具体的な困難に対処するプランを立てることで目標達成能力を高めていきます。

こうした技法は臨床の現場で個人に適用されることが多いのですが、もっと社会的な場面に適用できない理由はありません。[*13] 社会や経済のシステム全体を動かす目的にも役立つ可能性はあります。希望が単なる楽観と異なるのは、楽観が「全部うまくいくだろう」という憶測であるのに対し、希望は自分の人生や社会のたどる道筋を変えていくための能動的な思考のプロセスだからです。チェスの戦略に喩えることもできるでしょう。勝てたらいいな、ではなく、勝つために相手の出方をいくつも予測して、対抗する手をあらかじめ用意しておくのです。

たとえば私はいま、きっとこの本を書き上げてみなさんの手に届けられるという希望を持っています。すでに本を出したことはありますし、出版の過程も理解しているので、およそ1年後には書店に並ぶだろうと想像できます。そうはいっても、本が勝手に書き上がるわけではありません。毎日なんとかベッドを這いだしてパソコンの前に座り、何時間もぶっ通しでひたすら一語一語書かなくてはいけません。本当はスタートレックの新シリーズ『ストレンジ・ニューワールド』も見たいし、散歩にも行きたいし外に座って白ワインを飲んでいたい気持ちもあります。友達に電話したり昼寝したり、小説を読んで過ごす選択肢もあります。それでも、私は書いています。それだけ苦労した結果が編集者に気に入ってもらえるとはかぎらないし、読者に嫌われるかもしれないし、自分自身が失望するかもしれない。それをすべて承知で書いています。希望とは、単に本の完成する日を楽しみに想像することではありません。無駄に終わるかもしれないという不安に抗って書き、執筆を妨げようとするさまざまな要因に明確なプランで対抗することでもあるのです。

これは感情としての希望の話につながります。私たちの心は希望と絶望のあいだで揺れ動きます。エルンスト・ブロッホにいわせれば、希望の反対側にあるのは恐怖と不安です。認知能力としての希望を持てるかどうかは、恐怖と不安の感情をどれだけ抑えられるかにかかっています。独りになるのが怖くて、不幸な関係から離れられない人がどれだけいることでしょう。誰にも出会えない恐怖で、誰かいい人に出会える可能性が見えなくなるのです。それと同様に、今より悪くなるという恐怖は視界を塞ぎ、世界を良くしたいという希望を覆い隠します。

ユートピアのビジョンが希望の感情を鼓舞するものだとすれば、ディストピアは逆に私たちの恐怖や不安を煽るものです。ユートピアがよりよい未来を想像させ、その実現に向けて変革を起こす力を与えるものだとすれば、ディストピアは過去の失敗とその悲惨な結果を執拗に突きつけて恐怖で凍りつかせます。前ではなく後ろを向かせ、未来よりも過去を強調することで、ディストピア思考は私たちを力ずくで現状に押し込めるのです。

この最終章では「戦闘的オプティミズム」の実践としてのユートピアの価値を検討し、20世紀西洋社会の大半を覆いつくした「資本主義リアリズム」に挑んでいきたいと思います。文化評論家マーク・フィッシャーの遺した資本主義リアリズムという言葉は、現状を変えられる代替策など存在しないと思い込ませる特定の文化的な思考様式を指すものです。その強力な現れが、私たちを取りまく大量のディストピア映画やテレビドラマ、ディストピア小説などのコンテンツです。今のやり方から少しでも外れたら、世界は最悪の方向に進んでしまうのだというメッセージをそれらは日々浴びせかけてきます。政治理論家のダヴィナ・クーパーは次のように言います。「ユートピアは通常、変化を促すために欲望や希望を刺激する。一方ディストピアは、恐ろしいものの出現を制止するための行動を刺激する。ディストピアの語りは変化を前提としている。世界は静止して安定した場所ではなく、破滅に向かって進み、ときにはすでに破滅しかけているのだ[*14]」

しかしディストピアの絶望感が世の中を覆うとき、行動は刺激されるよりもむしろ抑制されます。変化を求めれば破滅が待っているというメッセージを発することで、ディストピア思考は社会変革の夢をつぼみのうちに摘んでしまうのです。そんなディストピアのなかでもとくに手強いのが、愛の喪失と孤独への恐怖を利用したものです。

ディストピアのフルコース

20世紀の有名なディストピア小説によく見られるのが、社会の平等と調和を求めるあまりに恋愛や核家族が破壊されたという設定です。オルダス・ハクスリーが1932年に発表した小説『すばらしい新世界』がまさにそうでした。この小説は「史上もっとも偉大な小説100選」といったリストの常連で、1999年にはアメリカの出版社モダン・ライブラリーの読者が選ぶ「20世紀の英語小説ベスト100」で5位にランクインしました。[*15] 米国ではハーパーコリンズの教師向けガイドが『すばらしい新世界』を9～10年生（14～15歳）向けの読み物として推奨し、「個人と社会の対立」を考えるうえで必須の教材に位置づけています。[*16] インターネット上には、この小説を題材にしてユートピアの負の側面を強調し、「完璧な社会をめざす試みの悪影響」を教える授業計画やディスカッション例があふれています。[*17] そもそもこの小説はH・G・ウェルズのユートピア小説を揶揄するパロディとして書かれたのですが、その影響力は元ネタの本をはるかに超えることになりました。

フェミニスト思想家のシュラミス・ファイアストーンが「再生産手段」の掌握と人工子宮による生殖を呼びかけるより何十年も前に、ハクスリーは人間が試験管のなかで製造され、指定された社会的役割を受け入れるようにプログラムされた世界を想像していました。『すばらしい新世界』の物語は、ロンドンにある「孵化・条件づけセンター」の所長が見学の生徒たちに施設を案内する場面から始まります。ハクスリーはディストピアの世界観を読者に印象づけるため、伝統的家族がいかに解体されたかを詳しく語ります。この未来社会では新技術によって性と生殖が切り離され、女性の7割は試験管の中であらかじめ不妊個体（フリーマーチン）にされています。「文明化とは無菌化（ステリライゼイション）＝不妊化である」からです。[*18] 不妊でない女性にしても、自然な生殖などという時代遅れで汚らしい行為はしません。給料6か月ぶんの手当と引き換えに卵巣摘出手術を受けて、卵巣を孵化・条件づけセンターに引き渡すのです。

人間の人工的生産によって、未来社会は「ついに自然を奴隷的に模倣するだけの世界を脱して、すべてを人間が創りあげていく、じつに興味深い世界に入った」とハクスリーは言います。[*19] 紀元２５４0年の世界では誰も家族を持たず、子どもたちは施設で集団的に育てられます。「母親」や「父親」という言葉は口にするのも恥ずかしく、とくに父親という言葉には「ポルノグラフィックというよりスカトロジックな下品さ」があるそうです。[*20] またおそらくウィリアム・ゴドウィンを意識してか、人口20億人の世界国家のなかに苗字はたった1万種類しかないと書かれています。同じ苗字であることにはもう何の意味もありません。

ハクスリーのディストピアは乱交と手軽な快楽に彩られ、ソーマと呼ばれる薬物を使った一種のマインド・コントロールについてもよく話題にのぼりますが、ソーマが小説内に登場するのは恋愛と家族愛の消滅について事細かに説明された後のことです。西ヨーロッパ担当の世界統制官ムスタファ・モンドはこう語ります。「今の世界は安定している。みんなは幸福だ。欲しいものは手に入る。手に入らないものは欲しがらない。みんなは豊かだ。安全だ。病気にもならない。死を怖がらない。幸せなことに激しい感情も知らなければ老いも知らない。母親や父親という災いとも無縁だ。強い感情の対象となる妻も、子供も、恋人もいない。しっかりと条件づけ教育をされているから、望ましい行動以外の行動は事実上とれないようになっている」[*21]。ハクスリーの描く新世界は生殖の完全な社会化によって女性の性が解放された世界ですが――〈誰もがみんなのもの〉――、しかし薄っぺらでむなしい世界です。人々は決められた立場に甘んじるために薬物で気を紛らし、最上位階級であるアルファ・プラスの男性でさえどこか満たされなさを感じています。

オルダス・ハクスリーのもとで一時期学んでいたエリック・ブレア（筆名ジョージ・オーウェル）が自身のディストピア作品を書きはじめたとき、焦点を当てたのはやはり伝統的な家族の崩壊でした。オーウェルの『1984年』が英語で書かれた小説のなかでも最大級の影響力を持つことに疑いはないでしょう。「『1984年』は何千万部も売れただけでなく、小説を読んでいない無数の人々の意識にまで浸透している」と、オーウェルの伝記作家であるドリアン・リンスキーは述べています。「小説としての重みを保ちながらここまで広く普及した作品は、20世紀の文学でも類を見ない」[*22]『1984年』はハクスリー以上に、英米の中高生の授業で必ずといっていいほど取り上げられる定番テキストです。同じ作者の『動物農場』とセットで教えられることも多いのですが、どちらも全体主義の危険性を強く警告する内容です。オーウェル自身は社会主義を支持していたのですが、スターリン主義を憎んでいました。アメリカでは一般に社会主義イデオロギーの危険性を教えるテキストとして使われています。

『1984年』の舞台となる超大国オセアニアでは、ビッグ・ブラザーの手によって恋愛とセックスと子育てのつながりが断ち切られています。唯一の政党である「党」のメンバーは、恋愛や家族の絆を持ちません。ハクスリーが性をいつでも手に入るようにしてその価値を下げたのに対し、オーウェルは政治的独身主義を推進する「反性交青年連盟」を登場させます。「党の目的は、ただ統御できない忠誠関係を男女が構築するのを防ぐことだけではない。公にされていない真の目的は、性的行為からあらゆる快楽を除去してしまうことなのである」。[*23] プロレ（労働者階級）の人たちには結婚して子どもを作ることが推奨されますが、せいぜい家畜を繁殖させるような扱いです。貧民地区では「誰と寝ようが罰せられず、離婚も許可され」、売春も黙認されていました。「人目を忍んで、愉悦を伴わず、ひどい貧困に苦しむ浅ましい階級の女を相手にしているかぎり、ただの淫蕩は大した問題ではない」からです。[*24]

党の家族解体政策の真意が明らかになるのは、高級官僚のオブライエンが主人公ウィンストンにこう語る場面です。「我々はもはや……子供と両親の、人と人の、そして男と女の間にある結びつきを断った。もはや誰も、妻も子も友も信じようなどとは思わん。だが将来には、妻も友もなくなるのだ。子供は生まれるやいなや、雌鳥から卵を取るようにして取り上げられるだろう。性本能は根絶やしにされる。生殖は、配給カードの更新と同様、年に一度の形式的なものになる。オルガズムも断絶する。今、党の神経学者がその研究に取り組んでいるところだ」。[*25] ハクスリーと同様、オーウェルのディストピアも私たちの親密な関係に狙いを定め、大切な絆が国家によって破壊される恐怖を掻き立てます。

『すばらしい新世界』と『1984年』はどちらも性と生殖を露骨に論じていますが、もっと年若い読者のためのディストピア小説として徐々に人気を得てきたのがロイス・ローリーの1993年の児童向け小説『ギヴァー：記憶を注ぐ者』（以下『ギヴァー』）です。[*26] 米国児童文学のもっとも名誉ある賞のひとつであるニューベリー賞を受賞したこの作品は、自殺や安楽死を扱っているということで一部の学校図書館では禁書にされつつも、世界中で1千万部以上の売上を達成し、2012年にスクール・ライブラリー・ジャーナル誌が発表した小学生向けの人気児童書ランキングで堂々4位に選ばれました。[*27] 2014年にはメリル・ストリープやジェフ・ブリッジスら豪華俳優を起用して映画化されています。批評家のシーラ・オマリーは映画評のなかでこう述べます。「中学校の文学の定番教材となったこの作品は、若い読者を高度な倫理的概念へといざない、やがてジョージ・オーウェルやオルダス・ハクスリーの作品を読む際には理解を助ける先例として思いだされるだろう」[*28]。要するに、この先に待ち受けるもっと深刻なディストピアのための下ごしらえなのです。アメリカの子どもたちはこれら3冊をほぼ立て続けに読まされる場合もあり、まさにお腹いっぱいになるまで反ユートピア思想を詰め込まれます。

『ギヴァー』の世界ではみんなが「同じ」であるべきと考えられているため、従来の家族が人工的な「家族ユニット」に置き換えられます。子どもたちは職業的な「出産母（しゅっさんぼ）」から生まれますが、出産母との交流は一切ありません。生まれてすぐに養育センターに預けられて、名前のない「ニュー・チャイルド」として育てられます。1歳になると家族ユニットに引きとられ、そこで子ども時代をすごし、12歳になるとその子の素質にふさわしい仕事に任命されます（なかには出産母になる子もいます）。大人になると適合する配偶者を申請して家族ユニットを作ることができ、カップル1組につき2人の子どもが割り当てられます。子どもが大きくなると家族ユニットは解散し、子育てを終えた人は大人だけの集団で暮らします。そして歳をとると「老年の家」に移り、「解放」と呼ばれる安楽死を待ちます。

児童書なのでセックスには言及されず、住人はみんな感情を抑制されて欲望も熱情もなく、そうした感情の記憶さえ持たない設定になっています。『すばらしい新世界』や『1984年』に描かれた肉体的快楽のかわりに、12歳の主人公は親友の女の子にほのかな欲望を抱き、「愛」と呼ばれる奇妙な感情に興味を抱いていきます。

これらディストピアの代表作はいずれも――後に続く現代の本や映画やテレビドラマもそうですが

――今とは違う世界を望むならその代償として愛や性的満足を手放すしかない、そして従来の家族を破壊するしかないという描き方をしています。『ギヴァー』では憎しみや偏見や飢えや争いをなくすために、愛や美や情熱や絆を犠牲にしました。しかし結果的に世界は良くならず、いつだって元の世界より悪くなります。『1984年』では暴力的に、『すばらしい新世界』では実存的に、『ギヴァー』では感情的にという違いはありますが、しかしつねに、不可避的に悪くなるのです。物語のメッセージは明白です。現状に不満があったとしても、変えようなどと思うな。物事の「自然な」あり方に刃向かったりしたら、個人は取り返しがつかないほどに失われ、全体主義の地獄が待っているだろうと。

このロジックは長いあいだ力を持ってきました。マルクスとエンゲルスが『共産党宣言』で家族に関する表現をやわらげたように、そしてアウグスト・ベーベルの翻訳者ダニエル・デ・レオンが単婚核家族を擁護する断り書きを入れたように、街頭での革命が寝室にまで及ぶ可能性を考えたとたん、熱心な革命家たちもやや尻込みしてしまうのです。ウラジーミル・レーニンは革命後のたった数年間で帝政ロシア時代の政治的・経済的基盤を徹底的に見直しましたが、伝統的な家族をより広い絆に変えていこうというコロンタイのアイデアは即座に却下しました。私的領域の変化に人々が大きな抵抗を覚えるのは、一部にはこの恐怖のせいでしょう。説得力のあるディストピアはいつも、無条件の愛やぬくもりを与えてくれる拠り所の喪失という恐怖を突きつけてくるのです。とくに貧しい人々や移民、文化的に抑圧されている人種的・民族的マイノリティにとって、伝統的な家族は非情な自由市場経済のなかで安らぎと保護を与えてくれる唯一の場所ともなりえます。文化評論家マーク・フィッシャーは次のように言います。

家族生活が基づいている価値観、つまり義務、信頼、責任は、まさに新しい資本主義においては時代遅れとされているものだ。にもかかわらず、公共圏が脅かされ、かつての「過保護国家」が提供していたセーフティ・ネットが解体されるさなか、家族とは、つねに不安定である世の中の様々な圧力に対する安らぎの場としてますます重要になる。……資本主義は（親から子供と過ごす時間を奪い、互いを感情的に支え合う唯一の慰めになるカップルに耐え難いストレスをかけながら）家族を弱体化させるが、それと同時に（労働力の再生産およびその保護に不可欠な手段、または社会経済におけるアナーキー的状況がもたらす精神的傷を慰めるための救心剤として）また家族を必要としてもいる。[*29]

あなたはこう問うかもしれません。現代の生活がすでに家族を崩壊させつつあることを考えれば、私たちは家族を守る方向で努力すべきではないか？　性的なカップルや核家族の絆を弱めたりしたら、個人主義と社会の原子化をいっそう加速させるだけではないのか？　血縁のつながり以外には安心と安定を求められないこの時代に、なぜわざわざ血の絆を薄めようというのか？

もっともな疑問です。家庭生活を作り変えようとするなら、そうした不安をきちんと受け止めなくてはいけません。欠点はあっても、やはり多くの人にとって伝統的家族は失いたくない大事な存在です。

それでも家族の領域に踏み込むのは、なぜなのか。その理由を説明させてください。

庶民にとっておなじみのもの

このままでは伝統的家族と異性愛夫婦が崩壊して大変なことになる、と大げさに恐怖を煽っているのは、私の住む地域でいえば主に組織化された宗教右派を代表する人たちです。「男と女が愛と結婚において、また子どもを作り教育するために、たがいのために創造されたことは自然法則の自明の理」[*30]と主張した学者ミッチェル・カルパギアンのような人はその急先鋒ですが、さらにそれを援護射撃しているのが、現状維持に利益を見いだす市場原理主義者です。資本主義を信奉する市場原理主義者は、現状に挑むような試みは何であれ、自由市場を支える社会システムを不安定化させるリスクであると考えます。とはいえ「ガラスの天井を破ろう」というリベラル・フェミニズムや同性婚の合法化といった動きは、保守派にとって真の脅威ではありません。次世代を育てる仕事を私的領域に押し込める枠組みがゆるがないかぎり、市場は大抵のことを商品化し飲み込むことができます。しかし別の種類の要求、とくに社会のしくみ自体を問い直すような要求は、かれらを本気で警戒させます。

非宗教的な立場から伝統的家族を擁護する主張の典型例は、ジーン・カークパトリックが1979年に発表した悪名高いエッセイ「独裁と二重基準」に見ることができます。[*31]

カークパトリックは影響力のある新保守主義者（ネオコン）で、米国初の女性国連大使となり、ロナルド・レーガン政権下で国家安全保障会議および対外情報諮問委員会の委員を務めました。イラン革命とニカラグア革命を受けて、左傾化を防ぐためなら独裁もやむなしという極端な反共外交政策を推し進めます。のちに「カークパトリック・ドクトリン」と呼ばれるようになったこの方針は、彼女自身が言うところの「『右翼』独裁や白人寡頭体制」に対する支援を正当化するものでした。共産主義の広がりを抑え込むために、他国の独裁者を支持したのです。1980年代を通じて、レーガン政権はグローバルサウスの国々の軍事指導者や気まぐれな君主を支援しつづけました。そのなかには「戒厳令を発動して敵対勢力を逮捕、投獄、追放し、ときには拷問さえおこなったとされる」指導者も含まれます。カークパトリックの言葉を引用しましょう（政治家の発言とは思えませんが、実際に彼女自身がこう書いています）。

伝統的な独裁者は、富、権力、地位、その他の資源の配分を既存のままにする。ほとんどの伝統的な社会では、これは少数の富裕層を優遇し、大衆を貧困にとどめることを意味する。しかしそうした国の人々は伝統的な神々を崇拝し、伝統的なタブーを遵守する。習慣的な仕事と余暇のリズム、習慣的な居住地、習慣的な家族および人間関係のパターンを乱すことはない。伝統的な生活の悲惨さは庶民にとっておなじみのものであり、耐えられないものではない。子どもの頃からその社会で育ち、やり過ごす術を身につけているからである。ちょうどインドの不可触民に生まれた子どもたちが、その定められた悲惨な役目を背負って生き延びるためのスキルや態度を学ぶように。[*32]

『すばらしい新世界』の試験管ベビーが人工子宮のなかで社会的条件づけを施されるのにも似て、カークパトリックは「習慣的な仕事と余暇のリズム、習慣的な居住地、習慣的な家族および人間関係のパターン」によって人々が「定められた悲惨な役目」に甘んじるようプログラムされると考えているようです。逆に言うと、そうした日々の習慣を変えれば——つまり子育て、教育、住まい、財産の所有・共有、家族の形を再編成すれば——、もっと公正な社会で生きたいという思いが揺り起こされ、「伝統的な生活の悲惨さ」に対抗する動きが生まれる可能性があることをこの文章は暗に認めています。

カークパトリックはラテンアメリカやアフリカ、アジアにおける左派政権の台頭を危険視し、その国々に「自由」をもたらす米国の任務が邪魔されることを危惧していました。私的領域がこれまで通りのリズムで営まれているかぎりは、言論の封殺、集会の禁止、適性な法的手続きの無視といった公的領域の混乱はやがて復旧可能である。彼女はそう考え、私的領域の変化のほうを警戒したのです。ユートピア思想やユートピア的政治運動がそこまで危険視されるのは、まさにそれが人々に希望を与えるからです。今よりいい世界は可能だ、それを現実にしようという、人々の認識を呼び覚ますからです。

ごく普通の家庭生活が現状維持の支柱になっているというカークパトリックの考えは新しいものではなく、家庭とは君主の絶対的権威を尊重する姿勢を学ぶ場である、と見なす政治理論の長い伝統に基づいています。トマス・ホッブズは1651年の有名な著作『リヴァイアサン』のなかで、自然状態は暴力的で予測不可能であるため、人々は絶対的君主の保護を求め、保護とひきかえに君主に服従するのだと説きました。[*33] 強力で完全な国家に率いられなければ、人の生活は「汚く、野蛮で、短い」ものになるとホッブズは言います。そうしたホッブズの理論を支える理念が、共和制ローマの家父長権（patria potestas）です。[*34] ローマの家父長は子どもたちに対し、まさに生殺与奪の権利を握っていました。家庭内で父親の絶対的権威を教え込まれた子どもは、ホッブズによれば、公的領域において強力な指導者に服従する大人に育ちます。つまり家父長制的核家族は、従順な政治的臣民を作るのに欠かせない装置なのです。

カークパトリックのような保守派は、家庭生活の習慣的なリズムを乱すことが国家の権威に対する反抗の引き金となり、国家の保護下にある財産の不平等に対する不満を引き起こしうると理解していました。保守的な政治家が伝統的な家族観にこだわり、家父長的権威のもとで女性と子どもを家に押し込めようとするのは、けっして偶然ではないのです。

もしも楽園ではなく、地獄だとしたら？

「ユートピア」という言葉を軽蔑的な意味合いで使うのは、保守派にかぎった話ではありません。私的領域の形を見直して不確かな（そしてより良い）未来に進んでいこうという野心的な夢想家を前にすると、中道派も左派も文句を言いたくなるようです。中道派は革命的なビジョンよりも限定的で達成可能な短期目標を好みます。現状から決別するのではなく慎重な変化を目指すべきだと主張し、その証拠として『すばらしい新世界』や『１９８４年』のディストピア世界に言及するのです。サン＝シモン派のフェミニストが自由恋愛のための闘争を諦めて離婚権の復活などの地道な目標に切り替えたのも、夢想家に対する現実主義者の勝利でした。女性が子どもに自分の名を継がせ、独力で子どもを養える世界という夢は遠のいてしまいました。最近でいえば同性婚の権利を求める運動も、既存の単婚核家族に異議を唱えるのではなく、むしろその理想を強化する方向へ進んできました。既婚カップルに与えられる数々の法的・経済的恩恵が現実に存在するなかで、そもそも一夫一妻の結婚を優遇する制度がなぜ存在するのかを問うよりも、その恩恵の対象を同性カップルにも広げようと求めるほうが話は早いのです。

漸進的改革を推す人たちは急激な変化を恐れますが、必ずしも後ろ向きの理由からではありません。

ディストピアの恐怖を煽るのはさておき、ユートピア的な世界を一気に作ろうとしたら、変化が速すぎて制御しきれなくなる恐れはあります。世界がひっくり返った先に何が待っているかはわかりません。もしもそれが楽園ではなく、地獄だとしたら？

未来が怖いのは、どう転ぶか誰にも知り得ないからです。最近では政治的な激変が公正で持続可能な社会につながるのではなく、白人至上主義ファシズムや、『侍女の物語』に出てくるギレアドのような宗教原理主義国家を生むのではないかと恐れる人も多くなっています。スロベニアの哲学者スラヴォイ・ジジェクはそれを「危うい夢を見る」と表現します。危うく夢見るよりも小さな改善をめざそう、あるいは言語学者ノーム・チョムスキーがかつて言ったように、自分たちを囲む檻の面積を広げることに注力しようというわけです。[*35]

ただし、必要は発明の母といいますが、直近の必要に目を奪われてユートピア的な発想が見えなくなるのは困ります。営利企業によるコリビングはもっと共同的な住まいへの入り口となるのでしょうか、それとも中途半端にニーズを満たすことで、環境負荷を減らし家父長制から脱却できるインテンショナル・コミュニティの成長を妨げるのでしょうか。完璧を目指すより実現可能なことをやろうとするうちに、政治的想像力の選択肢を狭められてはいないでしょうか。デヴィッド・グレーバーとデヴィッド・ウェングロウは、私たちの遠い祖先がいかに多様な政治的・経済的生活を営んでいたかを一望する著書のなかで、こう言います。「人類史のなかで、なにかがひどくまちがっていたとしたら、おそらくそのまちがいは、人々が異なる諸形態の社会のありようを想像したり実現したりする自由を失いはじめたときからはじまったのではないか」。[*36] 現実を見据えた漸進的改革は、希望を抱く能力を強く縛りつける結果にもなりうるのです。

一方、徹底した革命や反乱を求める左派にとっては、ユートピアこそ別の意味で中途半端な、避けるべき態度かもしれません。マルクスとエンゲルスはユートピア社会主義に着想を得ましたが、フーリエやサン゠シモン主義者やフローラ・トリスタンのことを、古い世界の死骸のなかに新しい世界を作ろうとしているといって批判しました。過去との決別を主張する人たちから見ると、ファランステールやインテンショナル・コミュニティといった理想の共同体づくりには変革的価値が欠けていると感じられるようです。ユートピア主義者はよく言えば無知な夢想家、悪く言えば金持ちの善行ごっこというわけです。

こういう軽蔑的な態度はTikTokのコメント欄にも見られます。都会生活に幻滅して持続可能な農場に移住したZ世代の若者たちが#communelife（コミューンライフ）というハッシュタグで日々の生活を発信しているのですが、そのコメント欄に中傷を書き込むユーザーが大量に発生しているのです。[*37] たとえば2021年12月4日に@namastehannahが投稿した動画には、1か月のうちに3千件以上のコメントがつきました。シンプルで持続可能な暮らしを試みる牧歌的な動画に対し、社会から引きこもって田舎暮らしができる特権を揶揄する反応が多く目につきます。「どこに住んでるか知らんけど、どう見ても金持ちだろ……誰がこんな生活できんだよ」「親の金でそんな暮らしができていいですね」「見るからにセレブ」「実家が太いってすごい特権だな」「あんたらが金持ちなのはよくわかった」「こんな暮らしができるくらいの金が欲しかった」「俺の裕福な親戚はどこに？」「ありあまる金さえあればこの世はこんなに美しいのに」等々。それに対して、動画投稿者を擁護する意見もあります。roxi_sixxというユーザーはこうコメントしました。「いや、都会に部屋を借りてマクドナルドとスターバックスに通ってるほうがどう考えても高くつくし。何がそんなに気に入らないの？」また

Violit420というユーザーも、エコビレッジへの誤解を解こうとしています。「なんで金持ちだと決めつけるんですかね。コミュニティのためにみんなで出せるものを出しあおうっていうのがコミューンの意義なのに」

ヘイターの反応を深読みするなら、ユートピア思想がはらむ政治的逃避主義への危険性を恐れているともいえるでしょう。エコビレッジやその他のインテンショナル・コミュニティで暮らすことを選んだ人はそこで満足して、社会変革のための大きな運動には積極的に関わらないかもしれません。あまりに多くの人が社会の中心から逃げだして、小さな村での抵抗に引きこもってしまったら、残された私たちはどうやって腐りかけたシステムに立ち向かっていけばいいのでしょうか。ある意味でかれらの告発は的を射ているかもしれません。少なくともアメリカでは、ユートピア的な共同体に住んでいる人や、伝統にとらわれない家族の形を選ぶ人、コリビングやコハウジングで暮らす人の多くが、比較的高学歴で中流階級以上の白人だからです。

私もアメリカの名門大学で教鞭をとってきたので、学校をやめてデモ隊のキャンプに行ったり共同体的な暮らしに参入できるのがかなり恵まれた層の若者であることは知っています。挫折したり気が変わったりしたら、親というセーフティネットに頼って「社会復帰」するのも難しくないでしょう。所得分布の上位1%の家庭の子が、誰よりも熱心に新たな暮らしにコミットしている場合もあります。オルタナティブな暮らしについて学ぶ機会に恵まれていたからかもしれませんし、生活に余裕があるからこそ、大半の人には難しい経済的リスクをとれる面もあると思います。

恵まれた若者たちに冷めた目を向ける気持ちはわからなくもありません。しかしだからといって、かれらを叩くのは見当違いでしょう。そもそも歴史に名を残すユートピア思想家のなかには、非常に恵まれた立場の人が少なからずいました。トマス・モアは大法官という国の要職についていましたし、ピョートル・クロポトキンは王子でした。アンリ・ド・サン＝シモンは伯爵で、プラトンとアレクサンドラ・コロンタイも有力な貴族の生まれです。フリードリヒ・エンゲルスは裕福な実業家の息子で、高級ワインとキャビアを嗜みました。ジュリウス・ニエレレはアフリカの首長（チーフ）の息子でした。他の思想家もたいていは中流階級の教育をしっかりと受け、畑や工場での労働に人生の大半を費やすことはありませんでした。シャルル・フーリエとジャン＝バティスト・アンドレ・ゴダンの小さなユートピアがお金の力で実現したのも事実です。それでも、かれらの試みは貴重な先例となり、オルタナティブな生き方が可能なのだと世界に示してくれました。

希望が習得可能な能力であり、使うことで強化されるのなら、学んだり考えたりできる時間の多い人ほどオルタナティブな未来を想像する能力が高いのも意外ではありません。もちろんイタリアの思想家アントニオ・グラムシが「有機的知識人」と呼ぶような、庶民階層の思想家に世界を動かしてほしい気持ちはあると思いますが、だからといって裕福な親のもとに生まれた人々の変革的なアイデアを無駄にする手はありません。[*38] 世界をひっくり返すようなユートピア的発想は、世界が揺るがないほうが得をするはずの人々から生まれてくることも多いのです。

ユートピア主義者は革命を起こすわけでもなくミニチュアの楽園を作るだけの無力な夢想家だ、という批判に対しては、本書で紹介したいくつもの例が反論になっていると思います。ゴダンのファミリステールは例外的に１００年以上も続きましたが、しかし他の「無害な」はずの小さなコミュニティは迫害され、世の中から消されています。ローマ人は共同体的で奴隷を嫌うエッセネ派を一掃し、ブルガリア人は菜食主義でアナキスト的なボゴミル派を追放しました。カトリック教会の物欲を批判して女性の権利を擁護した独身主義のカタリ派は、異端審問にかけられて一人残らず殺されました。トマス・モアとトマス・ミュンツァーはともに処刑され、再洗礼派は海を渡って逃げることを余儀なくされました。ベギン会は異端視されて解散させられました。プロスペル・アンファンタンなどサン＝シモン派の主要メンバーは、公序良俗を乱した罪で投獄されました。オナイダ・コミュニティのメンバーは姦通罪に問われ、子どもたちを取り上げられそうになりました。タメラのようなエコビレッジやインテンショナル・コミュニティは、今日では「カルト」と揶揄されています。財産共有コミュニティで暮らす人が増えすぎると経済が不安定化する可能性があることは、税理士たちも認めています。もしもユートピア思想やユートピア共同体が本当に無力なら、権力者は必死になってそれを潰そうとするでしょうか？

オルタナティブな生き方の実例を示すことは、現状への大きな揺さぶりなのです。なぜならそれは、希望を抱く力を私たちの心に芽生えさせるからです。

ラディカルな希望を行使する

いま私たちの生きている世界で、ごく普通の市民が変化を引き起こすための手段はどんどん狭められているように思えます。民主主義の後退、非自由主義的ポピュリスト政治家の台頭、あるいは腐敗した政治システムに対する落胆のせいで、政府の体制に影響を与えれば社会は変えられるという信念が持ちにくくなっています。私たちの注意力を奪い疲弊させるように設計されたシステムのなかで、日々生きるだけでも大変すぎて、政治やアクティビズムに関与する余裕などないと感じるのも無理はありません。オルタナファクトが横行し陰謀論があふれる世界で、人々の信頼は打ち砕かれ、裾野の広い社会運動を維持することはかつてないほど難しくなっています。SNS上での分断や論争を見てみれば、戦略的な政治的連帯が内輪もめで弱体化する様子がすぐに見てとれます。[*39]

政府の体制に影響を与えるのが実際難しいという問題のほかに、暴力を合法的に独占する国家というもの自体への不信もあります。革命にせよ改革にせよ、国家の権威とリソースを利用しようとする点は同じです。私も研究者人生を通じて20世紀東欧における国家社会主義の理想と現実を見つめてきたので、大胆な変革のビジョンがときに最悪の悪夢に転じることはよく理解しています。しかし20世紀の経験から学ぶべきは、怯えて現状に服従せよという教訓ではないはずです。過去の夢の失敗は、夢見ること自体の終わりを意味しません。失敗や失望の可能性を知らない希望など、ただの甘い幻想です。

私たちは過去に学び、同じ轍を踏まないように作戦を練らなくてはいけません。ユートピア的な思想や運動のひとつの長所は、必ずしも国家の介入を必要としない点です。ユートピアの夢は大きな革命や具体的な政策に結実するかもしれませんが、今すぐには実現が難しい地平に留まりつづけることもできます。フェミニストのキャシ・ウィークスが言うところの「ユートピア的要求」、その要求が存在すること自体に意味はあります。[*40] 政治的・科学的・心理的に実現可能と思われる領域を押し広げ、未踏の地に向けて勇敢な旅に出ることを助けてくれるからです。それこそがユートピアの真骨頂です。

国家の権力や権威に影響を及ぼす力が何らかの理由で阻まれたとしても、まだ諦める理由にはなりません。日々の暮らし方を変えることも、ひとつの政治です。私的な領域における変革は、公的な場での大々的なアクションよりも強力で持続的なものになりえます。ジーン・カークパトリックが19

79年の時点で鋭く見抜いていたように、食事や睡眠、恋愛、教育、子育てといった日常の習慣的なリズムを破壊することによってのみ、私たちは自分や周囲の人を惨めな生活への慣れから揺り起こすことができるのです。社会の不平等が拡大し個人が孤立する問題のおおもとには、私たちがどのようにパートナーを選び子育てをするか、どこに住み誰と持ち物をシェアするのかという行動様式があります。政府にとっては一夫一妻の核家族が維持されたほうが得ですし、みんなが一家族だけの家に住み、他人の子を押しのけて自分の子の世話と教育に心を砕いているほうが都合がいいわけです。多額の住宅ローンを抱えている人は、仕事を辞めて共同農場に逃げ込むわけにはいきません。家や子どもやローンは、既存の生き方に人々を閉じ込めます。だからこそ政府は、結婚や住宅購入を促すような税制を作っているのです。

欠乏が（現実であれ想像であれ）世界を覆っているとき、私たちは未来の不安から身を守るために、できるだけ多くの資源や特権を溜め込もうとします。経済的な不安がなく資源が公平に分配される社会では、人より大きなパイを手に入れようと必死になる必要もないでしょう。これは逆向きにも働きます。つまり、人々の広いネットワークで資源を分けあう暮らしをしていれば、経済的な不安を減らすことができるのです。この双方向のプロセスは相互に依存しあっています。いつか私たちは気候危機を技術的に解決し、太陽光発電で誰でも好きなだけ無料のエネルギーを使えるようになり、共同所有のロボットやアルゴリズムにほとんどの労働をまかせてベーシックインカムで暮らし、何不自由のない世界で真の民主主義を生きることができるかもしれません。しかしそれは技術の進歩だけで成り立つわけではなく、私たちが日々の暮らしの基盤を見直し、利己的な個人主義から解放されて初めて可能になることなのです。[*41]

日常生活の変革は、抵抗と改革の不可欠な——唯一ではないにせよ——構成要素です。単純な話、多くの人と暮らしたほうが1人あたりの買い物の量は少なくなります。米国のGDPの約3分の2を占めるのは個人消費ですから、人々の買い物傾向が変われば経済は大きな影響を受けます。誰を家族と呼びどう暮らすかを変えることで、成長に固執する経済のロジックを内側から破ることも可能です。子どもの数が減れば、将来の消費者は減ります。人々が家や持ち物をシェアするようになれば、新しいものを買う機会は少なくなります。愛情やサポートや居場所を得られる社会的ネットワークが広がれば、みんな物質的成功のバッジで自分を飾り立てなくなるかもしれません。より公平な社会では、ステータスの印はあまり意味を持たないのです。

だからといって、個人が否定されるわけではありません。自分の個性や特徴を考えるときに、労働市場や結婚市場での評価を気にしなくていいということです。パーソナル・ブランディングは過去のものとなるでしょう。履歴書やLinkedIn（リンクトイン）での見栄えのためでなく、本当に好きなものを追いかけ、やりたいことに力を注げるようになるでしょう。あえて数年で壊れるように作られた製品を一人ひとりが買わなくなれば、過剰な購買による環境負荷を減らすことができます。不便に耐えろと言っているのではありません。使わないものをクローゼットや物置に眠らせておくよりは、必要なときに必要な人が使うほうが合理的だという話です。めったに使わない台車をわざわざ買わなくても、借りてくればいいのです。公共図書館、フリーストア、洋服レンタルといったサービスは、物を共有する暮らしを垣間見せてくれます。地域の人でお金を出しあえば、自分だけで買うより贅沢な生活ができる可能性もあります。

家庭の概念を変えていこうという話をするとき頻繁に耳にするのが、今この世界に子どもを生むのは正しい行為だろうかという心配の声です。ここ5年ほど、気候危機の現実に責任持って向きあうためには出産ストライキしかないと考える若い人が身近にも増えてきました。経済的に安定しないから子どもを育てられる自信がない、あるいは子どもを産んだらキャリアに響くという理由で子どもを諦めている人もいます。新型コロナのパンデミックは誰にとっても大変でしたが、とくに子どものいる人は幼稚園や学校が休校になり、一段と大きな負担を背負うことになりました。それを見て子どもを持つことをためらったとしても無理はありません。すすんで子どもを持たない決断をするのは尊重しますが、本当は子どもが欲しいのに現実的に無理だと感じている人が多くいるのも事実です。金銭面だけでなく、国のためにどんどん子を産めと勝手なことを言う政治家にうんざりしている人も多いでしょう。このむかつく社会に中指立てる意味での出産ストライキには心から共感します。

ユートピア共同体のなかにも、子どもを作らない伝統は古くからありました。子どもができると物質的な世界への結びつきが強まるというのが大きな理由です。ボゴミル派、カタリ派、シェーカー教徒、カトリックの修道士たちは、物欲を捨てて精神的な救済にたどり着くことをめざしました。仏教の伝統でも、世俗的な執着は悟りの道を妨げると言われます。家族はしがらみであり、安寧を求めるなら生と死と転生の鎖を断ち切らなくてはいけません。しかし今あるこの世界、この現世でよりよい未来をめざすユートピア運動にとっては、子育てはつねに構想の大事な一部です。

子どもを完全に諦めるかわりに、多くのユートピア共同体では伝統的でない形で子どもを持つことを選んできました。生物学的な親だけが子どもに投資するのではなく、共同体の未来のために集団で育児をする方向へ回帰したのです。子どもを作るのは政治的行為です。育てるのも政治的行為です。自分の子は欲しくないという人も、他の人の子どもを一緒に育てれば、新たな人を作るという大事なプロジェクトに参加できます。現状維持を望む層の人だけにそんな大事な任務を任せておくわけにはいきません。子どもを育てること、子どもたちが強い希望を抱けるように認知的・感情的な力を育み保護することは、私たちにできるもっともラディカルな行為のひとつなのです。

本書では、古代から現代までさまざまなユートピア思想を振り返り、ユートピアの実現を試みている個人やコミュニティの姿を見てきました。多くは失敗し、消えていきました。それぞれに問題含みの側面があったことも確かです。それでも類似の試みは数千年にわたって、多様な文化的背景のなかに息づいてきました。それをなかったことにするのは自分の首を絞める行為です。現状維持を望む人たちはなんとか忘れさせようとするでしょう。しかし希望の力を高めるためには、先人たちの時にささやかな、時にめざましい夢の軌跡を思い起こすことが必要です。歴史家のハワード・ジンはこう言います。

暗い時代に希望を持つのは、ただのロマンティックな空想ではない。人類の歴史が残酷さだけでなく、思いやりや自己犠牲や勇気や優しさに満ちているという事実に根ざした態度である。この複雑な歴史のどこに注目するかによって、私たちの人生は決定される。最悪の部分だけを見るならば、何をする力も失われるだろう。人々が偉大にふるまった時や場所を覚えているならば――それはいくらでもある――、行動するエネルギーが湧き、このめまぐるしく揺れ動く世界を別の方向に導く可能性が少なくとも得られるだろう。そして私たちが何らかの行動を起こすのならば、壮大なユートピアの未来を待つ必要はない。未来とは現在のかぎりない連続なのだ。私たちを取りまくあらゆる悪に逆らって、この現在を人間らしく生きることは、それ自体が大きな勝利である。[42]

別の世界を作りはじめる力は、私たち一人ひとりにあります。今すぐに、まずは自分の家族や近くの人から始めればいいのです。日々の生活に変化をもたらすために、できることはいくらでもあります。もしもあなたが恋人や配偶者と二人で暮らしているなら、おたがい友人と過ごす時間を増やしてみましょう。近所の人や同僚とシェアする独創的な方法を探し、横のつながりを育みましょう。昔の友達に連絡してみましょう。買い物のとき誰かとおしゃべりしましょう。空想に耽りましょう。

子どもがいるなら、祖父母や代父母、親戚、家族ぐるみの友人たちと一緒に過ごさせてあげましょう。他の親と育児の負担を分けあい、子育て仲間の居場所を作りましょう。今とは違う住まい方を試したり、ブッククラブなど学びのグループに参加してみましょう。もしも自由が効いて余裕があるなら、思いきった変化を起こしてみてください。不要品を交換できるフリーストアを立ち上げたり、リサイクルに付加価値をプラスするアップサイクリングの活動に参加したり、あるいは心機一転してインテンショナル・コミュニティやエコビレッジに住んでみる手もあります。人とつながる生活や働き方を試しましょう。苗字を使うのをやめてみましょう。今までの友人関係とはまったく違うタイプの人に会ってみましょう。他者と類縁関係を作りましょう。[43] 創造的に考えれば、父系制と父方居住の根強い影響に抵抗する創造的な方法はたくさんあります。歴史家のゲルダ・ラーナーは言います。

「家父長制は歴史的な構築物だ。始まりがあるのだから、終わりは来る」[44]

さらに急を要するのは、希望を抱くための筋肉を解きほぐしていくことかもしれません。望ましい未来を想像し、その具体的なゴールに到達するための道筋を戦略的に考えるのです。どんなに突飛な想像でもかまいません。ときには想像する行為自体が、想像を現実に近づけます。夢見る力を阻んでくる恐怖や不安に打ち勝ち、望ましい未来に飛び込んでいきましょう。希望を抱けば抱くほど、あなたの希望力は強くなり、さらには周囲の人の希望力を掻き立てることができます。ふんわりしたポジティブ思考の話ではありません。ちょうど記憶力を磨くように、未来を鮮明に「想起する」力を磨くのです。

後悔したくない、リスクが怖い、今よりもっと悪くなったらどうしようと不安を感じる人にとって、何より難しいのは希望に身をゆだねることです。オランダの歴史家ルトガー・ブレグマンは言います。「［ポジティブな未来を提唱すれば］嘲笑の嵐に見舞われ、世間知らずだ、バカだと言われ、論理にちょっと弱い点があれば全力で叩かれる。まあ普通に考えて、冷笑系になるほうが楽なのだ[*45]」。だからこそ、私たちは手を携えて希望を掲げなくてはいけません。日々みんなで声を上げていくのです。何をしたところで未来は変わらないという態度は、行動を起こす責任から都合よく逃げているだけです。イギリスの作家トマス・ハーディは1902年にこう書いています。「悲観主義（と一般に呼ばれるもの）は要するに、楽なゲームをすることだ。負ける心配はないし、うまくいけば得をする。失望を確実に避けられる唯一の人生観だ[*46]」

暗い未来のイメージは私たちの文化をすみずみまで満たし、別の可能性に対する不安と恐怖を増殖させようとしています。権力者は私たちの絶望から利益を得ているのです。逃げたい気持ちに抗うのは簡単ではありません。安全な家の中に引きこもり、ドアにしっかり鍵をかけて、SNSでセレブの暮らしをうらやんでいたほうが気は楽です。ディストピアSFは悲惨で苛酷な未来像をこれでもかと見せつけてきます。小説や映画では『ハンガー・ゲーム』や『ダイバージェント』『アグリーズ』、配信ドラマでも『ブラック・ミラー』や『イカゲーム』『ハンドメイズ・テイル』など挙げればきりがありません。たしかにディストピアの物語はエッジが効いていますし、苦悩はプロットに推進力を与えます。迫力あるアクションや暴力は見る人を引きつけ、興奮を掻き立てます。でもそうしたコンテンツが同時に、今ある社会への不満をそらす役割を果たしていることも忘れないでほしいのです。現状を変えたら今よりずっと悪くなるというメッセージを、それらの物語は内包しているからです。

社会を覆う冷笑と無力感を、私たちは断固拒まなくてはいけません。そこで『スタートレック』の話に戻ることにしましょう。

すべては可能

2017年、12年間の空白を経て、スタートレックに新たなテレビシリーズが加わりました。オリジナルシリーズの前日譚を描く『スタートレック：ディスカバリー』は新たな視聴者層を獲得し、ジーン・ロッデンベリーの創造した脱希少性の世界、半ば独立した文明同士が惑星連邦として平和を築いている未来世界を鮮やかによみがえらせました。[*47] 惑星連邦は宇宙調査・外交・防衛を担う宇宙艦隊を持ち、さまざまな星から来た各種族が規律正しく協力して任務に当たっています。[*48] 宇宙船ディスカバリーは宇宙艦隊のなかでも先端技術を備えた科学調査船で、23世紀半ばの宇宙で調査任務を進めていました。

第3シーズンの冒頭、ディスカバリーの乗組員たちは930年後の未来に飛ばされます。そこには惑星連邦の姿はありませんでした。かつて連邦で豊かに暮らしていた人々が、今は貧困と暴力に苦しみ、たがいに切り離され孤立しています。物資は欠乏し、緑色と青色の異星人が結成した犯罪組織エメラルド・チェーンがその流通を支配しています。ワームホール（時空の歪み）を通って紀元３１８９年に放りだされた乗組員たちが見たのは、希望の失われた世界でした。いつか惑星連邦が復活して宇宙に平和と繁栄をもたらしてくれると信じているのは、一握りの「信者」だけです。この第３シーズンから第４シーズンにかけて描かれるのは、深く傷つき分断された人々の疑念や敵意に直面しながら、ディスカバリーのキャプテンと乗組員たちが惑星連邦を再建しようと一歩一歩進んでいく姿です。

第４シーズンの第４話は「すべては可能」というタイトルで、シルビア・ティリー中尉が新たに再開された宇宙艦隊アカデミーを訪れます。惑星連邦のコヴィッチ博士はティリーに言います。「ディスカバリーがとつぜん現れたとき、誰も君たちを信用しなかった。なにせ９３０年も昔の船だ。だがそれだけじゃない……その振る舞いだよ。何だって可能だと信じている、そんな世界で育った様子。正直、しゃくに障った[*49]」

最初のシリーズである『宇宙大作戦』が放映されてから50年以上が経ちますが、『スタートレック：ディスカバリー』はジーン・ロッデンベリーの戦闘的オプティミズムを変わらず受け継ぎ、未来の人々がいかに希望を取り戻すかを描いています[*50]。宇宙船ディスカバリーと「何だって可能だと信じている」クルーの存在は、世界はまだ変えられるという思いを人々の心に呼び覚まします。過去を取り戻すことが別の未来の創造につながるのなら、いま私たちはかつてないほどに、過去のユートピア思想や実践の再発見を必要としているのではないでしょうか。そしてうまくいかなかった部分は捨て、うまくいった部分を救いだし、新たな形でよみがえらせるのです。

学校は子どもたちにディストピア小説ばかり読ませるかもしれません。メディアはひたすら陰鬱なアポカリプスを描きつづけるかもしれません。だからこそ、そんな流れに立ち向かうためにも、私たちは夢を見るべきです。

進歩は一直線には進みませんが、それでも社会は変化しています。かつては不可能とも思われた家族に関するユートピア的アイデアが——保育園、離婚の自由、同性婚の権利など——今ではかなり当たり前のものになりました。どんな変化もその原動力となるのは、別のやり方が可能だと信じる不屈の意志です。希望は筋肉と同じで、使うほどに強くなります。体や脳を鍛えるように、よりよい未来を想像する希望力を日々鍛えてみてはどうでしょう？

ただのふわりとした楽観論や、自己啓発的なポジティブ思考を勧めているのではありません。ハワード・ジンも言うように、私たちが過去について語るストーリーは、未来の可能性を左右します。未来を変えるために、異なるストーリーを語る必要があるのです。

ラディカルな希望は私たちの最大の武器です。今こそ、それを使っていきましょう。

謝辞

２０００年以上にわたるユートピアの歴史とその共鳴を見渡す本を書くのは、ただでさえ容易なことではありません。それが折しも新型コロナのパンデミックで、図書館や資料館は閉鎖され、旅行が難しくなり、多くのコミュニティは部外者の立ち入りを禁止していました。厳しい制約のなかで本書を書き上げることができたのは、調査を手伝ってくれた世界中の同僚や友人たちのおかげです。ユートピア社会主義やコミュニズム、アナキズムについてはこれまで20年以上教えてきましたが、本書はさらに自分のコンフォートゾーンから大きく踏みだし、私生活を再編するための多様なユートピア思想を幅広く掘り下げる内容となりました。あらゆるユートピアにいえることですが、まだ見たことのない世界を想像するためには、思いきった飛躍が必要です。異なる背景を持つ人々は、世俗的なものであれ宗教的なものであれ、さまざまに異なる源から強さとインスピレーションを引きだします。これはそうした試みです。本書中の記述に間違いや見落としがあればすべて私の責任ですが、しかし本書の執筆は数多くのすぐれた人々との共同作業でした。２０２０年4月から２０２２年8月にかけて、ときに対面で、ときに電話やZoomで、あるいはメールのやりとりを通じて時間と知識を分けあたえてくれた人々のおかげで完成したものです。

私がプラトンの『国家』と格闘しているあいだ、サラ・コンリー名誉教授は辛抱強くつきあってくれました。T・H・アーウィンから古代哲学を学んだサラの後押しがあってこそ、『国家』第5巻を深く掘り下げて理想社会の家族に関するプラトンのさまざまな提案を自分なりに読み解くことができました。ジョアン・ローロフス名誉教授からはシャルル・フーリエとオナイダ・コミュニティについての文章にフィードバックをいただき、バリー・ローガン教授からは第6章の霊長類学および進化生物学の内容にコメントをいただきました。核家族と進化人類学に関する議論はカレン・L・クレイマー教授との親密な「単婚的」Zoomの時間から生まれたものです。彼女の仕事と気前よく時間を割いてくれる姿勢には大いに鼓舞されました。家族の経済学や育児、キブツの歴史については元同僚のレイチェル・コネリー教授が貴重な洞察を与えてくれました。メイン州で長い散歩をしながら議論相手になってもらい、さらに子育ての章全体に詳細なフィードバックをいただきました。

ペンシルベニア大学博士課程の教え子であるエリシェヴァ・レヴィには、コムナルカのユートピア的な意味合いや「単婚のアーキテクチャを乗り越える」発想について教わりました。またキブツの最新の統計に関するヘブライ語の資料を調べるのに力を貸していただきました。ブルガリアのマリア・ストイルコヴァ博士は1980年代ブルガリアで実施されていた教育職業複合プログラムに関する知識と経験を惜しみなく共有してくれました。セルビアのラディナ・ヴチェティッチ教授は社会主義ユーゴスラヴィアのノヴィ・ベオグラードで育った体験を当事者目線で教えてくれました。イタリアのモデナではパオラ・リナルディ教授が哲学フェスティバルに迎えてくださり、教育の章を書くのに苦労している私の議論相手になってくれました。ツインオークス・コミュニティのクリステン・〝ケルピー〟・ヘンダーソンはメールでの面倒な質問にどこまでも丁寧につきあってくださり、共同体での暮らしと財産の共有について事細かに教えてくれました。

メル・フラッシュマンの大変な尽力がなければ、本書が日の目を見ることはなかったでしょう。著書を出すのはこれが12冊目ですが、文芸エージェントとの契約は初めてでした。パンデミックの大混乱のなか、メルは私をしっかりと守り、説得力あるプロポーザルが書けるよう根気強くサポートし、プロジェクトにふさわしい出版社との契約を助けてくれました。出版業界についての専門知識が圧倒的なだけでなく、さすが書き手の扱いに長けています。私がプロジェクトの巨大さに圧倒されて沈んでいるとき、メルはその高い要求水準を保ったまま、頼れる心の支えとなってくれました。いろいろと本当にありがとうございました。いつか直接お会いして、一緒に古着屋さんに行けることを心から願っています。

サイモン&シュスター社のメーガン・ホーガンによる編集ディレクションもすばらしい助けになりました。メーガンは私の理想の編集者で、つねに厳しい問いで私を引きとめ、学術的な知識を長々と語りすぎたときは思いきった削除も提案してくれました。各章を複数のバージョンで進めながら、ワードの文書に書き込まれたメーガンのコメントの吹き出しだけが何週間ものあいだ私と社会との唯一の接点だった日々もありました。多くの意味で本書はメーガンと私との対話であり、原初の草稿の塊をめぐる二つの知性の遭遇でした。研究者や活動家よりもはるかに広い読者を思い描くように促し、また現代のユートピア的な試みの例を含めようと彼女が提案してくれたおかげで、本書の内容はずっと豊かなものになりました。

著者と編集者はたいてい単婚的な関係ですが、メーガンは寛大にもオープンな関係性に同意してくれました。英国ボドリー・ヘッド社のウィル・ハモンドとコン・ブラウンが初期の草稿に的確なコメントをくれたおかげで、より国際的な読者層に伝わる内容になったと思います。とくにウィルは、第

6章のアウトラインを読んだあと、私自身の家族史を語るように背中を押してくれました。気持ちのいい話ではないですし、ずっと語るのを避けてきた内容なのですが、子どもも時代のトラウマを語ることが米国より難しい文化も多いなかで、こうした体験を読者にシェアすることがどれほど大きな意味を持つかをウィルは私に納得させてくれました。実際、この章を書いたおかげで、母との距離がぐっと縮まった気がします。今までこの過去について母と話す機会はほとんどなかったのですが、母は寛大にも話をすることに同意してくれました。辛い記憶を追体験することにもなったと思います。母の勇気にとても感謝しています。

もしも私が本書の生みの親であるとするなら、たくさんのアロペアレントが本書の子育てに関わってくれました。ペンシルベニア大学では、最高の同僚たち——ミッチェル・オレンスタイン、ケヴィン・M・F・プラット、ジュリア・ヴェルコランステフ、ブライアン・キム、マリア・アレイ、マリア・ブルラツカヤ、モリー・ピーニー、ミラ・ナジロヴァ、ほか講師陣やスタッフのみなさん——が、2020年秋から2022年春にかけて私が計3セメスターの休みをとっているあいだ、ロシア・東欧学部をしっかりとまとめてくれました。最終稿のプルーフリーティングをしてくれたヴィタ・ラスケヴィチュートに深く感謝します。また2022年夏、本書のコピーエディティングの段階で2か月滞在したドイツ・フライブルク大学高等研究所のみなさん、ベルント・コルトマン、ニック・ビンダー、サンドラ・ゲラー、マリナ・ジョーンズに心から感謝します。その知的風土と研究者仲間の連帯感のおかげで思考が豊かになり、またパンデミック発生以来初めて本物の社会生活を送ることができました。サイモン&シュスター社のエリザベス・ヴェネレとシャノン・ヘネシーも本書を世に送りだすために多くの時間とエネルギーを注いでくれました。そして一人で調査と執筆にとりくんだ長い日々、ジャン・ミッシェル・ジャールのアンビエント・ミュージックはいつも私の心をうまくユートピアの状態に保ってくれました。

親愛なる友人のアニー・フィンチは本書の導入部分の草稿に意見を寄せてくれましたし、ポープ・ブロックとサラ・ブラウンスタインは商業出版業界の歩き方について貴重なアドバイスを与えてくれました。原稿を書いているあいだ、対面およびZoomでペイジ・ハーリンガーと多くの会話を交わしたおかげで、正気を保って地に足をつけていられました。いつも新鮮な批判をくれるヘイデンとジョーは、目の前に迫る気候危機の重大さを折にふれて思いださせてくれました。そして私の元教え子であり研究仲間であるジュリア・ミードは見直しの最終段階で駆けつけて、私の時代遅れの表現や小難しい言いまわしを的確に指摘してくれました。残っている間違いや不格好な言葉遣いの責任はすべて私にありますが、ジュリアの貴重な力添えには本当に助けられました。

私が本書の調査に苦闘しているあいだ、日々ささやかな愛と優しさを与えてくれた娘にはいくら感謝してもしきれません。本書の内容が娘に淋しい思いをさせたりしないかと、書いていて心配になることもありました。自分の子どもが読むとわかっている本のなかで、家族の拡大主義を論じるのはかなり気が重いものです。すばらしい娘のことを私が心から愛し、一人の素敵な女性として尊敬していることがどうか伝わっていてほしいです。娘の父親である元夫はブルガリアにいて、別れてから18年近く親しい友人としてのつきあいが続いています。地理的に遠く離れてはいますが、いつも共同親として娘の人生に寄り添ってくれる彼に感謝します。ソフィアにいる彼の親やきょうだいは、彼の元妻である私を今でもクリスマスやイースターなどの食事に招いてくれます。娘を連れていないときでも温かく迎え入れて、居場所があると感じさせてくれるのです。かれらの変わらぬ優しさは、法律上や血縁上のつながりがどうであれ、私たちはみんな自分の親族を選ぶことができるのだという確信を与えてくれました。

単婚でない関係性を持とうという私の議論におそらく誰よりも居心地の悪さを感じ、初期の草稿に対してつねに容赦ない批判をくれたのは、私の15年来のパートナーです。結婚していませんし一般的な形で同居しているわけでもないのですが、私たちの関係性はつねに豊かな笑いと冒険に満ち、ドイツの国内政治の問題から真実とは何かというテーマまで知的な議論が果てることはありません。文法絶対主義者であり論理の堅牢性にどこまでもこだわる彼は、論理展開にわずかでも手抜きがあればすぐに察知し、議論の明確な前提と曇りのない文章表現を求めてきます。彼は原稿をほぼ一字一句読み、私の議論に磨きをかけるために順序立てた詳細なシノプシスを作ってくれました。事実関係を確認し、校正し、私が絶望しそうなときは励ましてくれました。この人ときたら、最初の子どもには妻の苗字を名乗らせて父系制の伝統に挑戦しましたし、私がフィールドワークのために長期間彼をおいてヨーロッパに滞在しても、一度も嫌な顔をしたことがありません。ワールドカップを観戦しているときも、ドイツのプライドイベントで半リットルのビールを飲んでいるときも、宇宙空母ギャラクティカや新スタートレックを一気見しているときも、子どもたちとカードゲームをしているときも、チャンティクリア庭園を静かに散歩しているときも、私たちのあいだにはアレクサンドラ・コロンタイも誇りに思うような「同志愛」がつねにあります。彼への感謝は尽きません。

母への感謝はすでに述べましたが、過去には色々あったにせよ、私が母を深く愛していることをわかってもらえたらと思います。母が父から受けていた数々の暴力や脅迫のことを知ったおかげで、子どもの頃には見えなかった状況が理解できました。あの状況を生き延び、多くの苦難にも負けずに私を育ててくれたことを誇りに思います。愛する祖母は本書の執筆中に亡くなりました。母の命を救い、つらい時期にそばにいてくれた祖母が天国で祝福されていることを祈ります。そして最後に、トムとベティ・オルソンの夫妻がいなければ、私がこの本を書くことはけっしてなかったでしょう。二人ともこの世を去りましたが、その光は今も私たちを照らしつづけています。

1987年のヴィム・ヴェンダース監督作品『ベルリン・天使の詩』は、分断されたベルリンの街に暮らす人々の思いや秘めた望みに二人の天使が耳を傾ける物語です。天使のひとりダニエルは人間の女性に恋をし、永遠の生命を放棄して人間の身になりたいと願います。俳優のピーター・フォークがナチスに関する映画の撮影で街を訪れ、そして彼もまたかつては天使だったけれど、今は人間として生きていることが明かされます。この映画の輝きは何十年経った今も私の心をつかんで離しません。もしもヴェンダース監督が想像したとおり、私たちの暮らす世界に元天使がまぎれているのだとしたら、トムとベティはまちがいなくそのうちの二人だったと確信しています。

訳者あとがき

本書は『あなたのセックスが楽しくないのは資本主義のせいかもしれない』に続く、クリステン・R・ゴドシーの2冊目の邦訳作品です。

前作では「社会主義国の女性が資本主義国よりも豊かな性生活を楽しんでいた」という刺激的なファクトを紹介し、寝室というきわめて親密な場所から新自由主義的資本主義の問題点を浮き彫りにしました。社会主義の政策を公平に再評価し、女性がもっと生きやすい社会を作ろうと呼びかける著者の声は、日本でも多くの読者の共感を呼びました。

本作は前作よりもぐっとスケールを広げ、プラトン以来2500年のユートピア思想史を振り返りながら、私たちの家族の形や家庭生活の営みを問い直す野心的な内容となっています。住まい、子育て、教育、物の所有、そして家族とは何かについて、現代の常識にとらわれない発想と豊富な実践例を紹介していきます。内容は多岐にわたりますが、著者の主な関心は前作と同じく、女性の立場の改善にあります。女性の経済的自立を阻むケア労働の重圧を取り除くためには、性別分業的な家族のあり方を変えなくてはいけません。そのための介入の切り口を、家族やコミュニティのユートピア的挑戦に見いだしていきます。

著者ゴドシーはペンシルベニア大学ロシア・東欧学の教授で、2022年からはチェア（学科長）を務めています。東欧の社会主義政権崩壊と資本主義への移行による経済的影響を、普通の人々の生活、とりわけ女性の暮らしに焦点を当てて研究してきました。その業績は高く評価され、2012年には卓越した学術能力や芸術的才能を持つ個人に贈られるグッゲンハイム・フェローを獲得。新聞や雑誌、ラジオなどのメディアにも精力的に寄稿・出演しています。ニューヨーク・タイムズ紙に寄せた記事を元にして書かれた前作『あなたのセックスが楽しくないのは資本主義のせいかもしれない』は15か国語に翻訳され、世界中で話題となりました。

著者が一貫して目を向けるのは私的な領域、言いかえれば公的領域から排除されてきた部分です。家事育児など親密な領域でおこなわれる行為は、いわゆる大文字の政治や仕事の世界に比べると些細な問題に見えるかもしれません。しかしそうした私的領域の軽視こそ、「再生産」を生産から切り離して核家族の内側に閉じ込め、無償ケア労働を女性に強いてきた家父長制的資本制の策略であることを忘れるわけにはいきません。著者が言うように「政治的なことは個人的なこと」、私たちの日々の生活こそが政治の目的であり実践であるべきです。それなのに、身体や生殖、家事や人間関係に関することは、あたかも重要度が低いかのように扱われます。

その構造を覆し、家事や育児を核家族の内部に隠そうとする線引きを攪乱できれば、私たちの世界は一変するはずです。「日常生活の変革」こそが社会を変えるのに不可欠な要素だと著者は言います。長年繰り返されてきた「家庭生活の習慣的なリズム」が崩れるとき、今とは違う世界の可能性が見えてきます。現状に甘んじなくていいのだ、別のものを欲してもいいのだと多くの人が気づけば、それは変革のうねりになります。現実の暮らしがどんどん変わっていけば、政治家もそれを無視するわけにはいかないでしょう。また家族やコミュニティは、新しい世代が生まれ育つ場所でもあります。未来の人間を育てるという「ラディカルな行為」を通じて、家庭やコミュニティは変革の可能性を秘めた人々を社会に送りだすことができるのです。だからこそ、保守的な政治家は「伝統的家族」を意地でも守ろうとし、それを少しでも変えるようなアイデアを全力で潰しにかかるのでしょう。

アメリカで「伝統的家族」といえば異性愛夫婦と子どもからなる核家族を指しますが、日本で「伝統的家族」というときには、異性愛核家族に祖父母を加えた3世代同居の意味合いが含まれることがあります。いずれにせよ、そうした伝統とは作られた伝統であり、近代になって形成された「近代家族」を指すと考えて差し支えないと思います。社会学者によると、日本で明治民法によって成立した「家」と第二次大戦後の家族はどちらも近代国民国家に広く見られる近代家族に相当し、家父長制は戦前も戦後もその性格を大きく変えることなく持続しています（たとえば上野千鶴子『近代家族の成立と終焉 新版』〔岩波書店、2020年〕を参照）。

ここで少し注意しておきたいのは、本書の後半で論じられる「家族拡大」論が、日本でいう伝統的大家族への回帰を意味しないことです。3世代同居はたしかに一種のアロペアレンティングとして機能する可能性はあります。しかし親世代との同居が「伝統的家族」として押しつけられるとき、そこには老親介護を家庭内ケア労働に引っくるめて、女性に無償でやらせておこうという政治的意図があります。これでは核家族よりもさらに女性の負担が重くなるだけです。介護保険制度がじわじわと追い詰められている現在、介護の負担を女性に押しつけようとする動きには充分な警戒が必要です。

だからこそ、血縁からなる拡大家族ではなく、家族の定義を拡大する家族拡大が必要なのです。多様な家族の形はすでに現実となってきています。アメリカでは同性婚の権利が全国的に保障されましたし、第7章で触れているように、州によっては3人親家族も正式に認められました。またコミュニティのレベルで核家族の壁をゆるめ、さまざまな形の共同生活や共同育児を試みる例が本書では多数紹介されています。日本でも若い人を中心にシェアハウスやソーシャルアパートメントといった暮らし方が身近になり、高齢者向けシェアハウスも登場してきました（第2章で論じられるコリビングのモデルに近いでしょう）。性愛を抜きにして友人同士で家族を作るのも素敵ですし、単婚に縛られないポリアモリーの家族も今後はもっと増えてくるかもしれません。

同性婚も夫婦別姓も未だ認められない保守的な日本で暮らしていると、あまりに遠い話に思える部分もあると思います。しかし遠いことは不可能を意味しません。たとえば日本で普及しているような保育園も、かつては手の届かない理想論でした。しかしユートピア思想家たちはそれを果敢に想像し、自分たちにできる形で実践していきました。どうせ手が届かないと諦めるのではなく、遠くても実現に向けて歩みだすことの大切さを、本書は説得力をもって教えてくれます。具体的な想像はそのための重要な一歩です。

ユートピアという言葉には夢物語のようなイメージがあるかもしれませんが、本書が取り上げるのはけっして甘い楽観論ではありません。むしろ絶望的な状況のなかで要請され、閉塞を突き破る力となるのがユートピア思想であり実践です。描いた理想は今すぐには実現しないとしても、確実に社会の可能性を広げてくれます。地平線の少し向こうにユートピアが存在しているからこそ、私たちは前に進めるのでしょう。理想を描く人をお花畑と笑っていては、現状の檻から抜けだせません。絶望の可能性に満ちた場所においてこそ、自分たちだけでなく未来の世代のために、私たちには希望を選びとる責任があるのだと思います。

本書の翻訳作業もまた、絶望になんとか抗う実践でした。正直な話をすると、本書は自分には難しいのではないかと感じ、最初は引き受けるかどうか少し迷ったのです。実際、著者の知識の広さ深さについていくのはかなり大変でした。それでも訳したいと思ったのは第6章を読んだとき、あまりに見覚えのある風景に出会ってしまったからです。ありふれた核家族の壁の内側で、日々繰り返される暴力。幼い頃のおぼろげな記憶のなかで、私の祖母もまた、全力でわめきながら駆けつけてくれたことがありました。その場面が何を意味するのか、なぜ印象に残っているのか、本書を読んでようやく腑に落ちた気がします。

子どもは親を選べません。いわゆる「親ガチャ」で外れを引いた子どもたちは、社会経済的にも心身の健康面でも、きわめて不利な立場でその後の長い人生をサバイブしなければなりません。そんな不公平な世界で子どもを作る行為自体を疑問視したくなることもあります。

しかし、もしも親ガチャというゲーム自体を無効化できたなら、状況は違ったものになり得ます。子どもを父親や母親の私的所有物ではなく、「社会の公共財」と位置づける。子育てを核家族の要塞に閉じ込めず、なるべく多くの大人で少しずつ分担する。塾や私立校に課金しなくても、誰もが良い教育を受けられるようにする。そうしてすべての子どもにできる限り公平な機会を提供できれば、親ガチャはもはや人生を左右する要素ではなくなるのではないでしょうか。本書はそのための具体的で多様なビジョンを見せてくれます。個々の実践にはもちろん欠点もありますが、一部の人を犠牲にしつづける現在のやり方がそれ以上にうまく機能しているわけではありません。別の選択肢から学べることは大いにあるはずです。

冷笑が蔓延し、諦めが常態化した世の中にあって、本書はそれでも希望のほうへと我々を導いてくれる頼もしいガイドです。一人でも多くの人が本書を手に取り、ユートピアの実現に向けて共に一歩踏みだしてくれることを願っています。

もっと知りたい人のための読書案内

本文中で取りあげた具体的な文献については、原註のページを参照してください。ここではユートピアに関する膨大な文献のなかでも、とくに日々の暮らしの領域を扱っている一般書やフィクションをほんの一部ですがご紹介したいと思います。掲載順は著者名のアルファベット順です。けっして網羅的なリストではありませんが、ここを出発点に読者が数多くの魅力的なテキストに出会い、しなやかな希望の力を養ってくれることを願います。

第1章　未踏の知に向けて勇敢に踏みだす

●Bastani, Aaron. *Fully Automated Luxury Communism: A Manifesto.* New York: Verso Books, 2019.〔アーロン・バスターニ著、橋本智弘訳『ラグジュアリーコミュニズム』堀之内出版、２０２１年〕

●Beik, Doris, and Paul Beik. *Flora Tristan: Utopian Feminist, Her Travel Diaries and Personal Crusade.* Bloomington: Indiana University Press, 1993.

●Bogdanov, Alexander. *Red Star: The First Bolshevik Utopia.* Bloomington: Indiana University Press, 1984.

●Bregman, Rutger. *Utopia for Realists: How We Can Build the Ideal World.* New York: Back Bay Books, 2016.〔ルトガー・ブレグマン著、野中香方子訳『隷属なき道：ＡＩとの競争に勝つベーシックインカムと一日三時間労働』文藝春秋、２０１７年〕

●Callenbach, Ernest. *Ecotopia: The Notebooks and Reports of William Weston.* Berkeley: Banyan Tree Books, 2014.

●Campanella, Tommaso. *The City of the Sun.* Project Gutenberg, https://www.gutenberg.org/ebooks/2816.〔カンパネッラ著、近藤恒一訳『太陽の都』岩波書店、１９９２年〕

●Claeys, Gregory. *Searching for Utopia: The History of an Idea.* London: Thames & Hudson, 2011.〔グレゴリー・クレイズ著、巽孝之

監訳、小畑拓也訳『ユートピアの歴史』東洋書林、２０１３年〕

- Claeys, Gregory, and Lyman Tower Sargent. *The Utopia Reader*, 2nd ed. New York: New York University Press, 2017.
- Diamandis, Peter H., and Steven Kotler. *Abundance: The Future Is Better Than You Think*. New York: Free Press, 2012.〔ピーター・H・ディアマンディス、スティーヴン・コトラー著、熊谷玲美訳『楽観主義者の未来予測：テクノロジーの爆発的進化が世界を豊かにする』早川書房、２０１４年〕
- Dijkstra, Sandra. *Flora Tristan: Feminism in the Age of George Sand*. New York: Verso Books, 2019.
- Graeber, David, and David Wengrow. *The Dawn of Everything: A New History of Humanity*. New York: Farrar, Straus and Giroux, 2021.〔デヴィッド・グレーバー、デヴィッド・ウェングロウ著、酒井隆史訳『万物の黎明 人類史を根本からくつがえす』光文社、２０２３年〕
- Green, Toby. *Thomas More's Magician: A Novel Account of Utopia in Mexico*. London: Weidenfeld & Nicolson, 2004.
- Kahneman, Daniel. *Thinking Fast and Slow*. New York: Farrar, Straus and Giroux, 2013.〔ダニエル・カーネマン著、村井章子訳『ファスト&スロー：あなたの意思はどのように決まるか？』早川書房、２０１４年〕
- Le Guin, Ursula K. *The Dispossessed: A Novel*. New York: Harper Perennial Modern Classics, 2014.〔アーシュラ・K・ル・グィン著、佐藤高子訳『所有せざる人々』早川書房、１９８６年〕
- Lepore, Jill. *The Secret History of Wonder Woman*. London: Vintage, 2015.〔ジル・ルポール著、鷺谷花訳『ワンダーウーマンの秘密の歴史』青土社、２０１９年〕
- Lerner, Gerda. *The Creation of Patriarchy*. Oxford: Oxford University Press, 1997.
- Levitas, Ruth. *The Concept of Utopia*. Syracuse, NY: Syracuse University Press, 1990.
- Mannheim, Karl. *Ideology and Utopia: An Introduction to the Sociology of Knowledge*. Mansfield Center, CT: Martino, 2015.〔マンハイム著、鈴木二郎訳『イデオロギーとユートピア』未來社、１９６８年〕
- Manuel, Frank E., and Fritzie P. Manuel. *Utopian Thought in the Western World*. Cambridge, MA: Belknap Press, 1979.〔フランク・E・マニュエル、フリッツィ・P・マニュエル著、門間都喜郎訳『西欧世界におけるユートピア思想』晃洋書房、２０１８年〕
- Monti, James. *The King's Good Servant but God's First: The Life and Writings of Saint Thomas More*. San Francisco: Ignatius Press, 1997.
- More, Thomas. *Utopia*. Project Gutenberg, https://www.gutenberg.org/ebooks/2130.〔トマス・モア著、平井正穂訳『ユートピア』岩波書店、１９５７年〕
- Morris, William. *News from Nowhere; Or, An Epoch of Rest*. Project Gutenberg, https://www.gutenberg.org/ebooks/3261.
- Piercy, Marge. *Woman on the Edge of Time: A Novel*. New York: Ballantine Books, 1997.〔マージ・ピアシー著、近藤和子訳『時を飛翔する女』學藝書林、１９９７年〕
- Piketty, Thomas. *A Brief History of Equality*. Cambridge, MA:

Belknap Press, 2022.

———. *Capital and Ideology*. Cambridge, MA: Belknap Press, 2020.〔トマ・ピケティ著、山形浩生、森本正史訳『資本とイデオロギー』みすず書房、２０２３年〕

———. *Capital in the Twenty-First Century*. Cambridge, MA: Belknap Press, 2014.〔トマ・ピケティ著、山形浩生、守岡桜、森本正史訳『21世紀の資本』みすず書房、２０１４年〕

- Plato. *The Republic*. Project Gutenberg, https://www.gutenberg.org/ebooks/1497.〔プラトン著、藤沢令夫訳『国家』岩波書店、１９７９年〕
- Shaer, Roland, Gregory Claeys, and Lyman Tower Sargent, eds. *Utopia: The Search for the Ideal Society in the Western World*. New York: Oxford University Press and the New York Public Library, 2000.
- Sunstein, Cass. *The World According to Star Wars*. New York: Dey Street Books, 2019.〔キャス・R・サンスティーン著、山形浩生訳『スター・ウォーズによると世界は』早川書房、２０１７年〕
- WaiHong, Choo. *The Kingdom of Women: Life, Love and Death in China's Hidden Mountains*. London: Tauris Parke, 2020.
- Zamalin, Alex. *Black Utopia: The History of an Idea from Black Nationalism to Afrofuturism*. New York: Columbia University Press, 2019.
- Zamyatin, Yevgeny. *We*. New York: Penguin Books, 1993.〔エヴゲーニイ・ザミャーチン著、小笠原豊樹訳『われら』集英社、２０１８年〕
- Zhong, Yushan. *Balancing Men and Women's Power and Status: Parental Roles and Children's Socialization in Mosuo Matrilineal Families*. Berlin: VDM Verlag Dr. Müller, 2011.

第２章　家庭とは壁のあるところ？

- Alekseyeva, Anna. *Everyday Soviet Utopias: Planning, Design, and the Aesthetics of Developed Socialism*. New York, Routledge, 2020.
- Beecher, Jonathan. *The Utopian Vision of Charles Fourier*. Columbia, MO: University of Missouri Press, 1983.
- Bradley, Keith. *Discovering the Roman Family: Studies in Roman Social History*. Oxford, UK: Oxford University Press, 1991.
- Clark, James. *The Dissolution of the Monasteries: A New History*. New Haven, CT: Yale University Press, 2021.
- Cleaver, Naomi, and Amy Frearson. *All Together Now: The Co-Living and Co-Working Revolution*. London: RIBA, 2021.
- Dixon, Suzanne. *The Roman Family*. Baltimore: Johns Hopkins University Press, 1992.
- Dove, Caroline. *Radical Housing: Designing Multi-Generational and Co-Living Housing for All*. London: RIBA, 2020.
- Doyle, Michael. *The Ministers' War: John W. Mears, the Oneida Community, and the Crusade for Public Morality*. Syracuse, NY: Syracuse University Press, 2018.
- Durrett, Charles, and Kathryn McCamant. *Creating Cohousing: Building Sustainable Communities*. Gabriola Island, BC: New Society Publishers, 2011.

- Fourier, Charles. *Fourier: The Theory of the Four Movements*, ed. Gareth Stedman Jones and Ian Patterson. Cambridge, UK: Cambridge University Press, 2008.〔シャルル・フーリエ著、巖谷國士訳『四運動の理論』現代思潮新社、２００２年〕
- Hillis, Faith. *Utopia's Discontents: Russian Émigrés and the Quest for Freedom*, 1830s–1930s. London and New York: Oxford University Press, 2021.
- Hodder, Ian, and Christina Tsoraki, eds. *Communities at Work: The Making of Çatalhöyük*. Ankara, Turkey: British Institute of Archaeology at Ankara, 2022.
- Hodder, Ian. *Çatalhöyük Excavations: The 2009–2017 Seasons* (Çatalhöyük Research Project Series). Ankara, Turkey: British Institute of Archaeology at Ankara, 2022.
- Kern, Leslie. *The Feminist City: Claiming Space in a Man-Made World*. New York: Verso Books, 2020.〔レスリー・カーン著、東辻賢治郎訳『フェミニスト・シティ』晶文社、２０２２年〕
- Klaw, Spencer. *Without Sin: The Life and Death of the Oneida Community*. London: Viking Adult, 1993.
- Lions-Patacchini, Christian. *Jean-Baptiste André Godin et le familistère de Guise: Ethique et pratique*. Aix-en-Provence, France: PU Aix-Marseille, 2012.
- McCamant, Kathryn, and Charles Durrett. *Cohousing: A Contemporary Approach to Housing Ourselves*. Berkeley: Ten Speed Press, 1994.〔コウハウジング研究会、チャールズ・デュレ、キャサリン・マッカマン著『コウハウジング：欲しかったこんな暮らし！　子育て、安心、支え合う仲間たち…アメリカの新しい住まいづくり』風土社、２０００年〕
- Noyes, Pierrepont B. *My Father's House: An Oneida Boyhood*. New York: Farrar & Rinehart, 1937, https://archive.org/details/myfathershouse0000unse.
- Owen, Robert. *A New View of Society: And Other Writings*. Lagos, Nigeria: Origami Books, 2019.
- Peters, Greg. *The Story of Monasticism: Retrieving an Ancient Tradition for Contemporary Spirituality*. Ada, MI: Baker Academic, 2015.
- Rubin, Eli. *Amnesiopolis: Modernity, Space, and Memory in East Germany*. London and New York: Oxford University Press, 2016.
- Simons, Walter. *Cities of Ladies: Beguine Communities in the Medieval Low Countries*. Philadelphia: University of Pennsylvania Press, 2003.
- Stanek, Lukasz. *Architecture in Global Socialism: Eastern Europe, West Africa, and the Middle East in the Cold War*. Princeton, NJ: Princeton University Press, 2020.
- Stierli, Martino. *Toward a Concrete Utopia: Architecture in Yugoslavia, 1948–1980*. New York: Museum of Modern Art, 2018.
- Swan, Laura. *The Wisdom of the Beguines: The Forgotten Story of a Medieval Women's Movement*. Katonah, NY: BlueBridge, 2016.
- Wayland-Smith, Ellen. *Oneida: From Free Love Utopia to the Well-Set Table*. New York: Picador, 2016.
- Wonderley, Anthony. *Oneida Utopia: A Community Searching for Human Happiness and Prosperity*. Ithaca, NY: Cornell University Press, 2017.

第3章　子どもは社会の公共財

●Abramitzsky, Ran. *The Mystery of the Kibbutz: Egalitarian Principles in a Capitalist World*. Princeton, NJ: Princeton University Press, 2018.

●Calhoun, Ada. *Why We Can't Sleep: Women's New Midlife Crisis*. New York: Grove Press, 2020.

●Caroli, Dorena. *Day Nurseries & Childcare in Europe, 1800–1939*. London: Palgrave Macmillan, 2016.

●Clements, Barbara Evans. *Bolshevik Feminist: The Life of Aleksandra Kollontai*. Bloomington: Indiana University Press, 1979.

●Crittendon, Anne. *The Price of Motherhood: Why the Most Important Job in the World Is Still the Least Valued*. New York: Picador, 2010.

●Douglas, Susan. *The Mommy Myth: The Idealization of Motherhood and How It Has Undermined All Women*. New York: Free Press, 2005.

●Engels, Friedrich. *The Conditions of the Working-Class in England*. Project Gutenberg, https://www.gutenberg.org/ebooks/17306.〔エンゲルス著、一條和生、杉山忠平訳『イギリスにおける労働者階級の状態：19世紀のロンドンとマンチェスター』岩波書店、１９９０年〕

●Engels, Friedrich, and Karl Marx. *The Communist Manifesto*. Project Gutenberg, https://www.gutenberg.org/ebooks/61.〔マルクス、エンゲルス著、大内兵衛、向坂逸郎 訳『共産党宣言』岩波書店、１９５１年〕

●Farnsworth, Beatrice. *Aleksandra Kollontai: Socialism, Feminism and the Bolshevik Revolution*. Palo Alto, CA: Stanford University Press, 1980.

●Heilbroner, Robert L. *The Worldly Philosophers: The Lives, Times and Ideas of The Great Economic Thinkers*. New York: Touchstone, 1999.〔ロバート・L・ハイルブローナー著、八木甫ほか訳『入門経済思想史　世俗の思想家たち』筑摩書房、２００１年〕

●Hooks, Bell. *Feminist Theory: From Margin to Center*. New York: Routledge, 2014.〔ベル・フックス著、野崎佐和、毛塚翠訳『ベル・フックスの「フェミニズム理論」：周辺から中心へ』あけび書房、２０１７年〕

●Kirschenbaum, Lisa. *Smal Comrades: Revolutionizing Childhood in Soviet Russia, 1917–1932*. New York: Routledge, 2000.

●Klaw, Spencer. *Without Sin: The Life and Death of the Oneida Community*. New York: Viking Adult, 1993.

●McClellan, Josie. *Love in the Time of Communism: Intimacy and Sexuality in the GDR*. Cambridge, UK: Cambridge University Press, 2011.

●Michel, Sonya. *Children's Interests/Mothers' Rights: The Shaping of America's Child Care Policy*. New Haven, CT: Yale University Press, 1999.

●Noyes, Pierrepont. *My Father's House: An Oneida Boyhood*. New York: Rinehart, 1937, and Archive.org, https://archive.org/details/myfathershouse0000unse.

●Porter, Cathy. *Alexandra Kollontai: A Biography*. Chicago: Haymarket Books, 2014.

●Qualls, Karl D. *Stalin's Niños: Educating Spanish Civil War Refugee*

Children in the Soviet Union: 1937–1951. Toronto: University of Toronto Press, 2020.
- Robertson, Constance Noyes. *Oneida Community: An Autobiography*. Syracuse, NY: Syracuse University Press, 1970.
- Valenti, Jessica. *Why Have Kids? A New Mom Explores the Truth About Parenting and Happiness*. New York: New Harvest, 2012.
- Warner, Judith. *Perfect Madness: Motherhood in the Age of Anxiety*. New York: Riverhead, 2006.
- Wonderley, Anthony. *Oneida Utopia: A Community Searching for Human Happiness and Prosperity*. Ithaca, NY: Cornell University Press, 2017.

第4章　学校は何を教えるのか

- Bjerk, Paul. *Building a Peaceful Nation: Julius Nyerere and the Establishment of Sovereignty in Tanzania, 1960–1964*. Rochester, NY: University of Rochester Press, 2015.

———. *Julius Nyerere*. Athens: Ohio University Press, 2017.
- Bowles, Samuel, and Herbert Gintis. *Schooling in Capitalist America: Educational Reform and the Contradictions of Economic Life*. Chicago: Haymarket Books, 2011.〔S・ボウルズ、H・ギンタス著、宇沢弘文訳『アメリカ資本主義と学校教育：教育改革と経済制度の矛盾』岩波書店、２００８年〕
- Cengage Learning Gale. *A Study Guide for A Study Guide to Kurt Vonnegut's Harrison Bergeron*. Detroit: Gale Study Guides, 2017.
- Fitzpatrick, Sheila. *The Commisariat of Enlightenment: Soviet Organization of Education and the Arts under Lunacharsky*. Cambridge, UK: Cambridge University Press, 1970.
- Freire, Paolo. *Pedagogy of the Oppressed*. New York: Penguin, 2017.〔パウロ・フレイレ著、三砂ちづる訳『被抑圧者の教育学』亜紀書房、２０１８年〕
- Lave, Jean, and Etienne Wegner. *Situated Learning: Legitimate Peripheral Participation*. Cambridge, UK: Cambridge University Press, 1991.
- Makarenko, Anton. *Makarenko, His Life and Work: Articles, Talks and Reminiscences*. Honolulu: University Press of the Pacific, 2004.
- McNeal, Robert H. *Bride of the Revolution: Krupskaya and Lenin*. Ann Arbor: University of Michigan Press, 1972.
- Mill, John Stuart. *Autobiography*. Project Gutenberg, https://www.gutenberg.org/ebooks/10378.〔ジョン・スチュアート・ミル著、村井章子訳『ミル自伝』みすず書房、２００８年〕

———. *Principles of Political Economy*. Project Gutenberg, https://www.gutenberg.org/ebooks/30107.〔ジョン・スチュアート・ミル著、末永茂喜訳『経済学原理』岩波書店、１９５９年〕
- Nyerere, Julius K. *Freedom and Socialism / Uhuru Na Ujamaa: A Selection from Writings and Speeches, 1965–1967*. Oxford, UK: Oxford University Press, 1968.

———. *Ujamaa: Essays on Socialism*. Oxford, UK: Oxford University Press, 1971.
- Pratt, Cranford. *The Critical Phase in Tanzania: Nyerere and the Emergence of a Socialist Strategy*. Cambridge, UK: Cambridge

University Press, 2009.

- Vonnegut, Kurt. *Welcome to the Monkey House*. New York: Dial Press, 1998.〔カート・ヴォネガット・ジュニア著、伊藤典夫ほか訳『モンキー・ハウスへようこそ』早川書房、１９８９年〕
- Willis, Paul. *Learning to Labor: How Working Class Kids Get Working Class* Jobs. New York: Columbia University Press, 1981.

第５章　所有のない世界を想像する

- Bakunin, Mikhail. *God and the State*. Project Gutenberg, https://www.gutenberg.org /ebooks/36568.
- Barber, Malcom. *The Cathars*. New York: Routledge, 2013.
- Birnbaum, Juliana, and Louis Fox. *Sustainable Revolution: Permaculture in Ecovillages, Urban Farms, and Communities Worldwide*. Berkeley: North Atlantic Books, 2014.
- Brockett, L. P. *The Bogomils of Bulgaria and Bosnia: Or, The Early Protestants of the East—an Attempt to Restore Some Lost Leaves of Protestant History*. Philadelphia: American Baptist Publications Society, 2017.
- Coston, Michael. *The Cathars and the Albigensian Crusade*. Manchester, UK: Manchester University Press, 1997.
- Engels, Friedrich. *The Origin of the Family, Private Property, and the State*. Project Gutenberg, https://www.gutenberg.org/ebooks/33111.〔エンゲルス著、土屋保男訳『家族・私有財産・国家の起源』新日本出版社、１９９９年〕
- ———. *Socialism, Utopian and Scientific*. Project Gutenberg, https://www.gutenberg.org/ebooks/39257.〔エンゲルス著、大内兵衛訳『空想より科学へ：社会主義の発展』岩波書店、１９６６年〕
- Ginsburg, Christian D. *The Essenes: Their History and Doctrines*. New Orleans: Cornerstone, 2018.
- Godwin, William. *An Enquiry Concerning Political Justice*. Oxford, UK: Oxford University Press, 2013.〔ウィリアム・ゴドウィン著、白井厚訳『政治的正義（財産論）』陽樹社、１９７３年〕
- Gritch, Eric. *Thomas Müntzer: A Tragedy of Errors*. Minneapolis: Augsburg Fortress, 2000.
- Kinkade, Kathleen. *A Walden Two Experiment: The First Five Years of Twin Oaks Community*. New York: William Morrow, 1974.〔キャスリーン・キンケイド著、金原義明訳『ツイン・オークス・コミュニティー建設記』明鏡舎、２００２年〕
- Kropotkin, Peter. *The Conquest of Bread*, edited with an introduction by Paul Avrich. New York: New York University Press, 1972.
- ———. *The Conquest of Bread*. Project Gutenberg, https://www.gutenberg.org/ebooks /23428.〔クロポトキン著、幸徳秋水訳『麵麭（パン）の略取』岩波書店、１９６０年〕
- ———. *Mutual Aid: A Factor of Evolution*. Project Gutenberg, https://www .gutenberg.org/ebooks/4341.〔ピーター・クロポトキン著、小田透訳『相互扶助論：進化の一要因』論創社、２０２４年〕
- Litfin, Karen T. *Ecovillages: Lessons for Sustainable Community*.

Indianapolis: Polity, 2013.
- Morris, Brian. *Kropotkin: The Politics of Community*. Oakland: PM Press, 2018.
- Odell, Jenny. *How to Do Nothing: Resisting the Attention Economy*. New York: Melville House, 2019.〔ジェニー・オデル著、竹内要江訳『何もしない』早川書房、２０２３年〕
- O'Shea, Stephen. *The Perfect Heresy: The Revolutionary Life and Death of the Medieval Cathars*. London: Walker Books, 2000.
- Proudhon, Pierre-Joseph. *System of Economical Contradictions; Or, The Philosophy of Misery* (1846). Project Gutenberg, https://www.gutenberg.org/ebooks/444.〔ピエール＝ジョゼフ・プルードン著、斉藤悦則訳『貧困の哲学』平凡社、２０１４年〕
  ———. *What Is Property? An Inquiry into the Principle of Right and of Government* (1840). Project Gutenberg, https://www.gutenberg.org/ebooks/360.〔ピエール＝ジョゼフ・プルードン著、伊多波宗周訳『所有とは何か』講談社、２０２４年〕
- Skinner, B. F. *Walden Two*. Indianapolis: Hackett, 2005.〔B・F・スキナー著、宇津木保、うつきただし訳『ウォールデン・ツー：森の生活：心理学的ユートピア』誠信書房、１９８３年〕
- Stein, Stephen J. *The Shaker Experience in America: A History of the United Society of Believers*. New Haven, CT: Yale University Press, 1994.
- Stober, Clare. *Another Life Is Possible: Insights from 100 Years of Life Together*. Walden, NY: Plough, 2000.
- Sumption, Jonathan. *The Albigensian Crusade*. London: Faber & Faber, 2000.
- Varzonovtseva, Milena. *The Secret Books of the Bogomils*. Saarbrücken, Germany: VDM Verlag, 2008.
- Wilson, Laura. *Hutterites of Montana*. New Haven, CT: Yale University Press, 2000.

第６章　君をボス猿に喩えようか

- Bancroft, Lundy. *Why Does He Do That?: Inside the Minds of Angry and Controlling Men*. New York: Berkley Books, 2003.〔ランディ・バンクロフト著、高橋睦子、中島幸子、山口のり子訳『DV・虐待加害者の実体を知る：あなた自身の人生を取り戻すためのガイド』明石書店、２００８年〕
- Bancroft, Lundy, and Jay G. Silverman. *The Batterer as Parent: Addressing the Impact of Domestic Violence on Family Dynamics*. Thousand Oaks, CA: Sage, 2002.〔ランディ・バンクロフト、ジェイ・G・シルバーマン著、幾島幸子訳『DVにさらされる子どもたち：親としての加害者が家族機能に及ぼす影響』金剛出版、２０２２年〕
- Chapais, Bernard. *Primeval Kinship: How Pair-Bonding Gave Birth to Human Society*. Cambridge, MA: Harvard University Press, 2010.
- Dixon, Patricia. *We Want for Our Sisters What We Want for Ourselves: African American Women Who Practice Polygyny/Polygamy by Consent*. Winter Park, FL: Nuvo Development, 2021.
- Givens, Terry L. *People of Paradox: A History of Mormon Culture*.

Oxford, UK: Oxford University Press, 2007.

- Hrdy, Sarah Blaffer. *Mother and Others: The Evolutionary Origins of Mutual Understanding.* Cambridge, MA: Belknap Press, 2009.

  ———. *The Woman That Never Evolved.* Cambridge, MA: Harvard University Press, 1999.〔サラ・ブラッファー・フルディ著、寺田和夫解説、加藤泰建、松本亮三訳『女性は進化しなかったか』思索社、１９８２年〕

- Kauth, Michael R. *The Evolution of Human Pair-Bonding, Friendship, and Sexual Attraction.* London: Routledge, 2020.
- Koenig, Walter D., and Janis L. Dickinson, eds. *Cooperative Breeding in Vertebrates: Studies of Ecology, Evolution, and Behavior.* Cambridge, UK: Cambridge University Press, 2018.
- Ryan, Christopher, and Cacilda Jetha. *Sex at Dawn: How We Mate, Why We Stray, and What It Means for Modern Relationships.* New York: Harper Perennial, 2011.〔クリストファー・ライアン、カシルダ・ジェタ著、山本規雄訳『性の進化論：女性のオルガスムは、なぜ霊長類にだけ発達したか？』作品社、２０１４年〕
- Smith, George. Nauvoo Polygamy: "*. . . But We Called It Celestial Marriage.*" Salt Lake City: Signature Books, 2011.
- Snyder, Rachel Louise. *No Visible Bruises: What We Don't Know About Domestic Violence Can Kill Us.* London: Bloomsbury, 2019.〔レイチェル・ルイーズ・スナイダー著、庭田よう子訳『目に見えない傷：ドメスティック・バイオレンスを知り、解決するために』みすず書房、２０２０年〕
- Weir, Alison. *The Six Wives of Henry VIII.* New York: Grove, 1992.

第７章　幸せな家庭はどれも似ていなくていい

- Bebel, August. *Aus meinem Lebem—Erster Teil* (1910). Project Gutenberg, https:// www.gutenberg.org/ebooks/12267.〔アウグスト・ベーベル著、波多野鼎訳『ベーベル自叙伝』大鐙閣、１９２１年〕

  ———. *Charles Fourier: Sein Leben und Seine Theorien* (1890). Project Gutenberg, https://www.gutenberg.org/ebooks/19596.

  ———. *Woman and Socialism* (1879). Project Gutenberg, https:// www.gutenberg .org/ebooks/47244.〔ベーベル著、草間平作訳『婦人論』岩波書店、１９２８年〕

- Brenner, Johanna. *Women and the Politics of Class.* New York: Monthly Review Press, 2000.
- Bucur, Maria. *The Century of Women: How Women Have Transformed the World Since 1900.* Baltimore: Rowman & Littlefield, 2018.
- Cerankowski, Karli June, and Megan Milks, eds. *Asexualities.* London: Routledge, 2016.
- Conly, Sarah. *One Child: Do We Have a Right to More?* New York: Oxford University Press, 2015.
- Cooper, Melinda. *Family Values: Between Neoliberalism and the New Social Conservatism.* Princeton, NJ: Zone Books, 2017.
- Fern, Jessica. *Polysecure: Attachment, Trauma and Consensual Nonmonogamy.* Portland: Thorntree Press, 2020.
- Firestone, Shulamith. *The Dialectic of Sex: The Case for Feminist Revolution.* New York: Farrar, Straus and Giroux, 2003.〔Ｓ・フ

アイアストーン著、林弘子訳『性の弁証法：女性解放革命の場合』評論社、１９７２年〕

- Foster, Lawrence. *Religion and Sexuality: The Shakers, the Mormons, and the Oneida Community*. Champaign: University of Illinois Press, 1984.
- Goldman, Emma. *Anarchism and Other Essays* (1910). Project Gutenberg, https:// www.gutenberg.org/ebooks/2162.
- Goldman, Emma. *Marriage and Love* (1911). Project Gutenberg, https://www .gutenberg.org/files/20715/20715-h/20715-h.htm.〔エマ・ゴールドマン著、伊藤野枝 訳『結婚と恋愛』（「定本伊藤野枝全集　第四巻　翻訳」所収）學藝書林、２０００年。https://www.aozora.gr.jp/cards/001251/files/46559_35766.html〕
- Haraway, Donna. *Staying with the Trouble: Making Kin in the Chthulucene*. Durham, NC: Duke University Press, 2016.
- Holmstrom, Nancy, ed. *The Socialist Feminist Project: A Contemporary Reader in Theory and Politics*. New York: Monthly Review Press, 2002.
- Jenkins, Ian. *Three Dads and a Baby: Adventures in Modern Parenting*. Jersey City, NJ: Cleis Press, 2021.
- Kollontai, Alexandra. *Selected Writings*. New York: W. W. Norton, 1980.
- Lewis, Sophie. *Full Surrogacy Now: Feminism Against Family*. London: Verso Books, 2021.
- Moses, Claire G. *French Feminism in the 19th Century*. Albany: State University of New York Press, 1985.
- Perel, Esther. *Mating in Captivity: Reconciling the Erotic and the Domestic*. New York: Harper, 2006.〔エステル・ペレル著、高月園子 訳『セックスレスは罪ですか？』ランダムハウス講談社、２００８年〕
- Pilbeam, Pamela M. *Saint-Simonians in Nineteenth-Century France: From Free Love to Algeria*. London: Palgrave Macmillan, 2014.
- Powell, Anton, ed. *A Companion to Sparta*. Hoboken, NJ: Wiley-Blackwell, 2017.
- TallBear, Kim. "Identity Is a Poor Substitute for Relating: Genetic Ancestry, Critical Polyamory, Property, and Relations." *Critical Indigenous Studies Handbook*. London, Routledge, 2020, 467–78.
- Yalom, Marilyn. *A History of the Wife*. New York: Harper Perennial, 2002.〔マリリン・ヤーロム著、林ゆう子 訳『〈妻〉の歴史』慶應義塾大学出版会、２００６年〕

第８章　スタートレックの未来へ

- Bellamy, Edward. *Looking Backward*. Mineola, NY: Dover, 1996.〔ベラミー著、山本政喜 訳『顧りみれば』岩波書店、１９５３年〕
- Bergman, Carla, and Nick Montgomery. *Joyful Militancy: Building Thriving Resistance in Toxic Times*. Chicago: AK Press, 2017.
- Bloch, Ernst. *The Principle of Hope, Vol. 1*. Cambridge, MA: MIT Press, 1995.〔エルンスト・ブロッホ著、山下肇、瀬戸鞏吉、片岡啓治、沼崎雅行、石丸昭二、保坂一夫 訳『希望の原理』（全６巻）白水社、２０１２年〕

———. *The Principle of Hope*, Vol. 2. Cambridge, MA: MIT Press, 1995.

———. *The Principle of Hope*, Vol. 3. Cambridge, MA: MIT Press, 1995.

———. *The Spirit of Utopia*. Palo Alto, CA: Stanford University Press, 2000.〔エルンスト・ブロッホ著、好村冨士彦訳『ユートピアの精神』白水社、２０１１年〕

●Bregman, Rutger. *Humankind: A Hopeful History*. New York: Little Brown, 2019.〔ルトガー・ブレグマン著、野中香方子訳『Humankind 希望の歴史：人類が善き未来をつくるための18章』文藝春秋、２０２１年〕

●Buck, Holly Jean. *After Geoengineering: Climate Tragedy, Repair, and Restoration*. London and New York: Verso Books, 2019.

●Butler, Samuel. *Erewhon*. New York: Penguin Classics, 1985.〔サミュエル・バトラー著、武藤浩史訳『エレホン』新潮社、２０２０年〕

●Claeys, Gregory. *Dystopia: A Natural History*. Oxford, UK: Oxford University Press, 2017.

●Cooper, Davina. *Everyday Utopias: The Conceptual Life of Promising Spaces*. Durham, NC: Duke University Press, 2014.

●Gilman, Charlotte Perkins. *Herland*. Mineola, NY: Dover, 1998.〔シャーロット・P・ギルマン著、三輪妙子訳『フェミニジア：女だけのユートピア』現代書館、１９８４年〕

●Gross, Edward, and Mark A. Altman. The Fifty-Year Mission: The First 25 Years. New York: St. Martin's Press, 2016.

●Huxley, Aldous. *Brave New World*. New York: Harper Perennial, 1998.〔オルダス・ハクスリー著、黒原敏行訳『すばらしい新世界』光文社、２０１３年〕

———. *Island: A Novel*. New York: Harper Perennial, 2009.〔オルダス・ハクスレー著、片桐ユズル訳『島』人文書院、１９８０年〕

●Li, Ju Chen. *Flowers in the Mirror*, trans. Lin Tai-Yi. New York: Ishi Press, 2015.

●Lowry, Lois. *The Giver*. New York: Clarion Books, 1993.〔ロイス・ローリー著、島津やよい訳『ギヴァー：記憶を注ぐ者』新評論、２０１０年〕

●Montgomery, Nick, and Carla Bergman. *Joyful Militancy: Building Thriving Resistance in Toxic Times*. Oakland, CA: AK Press, 2017.

●Morris, William. *News from Nowhere*. Mineola, NY: Dover, 2004.〔ウィリアム・モリス著、川端康雄訳『ユートピアだより』岩波書店、２０１３年〕

●Oettingen, Gabrielle. *Rethinking Positive Thinking: Inside the New Science of Motivation*. New York: Current, 2014.〔ガブリエル・エッティンゲン著、大田直子訳『成功するにはポジティブ思考を捨てなさい：願望を実行計画に変えるＷＯＯＰの法則』講談社、２０１５年〕

●Orwell, George. *1984*. London: Signet Classic, 1961.〔ジョージ・オーウェル著、田内志文訳『１９８４』ＫＡＤＯＫＡＷＡ、２０２１年〕

●Richards, Thomas. *The Meaning of Star Trek*. New York: Doubleday, 1997.

●Saadia, Manu. *Trekonomics: The Economics of Star Trek*. San

Francisco: Pipertext, 2016.

- Snyder, C. R. *Psychology of Hope: You Can Get Here from There*. New York: Free Press, 2003.
- Solnit, Rebecca. *Hope in the Dark: Untold Histories, Wild Possibilities*. Chicago: Haymarket Books, 2016.〔レベッカ・ソルニット著、井上利男、東辻賢治郎 訳『暗闇のなかの希望：語られない歴史、手つかずの可能性』筑摩書房、2023年〕
- Soper, Kate. *Post-Growth Living: For an Alternative Hedonism*. New York: Verso Books, 2020.
- Weeks, Kathi. *The Problem with Work: Feminism, Marxism, Antiwork Politics, and Postwork Imaginaries*. Durham, NC: Duke University Press, 2011.
- Wells, H. G. *A Modern Utopia*. Project Gutenberg, https://www.gutenberg.org/ebooks/6424.

———. *Men Like Gods*. Mineola, NY: Dover, 2016.〔H・G・ウエルズ著、水嶋正路 訳『神々のような人びと』サンリオ、1981年〕

———. *The First Men in the Moon*. Project Gutenberg, https://www.gutenberg.org/ebooks/1013.〔H・G・ウエルズ著、白木茂 訳『月世界最初の人間』早川書房、1962年〕

オ・グラムシ 著、上杉聡彦 訳『愛と思想と人間と：獄中からの手紙』合同出版社、1962年〕

39 Ryan Grim, "The Elephant in the Zoom," *The Intercept*. June 14, 2022, https://www.youtube.com/watch?v=n1xp50ZM_wk.

40 Kathi Weeks, *The Problem with Work: Feminism, Marxism, Antiwork Politics, and Postwork Imaginaries* (Durham, NC: Duke University Press, 2011).

41 Holly Jean Buck, *After Geoengineering: Climate Tragedy, Repair, and Restoration* (London and New York: Verso Books, 2019).

42 Howard Zinn, "The Optimism of Uncertainty," *The Nation*, 2004, https://www.thenation.com/article/archive/optimism-uncertainty/.

43 ダナ・ハラウェイは血縁を超えた「類縁関係」を作ろうと提唱している。以下を参照。Donna Haraway, "Anthropocene, Capitalocene, Plantationocene, Chthulucene: Making Kin," *Environmental Humanities* 6 (2015): 159–65.

44 Gerda Lerner, *The Creation of Patriarchy*. New York: Oxford University Press, 1986: 228.

45 Rutger Bregman, *Humankind: A Hopeful History*. New York: Little Brown, 2019.〔ルトガー・ブレグマン 著、野中香方子 訳『Humankind 希望の歴史：人類が善き未来をつくるための 18 章』文藝春秋、2021 年〕

46 Thomas Hardy, January 1, 1902, quoted in Florence Emily Hardy, *The Life of Thomas Hardy* (Stansted: Wordsworth Editions, 2007), 319.

47 "United Federation of Planets," Memory Alpha, https://memory-alpha.fandom.com/wiki/United_Federation_of_Planets.

48 "Starfleet," Memory Alpha, https://memory-alpha.fandom.com/wiki/Starfleet.

49 "All Is Possible (Episode)," Memory Alpha, https://memory-alpha.fandom.com/wiki/All_Is_Possible_(episode).

50 Thomas Richards, *The Meaning of Star Trek* (New York: Doubleday, 1997).

23 George Orwell, *1984* (New York: Plume, 1983), 183.〔ジョージ・オーウェル 著、田内志文 訳『1984』KADOKAWA、2021 年、p.102〕

24 Orwell, *1984*, 183.〔オーウェル『1984』、p.102〕

25 Orwell, *1984*, 276.〔オーウェル『1984』、p.411〕

26 Ben Blatt, "Why Do So Many Schools Try to Ban *The Giver*?" *Slate*, August 14, 2014, https://slate.com/culture/2014/08/the-giver-banned-why-do-so-many-parents-try-to-remove-lois-lowrys-book-from-schools.html.

27 "Top 100 Chapter Book Poll Results," *School Library Journal*, July 7, 2012, https://web.archive.org/web/20120713031015/http://blog.schoollibraryjournal.com/afuse8production/2012/07/07/top-100-chapter-book-poll-results/.

28 Sheila O'Malley, "The Giver," Roger Ebert, August 15, 2014, https://www.rogerebert.com/reviews/the-giver-2014.

29 Mark Fisher, *Capitalist Realism: Is There No Alternative?* (Chicago: Zero Books, 2009), 33.〔マーク・フィッシャー 著、セバスチャン・ブロイ、河南瑠莉 訳『資本主義リアリズム：「この道しかない」のか？』堀之内出版、2018 年、pp.88,89〕

30 Mitchell Kalpakgian, "The Ideological Attack on the Family in Orwell's 1984 and Huxley's Brave New World," *Faith & Reason: The Journal of Christendom College* 26, no. 4 (Winter 2001): https://media.christendom.edu/wp-content/uploads/2016/09/Mitchell-Kalpakgian-An-Ideologial-Attack-on-the-Family.pdf.

31 Jeane J. Kirkpatrick, "Dictatorships & Double Standards," *The Commentary*, November 1979, https://www.commentary.org/articles/jeane-kirkpatrick/dictatorships-double-standards/.

32 Kirkpatrick, "Dictatorships & Double Standards."

33 Thomas Hobbes, *Leviathan*, Project Gutenberg, https://www.gutenberg.org/ebooks/3207.〔ホッブズ 著、角田安正 訳『リヴァイアサン』光文社、2014 年〕

34 Richard Allen Chapman, "Leviathan Writ Small: Thomas Hobbes on the Family," *The American Political Science Review* 69, no. 1 (1975): 76–90, https://doi.org/10.2307/1957886.

35 Slavoj Žižek, *The Year of Dreaming Dangerously* (New York: Verson Books, 2012); "Expanding the Floor of the Cage: Noam Chomsky Interviewed by David Barsamian," *Z Magazine*, April 1997, https://chomsky.info/199704__/.

36 Graeber and Wengrow, *The Dawn of Everything*, 502.

37 Chloe Meley, "Should You Join a Commune in 2021? TikTok Says Yes!" *i-D Vice*, January 28, 2021, https://i-d.vice.com/en_uk/article/v7mqm9/should-you-join-a-commune-in-2021-tiktok-says-yes.

38 Antonio Gramsci, *Prison Notebooks* (New York: Columbia University Press, 2011).〔アントニ

York: Farrar, Straus and Giroux, 2021), 9.〔デヴィッド・グレーバー、デヴィッド・ウェングロウ 著、酒井隆史 訳『万物の黎明：人類史を根本からくつがえす』光文社、2023年、p10〕

7 "Our Mission," Institute for Family Studies, https://ifstudies.org/about/our-mission.

8 "Our Mission," Institute for Family Studies.

9 Davina Cooper, *Everyday Utopias: The Conceptual Life of Promising Spaces* (Durham, NC: Duke University Press, 2014), 34.

10 Eduardo Galeano, "Window on Utopia," in Eduardo Galeano, *Walking Words*, trans. M. Fried (New York: W. W. Norton, 1997), 326.

11 C. R. Snyder, "Hope Theory: Rainbows in the Mind," *Psychological Inquiry* 13, no. 4 (2002): 249–75.

12 M. Rahimipour, N. Shahgholian, and M. Yazdani, "Effect of Hope Therapy on Depression, Anxiety, and Stress Among the Patients Undergoing Hemodialysis," *Iranian Journal of Nursing and Midwifery Research* 20, no. 6 (November– December 2015): 694–99.

13 C. Gawrilow, K. Morgenroth, R. Schultz, G. Oettingen, and P. M. Gollwitzer, "Mental Contrasting with Implementation Intentions Enhances Self-Regulation of Goal Pursuit in Schoolchildren at Risk for ADHD," *Motivation and Emotion* 37, no. 1 (March 2012): 134–45.

14 Cooper, *Everyday Utopias*, 31.

15 See for instance: Robert McCrum, "The 100 Best Novels: No. 56 — Brave New World by Aldous Huxley (1932)," *The Guardian*, October 13, 2014, https://www.theguardian.com/books/2014/oct/13/100-best-novels-brave-new-world-aldous-huxley; "100 Best Novels," Modern Library, https://www.modern library.com/top-100/100-best-novels/.

16 "A Teacher's Guide to Brave New World," http://files.harpercollins.com/Harper Academic/BraveNewWorld_TeachingGuide_final.pdf (see page 3).

17 Alana Domingo, "How to Teach Brave New World," Prestwick House, https://www.prestwickhouse.com/blog/post/2019/06/how-to-teach-brave-new-world.

18 Aldous Huxley, *Brave New World* (New York: Harper Perennial Classics, 1998), 117.〔オルダス・ハクスリー 著、黒原敏行 訳『すばらしい新世界』光文社、2013年、p.157〕

19 Huxley, *Brave New World*, 12–13.〔ハクスリー『すばらしい新世界』、p.21〕

20 Huxley, *Brave New World*, 166.〔ハクスリー『すばらしい新世界』、p.217〕

21 Huxley, *Brave New World*, 200.〔ハクスリー『すばらしい新世界』、p.317〕

22 Dorian Lynskey, "Nothing but the Truth: The Legacy of George Orwell's Nineteen Eighty-Four," *The Guardian*, May 19, 2019, https://www.theguardian.com/books/2019/may/19/legacy-george-orwell-nineteen-eighty-four.

52 Faith Karimi, "Three Dads, a Baby and the Legal Battle to Get Their Names Added to a Birth Certificate," *CNN*, March 6, 2021, https://www.cnn.com/2021/03/06/us/throuple-three-dads-and-baby-trnd/index.html.

53 Cutas, "On Triparenting."

54 Gavin Nobes and Georgia Panagiotaki, "The Cinderella Effect: Are Stepfathers Dangerous?" *The Conversation*, September 24, 2018, https://theconversation.com/the-cinderella-effect-are-stepfathers-dangerous-103707.

55 Kalle Grill, "How Many Parents Should There Be in a Family?" *Journal of Applied Philosophy* 37, no. 3 (July 2020): 467–84.

56 Kalle Grill, "How Many Parents Should There Be in a Family?"

57 Anca Gheaus, "More Co-Parents, Fewer Children: Multiparenting and Sustainable Population," *Essays in Philosophy* 20, no. 1 (January 2019): 1–21: 13.

58 David Autor, David Dorn, and Gordon Hanson, "When Work Disappears: Manufacturing Decline and the Falling Marriage Market Value of Young Men," *American Economic Review: Insights* 1, no. 2 (September 2019): 161–78.

59 "Healthy Marriage and Relationship Education for Adults," Office of Family Assistance, US Department of Health and Human Services, https://www.acf.hhs.gov/ofa/programs/healthy-marriage-responsible-fatherhood/healthy-marriage.

60 Gheaus, "More Co-Parents, Fewer Children."

第８章　スタートレックの未来へ

1 Chris Klimek, "'Star Trek' at 50: How the Sci-Fi TV Show Changed Every-thing, *Rolling Stone*, September 8, 2016, https://www.rollingstone.com/tv/tv-news/star-trek-at-50-how-the-sci-fi-tv-show-changed-everything-104127/.

2 Sarah Pruitt, "8 Ways the Original 'Star Trek' Made History," *History*, September 8, 2016, updated November 2, 2021, https://www.history.com/news/8-ways-the-original-star-trek-made-history.

3 Michael McCarrick, "How Long It Would Take to Watch All of Star Trek (Yes, ALL of It)," *CBR*, January 21, 2021, https://www.cbr.com/star-trek-every-tv-episode-movie/.

4 The FedCon website: https://www.fedcon.de/en/.

5 Duncan Barrett, "We Lived Long and Prospered! How Star Trek Saved Fans' Lives," *The Guardian*, November 13, 2019, https://www.theguardian.com/tv-and-radio/2019/nov/13/how-star-trek-saved-fans-lives.

6 David Graeber and David Wengrow, *The Dawn of Everything: A New History of Humanity* (New

38 "Report to Congress on the 'Federal Employees Family Friendly Leave Act' (Public Law 103-388)," Office of Personnel Management, June 1997, https://www.opm.gov/policy-data-oversight/pay-leave/reference-materials/reports/federal-employees-family-friendly-leave-act/.

39 "Families First Coronavirus Response Act: Employee Paid Leave Rights," US Department of Labor, https://www.dol.gov/agencies/whd/pandemic/ffcra-employee-paid-leave; "Families First Coronavirus Response Act: Questions and Answers, 63 — When Am I Eligible for Paid Sick Leave to Care For Someone Who Is Subject to a Quarantine or Isolation Order?" US Department of Labor, https://www.dol.gov/agencies/whd/pandemic/ffcra-questions/#63.

40 Ciara Muldowney, "UK: Caregivers Will Be Entitled to One Week of Unpaid Leave," SHRM, October 29, 2021, https://www.shrm.org/resourcesandtools/hr-topics/global-hr/pages/uk-caregivers-one-week-unpaid-leave.aspx.

41 "Healing of Love," Tamera, https://www.tamera.org/healing-of-love/.

42 "The Ethics of Free Love," Tamera, https://www.tamera.org/the-ethics-of-free-love/.

43 D. Waters, "Taking a Godson," *Journals of the Royal Asiatic Society Hong Kong Branch* 33 (1993): 215–16.

44 "Adopting Stepchildren," Family Lives, https://www.familylives.org.uk/advice/your-family/stepfamilies/stepfamilies-legal-information/adopting-stepchildren/.

45 Jessica Hamzelou, "Exclusive: World's First Baby Born with New '3 Parent' Technique," *New Scientist*, September 27, 2016, https://www.newscientist.com/article/2107219-exclusive-worlds-first-baby-born-with-new-3-parent-technique/.

46 Rob Stein, "Clinic Claims Success in Making Babies with 3 Parents' DNA," *National Public Radio*, June 6, 2018, https://www.npr.org/sections/health-shots/2018/06/06/615909572/inside-the-ukrainian-clinic-making-3-parent-babies-for-women-who-are-infertile.

47 "About Us," Modamily, https://www.modamily.com/about-us.

48 Daniela Cutas, "On Triparenting. Is Having Three Committed Parents Better Than Having Only Two?" *Journal of Medical Ethics* 37, no. 12 (August 2011): 735–38.

49 Angela Chen, "The Rise of the Three-Parent Family," *The Atlantic*, September 2020, https://www.theatlantic.com/family/archive/2020/09/how-build-three-parent-family-david-jay/616421/.

50 "Relative or Stepchild Adoption," NI Direct, https://www.nidirect.gov.uk/articles/relative-or-stepchild-adoption.

51 Julia Marsh, "Historic Ruling Grants 'Tri-Custody' to Trio Who Had Threesome," *New York Post*, March 10, 2017, https://nypost.com/2017/03/10/historic-ruling-grants-custody-to-dad-and-mom-and-mom/.

21 August Bebel, *Woman Under Socialism*, Project Gutenberg, https://www.gutenberg.org/ebooks/30646.〔ベーベル 著、草間平作 訳『婦人論』岩波書店、1928 年〕
22 Bebel, *Woman Under Socialism*.
23 Samuel Clowes Huneke, "Gay Liberation Behind the Iron Curtain," *Boston Review*, April 18, 2019, https://bostonreview.net/articles/gay-liberation-behind-iron-curtain/.
24 Daniel De Leon, "Translator's Preface," in Bebel, *Women Under Socialism*, vi.
25 Alexandra Kollontai, "The Social Basis of the Women's Question" (1909), in Estelle B. Friedman, *The Essential Feminist Reader* (New York: Modern Library, 2007), 178.
26 Wendy Goldman, *Women, the State and Revolution: Soviet Family Policy and Social Life, 1917–1936* (Cambridge, UK: Cambridge University Press, 1993).
27 As quoted in Goldman, *Women, the State and Revolution*, 187.
28 Alexandra Kollontai, "Theses on Communist Morality in the Sphere of Marital Relations" (1921), in Alexandra Kollontai, *Selected Writings* (London: Allison & Busby, 1977).
29 Isabel de Palencia, *Alexandra Kollontay: Ambassadress from Russia* (London: Longmans, Green, 1947), 138.
30 Sheila Fitzpatrick, "Sex and Revolution: An Examination of Literary and Statistical Data on the Mores of Soviet Students in the 1920s," *Journal of Modern History* 50, no. 2 (June 1978): 252–78.
31 Raphael Rashid, "Happy Alone: The Young South Koreans Embracing Single Life," *The Guardian*, February 5, 2022, https://www.theguardian.com/world/2022/feb/05/happy-alone-the-young-south-koreans-embracing-single-life.
32 Motoko Rich, "Craving Freedom, Japan's Women Opt Out of Marriage," *New York Times*, August 3, 2019, https://www.nytimes.com/2019/08/03/world/asia/japan-single-women-marriage.html.
33 Maria Bucur, *The Century of Women: How Women Have Transformed the World Since 1900* (Baltimore: Rowman & Littlefield, 2018).
34 たとえば以下を参照。Esther Perel, *Mating in Captivity: Reconciling the Erotic and the Domestic* (New York: Harper, 2006).〔エステル・ペレル 著、高月園子 訳『セックスレスは罪ですか？』ランダムハウス講談社、2008 年〕
35 TallBear, "Making Love and Relations," 163.
36 Danielle Braff, "From Best Friends to Platonic Spouses," *New York Times*, May 1, 2021, https://www.nytimes.com/2021/05/01/fashion/weddings/from-best-friends-to-platonic-spouses.html.
37 Quoted in Braff, "From Best Friends to Platonic Spouses."

York: Oxford University Press, 2007), 21–34; Jordan Reece Tayeh, "Blood, Lead, and Tears: The Cult of Cybele as a Means of Addressing Ancient Roman Issues of Fertility," Decentes, August 28, 2020, https://web.sas.upenn.edu/discentes/2020/08/28/blood-lead-and-tears-the-cult-of-cybele-as-a-means-of-addressing-ancient-roman-issues-of-fertility/.

7 George Tanabe Jr. *Religions of Japan in Practice* (Princeton, NJ: Princeton University Press, 1999).

8 1 Corinthians 7: 28 (New International Version).〔コリントの信徒への手紙一 7 章 28、共同訳聖書実行委員会『新約聖書：新共同訳』日本聖書協会、1987、1988 年〕

9 1 Corinthians 7: 32–35 (New International Version).〔コリントの信徒への手紙一 7 章 32-35、共同訳聖書実行委員会『新約聖書：新共同訳』日本聖書協会、1987、1988 年〕

10 1 Corinthians 7: 8–9 (New International Version).〔コリントの信徒への手紙一 7 章 8-9、共同訳聖書実行委員会『新約聖書：新共同訳』日本聖書協会、1987、1988 年〕

11 Thomas More, *Utopia* (1516) Project Gutenberg, https://www.gutenberg.org/ebooks/2130.〔トマス・モア 著、平井正穂 訳『ユートピア』岩波書店、1957 年〕

12 More, *Utopia.*

13 William Godwin, *Enquiry Concerning Political Justice* (1793), Online Library of Liberty, https://oll.libertyfund.org/title/godwin-an-enquiry-concerning-political-justice-vol-i.〔ウィリアム・ゴドウィン 著、白井厚 訳『政治的正義（財産論）』陽樹社、1973 年〕

14 Clare Goldberg Moses, "Equality and Difference in Historical Perspective: A Comparative Examination of the Feminisms of the French Revolutionaries and the Utopian Socialists," in *Rebel Daughters: Women and the French Revolution*, ed. Sara Melzer and Leslie Rabine (New York: Oxford University Press, 1992), 231–53.

15 Moses, "Equality and Difference in Historical Perspective."

16 Karl Marx and Friedrich Engels, *The Communist Manifesto*, Project Gutenberg, https://www.gutenberg.org/ebooks/61.〔マルクス、エンゲルス 著、大内兵衛、向坂逸郎 訳『共産党宣言』岩波書店、1951 年、p.70〕

17 Vladimir Lenin, "August Bebel," in *Lenin Collected Works: Volume 19* (Moscow: Progress Publishers, 1977), 295–301.

18 Jürgen Schmidt, *August Bebel: Social Democracy and the Founding of the Labour Movement* (London: I. B. Tauris, 2020).

19 August Bebel, *My Life* (Chicago: University of Chicago Press, 1973), 258–59; full PDF available at: Libcom.org: https://libcom.org/article/my-life.〔アウグスト・ベーベル 著、波多野鼎 訳『ベーベル自叙伝』大鐙閣、1921 年〕

20 Bebel, *My Life*, 258–59.

Philosophical Transactions of the Royal Society B Biological Sciences 367, no. 1589 (March 2012): 657–69: 658.

56 Henrich, Boyd, and Richerson, "The Puzzle of Monogamous Marriage," 660.

57 Amanda Marcotte, "The Real Crime Wave That Fox News Is Ignoring: Domestic Violence Has Increased Drastically," *Salon*, December 23, 2021, https://www.salon.com/2021/12/23/the-real-wave-that-fox-news-is-ignoring-domestic-violence-has-increased-drastically/.

58 William J. Cromie, "Marriage Lowers Testosterone," *Harvard Gazette*, August 22, 2002, https://news.harvard.edu/gazette/story/2002/08/marriage-lowers-testosterone/.

59 Rick Sarre, Andrew Day, Ben Livings, and Catia Malvaso, "Men Are More Likely to Commit Violent Crimes: Why Is This So and How Do We Change It?" *The Conversation*, March 25, 2021, https://theconversation.com/men-are-more-likely-to-commit-violent-crimes-why-is-this-so-and-how-do-we-change-it-157331.

60 Richard Wilkinson and Kate Pickett, *The Spirit Level: Why Greater Equality Makes Society Stronger*, (New York: Bloomsbury Press, Kindle Edition, 2010), 205.

61 Pablo Fajnzylber, Daniel Lederman, and Norman Loayza. "Inequality and Violent Crime." *The Journal of Law and Economics* 45, no. 1 (2002): 1–39.

62 https://www.economist.com/graphic-detail/2018/06/07/the-stark-relationship-between-income-inequality-and-crime.

63 B. De Courson and D. Nettle, "Why Do Inequality and Deprivation Produce High Crime and Low Trust?" *Sci Rep* 11 (2021), 1937.

64 Kristen Ghodsee and Mitchell A. Orenstein, *Taking Stock of Shock: Social Consequences of the 1989 Revolutions* (London and New York: Oxford University Press, 2021).

65 United Nations, "Global Study on Homicide: 2019 Edition," https://www.unodc.org/unodc/en/data-and-analysis/global-study-on-homicide.html.

66 Rebecca Traister, *All the Single Ladies* (New York: Simon & Schuster, 2016).

第7章　幸せな家庭はどれも似ていなくていい

1 Plato, *Republic*, Book V, 457d.〔プラトン『国家』上巻 p. 341〕

2 Plato, *Republic*, Book V, 460e.〔プラトン『国家』上巻 p. 349〕

3 Plato, *Republic*, Book V, 461c.〔プラトン『国家』上巻 p. 350〕

4 Cited in Ellen G. Millender, "Spartan Women," in *A Companion to Sparta*, ed. Anton Powell (Hoboken, NJ: Wiley-Blackwell, 2017).

5 Cited in Millender, "Spartan Women."

6 Willi Braun, "Celibacy in the Greco-Roman World," in *Celibacy and Religious Traditions* (New

38 Kevin MacDonald, "The Establishment and Maintenance of Socially Imposed Monogamy in Western Europe," *Politics and the Life Sciences* 14, no. 1 (February 1995): 3–23.

39 Walter Scheidel, "Monogamy and Polygyny in Greece, Rome, and World History," Princeton/Stanford Working Papers in Classics, Version 1.0, June 2008, https://www.princeton.edu/~pswpc/pdfs/scheidel/060807.pdf.

40 MacDonald, "The Establishment and Maintenance of Socially Imposed Monogamy."

41 Laura Fortunato and M. Archetti, "Evolution of Monogamous Marriage by Maximization of Inclusive Fitness," *Journal of Evolutionary Biology* 23, no. 1 (January 2010): 149–56.

42 Laura Betzig, "Medieval Monogamy," *Journal of Family History* 20, no. 2 (June 1995): 181–216.

43 William Graham Cole, *Sex in Christianity and Psychoanalysis* (New York: Routledge, 2015).

44 George P. Murdock and Douglas R. White, "Standard Cross-Cultural Sample," *Ethnology* 8, no. 4 (October 1969): 329–69.

45 Graeber and Wengrow, *The Dawn of Everything*, 107.

46 Kim TallBear, "Making Love and Relations Beyond Settler Sex and Family," in Adele Clark and Donna J. Harraway, *Making Kin Not Population: Reconceiving Generations* (Chicago: Prickly Paradigm Press, 2018), 145–209: 147–48.

47 *Reynolds v. United States*, 98 U.S. 145, October 1878, https://www.law.cornell.edu/supremecourt/text/98/145.

48 *Reynolds v. United States.*

49 Richard S. Van Wagoner, *Mormon Polygamy: A History*, 2nd ed. (Salt Lake City: Signature Books, 1989); Richard A. Vazquez, "The Practice of Polygamy: Legitimate Free Exercise of Religion or Legitimate Public Menace? Revis-iting Reynolds in Light of Modern Constitutional Jurisprudence." *New York University Journal of Legislation and Public Policy.* Vol. 5, no. 1: 2001.

50 "1885 Grover Cleveland — Defense of Traditional Marriage," State of the Union History, http://www.stateoftheunionhistory.com/2015/07/1885-grover-cleveland-defense-of.html.

51 "1885 Grover Cleveland—Defense of Traditional Marriage."

52 *Late Corporation of the Church of Jesus Christ of Latter-Day Saints et al. v. United States. Romney et al. v. Same*, 136 U.S. 1, May 19, 1890, https://www.law.cornell.edu/supremecourt/text/136/1.

53 Christine Hauser, "Utah Lowers Penalty for Polygamy, No Longer a Felony," *New York Times*, May 13, 2020, https://www.nytimes.com/2020/05/13/us/utah-bigamy-law.html.

54 Rose McDermott and Jonathan Cowden, "Polygyny and Violence Against Women," *Emory Law Journal* 64, no. 6 (2015): 1767–1814: 1781.

55 Joseph Henrich, Robert Boyd, and Peter J. Richerson, "The Puzzle of Monogamous Marriage,"

24 Opie et al., "Reply to Lukas and Clutton-Brock."

25 Karen L. Kramer and A. F. Russell, "Was Monogamy a Key Step on the Hominin Road? Reevaluation of the Monogamy Hypothesis in the Evolution of Cooperative Breeding," *Evolutionary Anthropology* 24, no. 2 (March–April 2015): 73–83; Ryan Schacht and Karen L. Kramer, "Are We Monogamous? A Review of the Evolution of Pair-Bonding in Humans and Its Contemporary Variation Cross-Culturally," *Frontiers in Ecology and Evolution* 7, no. 230 (July 2019): 1–10.

26 Karen Kramer and Andrew Russell, "Was Monogamy a Key Step on the Hominin Road? Reevaluating the Monogamy Hypothesis in the Evolution of Cooperative Breeding," *Evolutionary Anthropology*, 24 (2015): 73–83.

27 Karen L. Kramer, "The Human Family — Its Evolutionary Context and Diversity," *Social Sciences* 10, no. 6 (May 2021): 191.

28 Gerald D. Berreman, "Himalayan Polyandry and the Domestic Cycle," *American Ethnologist* 2, no. 1 (1975): 127–38.

29 R. S. Walker, M. V. Flinn, K. R. Hill. "Evolutionary History of Partible Paternity in Lowland South America." Proceedings of the National Academy of Sciences 107, no. 45 (2010): 19195–200.

30 Karen L. Kramer, "The Human Family — Its Evolutionary Context and Diversity," *Social Sciences* 10, no. 6 (May 2021): 191.

31 Exodus 21:10 (New International Version). 〔出エジプト記 21 章 10、共同訳聖書実行委員会『旧約聖書：新共同訳』日本聖書協会、1987、1988 年〕

32 I Kings 11:3 (New International Version). 〔列王記上 11 章 3、共同訳聖書実行委員会『旧約聖書：新共同訳』日本聖書協会、1987、1988 年〕

33 Tatiana Zerjal, Yali Xue, et al., "The Genetic Legacy of the Mongols," *American Journal of Human Genetics* 72, no. 3 (March 2003): 717–21.

34 George Smith, *Nauvoo Polygamy: "... But We Called It Celestial Marriage"* (Salt Lake City: Signature Books, 2011).

35 Alasdair Pal and Adnan Abidi, "Man with 39 Wives, Head of 'World's Largest Family,' Dies In India," *Reuters*, June 16, 2021, https://www.reuters.com/world/india/man-with-39-wives-head-worlds-largest-family-dies-india-2021-06-14/.

36 Amy Barrett, "Alongside Widow and Sons, Mistress and Daughter Attend Funeral," *Associated Press*, January 11, 1996, https://apnews.com/article/09cefda353f5e98bd47d922abdb30874.

37 Gary S. Becker, "A Theory of Marriage," in Theodore W. Schultz, *Economics of the Family: Marriage, Children, and Human Capital* (Chicago: University of Chicago Press, 1974), 299–351.

12 Jessica Fern, *Polysecure: Attachment, Trauma and Consensual Nonmonogamy* (Portland, OR: Thorntree Press, 2020).

13 J. M. Burkart, S. B. Hrdy, and C. P. Van Schaik, "Cooperative Breeding and Human Cognitive Evolution," *Evolutionary Anthropology* 18 (October 2009): 175–186: 176.

14 Karen L. Kramer, "Children's Help and the Pace of Reproduction: Cooperative Breeding in Humans," *Evolutionary Anthropology* 14, no. 6 (November 2005): 224–37; Karen L. Kramer, "Variation in Juvenile Dependence: Helping Behavior Among Maya Children," *Human Nature* 13, no. 2 (June 2002): 299–325; Karen L. Kramer, "Does It Take a Family to Raise a Child?," in *Substitute Parents: Biological and Social Perspectives on Alloparenting in Human Societies*, ed. G. Bentley and R. Mace (New York: Berghahn Books, 2009), 77–99.

15 Sarah Blaffer Hrdy, *Mothers and Others: The Evolutionary Origins of Mutual Understanding* (Cambridge, MA: Belknap Press, 2009).

16 Margaret L. Walker and James G. Herndon, "Menopause in Nonhuman Primates?" *Biology of Reproduction* 79, no. 3 (September 2008): 398–406.

17 Burkart, Hrdy, and Van Schaik, "Cooperative Breeding and Human Cognitive Evolution," 177.

18 Burkart, Hrdy, and Van Schaik, "Cooperative Breeding and Human Cognitive Evolution"; Hrdy, *Mothers and Others.*

19 Christopher Opie, Quentin D. Atkinson, and Susanne Shultz, "The Evolutionary History of Primate Mating Systems," *Communicative & Integrative Biology* 5, no. 5 (September 2012): 458–61.

20 Adriana E. Lowe, Catherine Hobaiter, Caroline Asiimwe, Klaus Zuberbühler, Nicholas E. Newton-Fisher. "Intra-community Infanticide in Wild, Eastern Chimpanzees: A 24-year Review" *Primates* 61 (2020): 69–82.

21 Christopher Opie, Quentin D. Atkinson, Robin I. M. Dunbar, and Susanne Shultz, "Male Infanticide Leads to Social Monogamy in Primates," *Proceedings of the National Academy of Sciences* 110, no. 33 (July 2013): 13328–32.

22 D. Lukas and T. Clutton-Brock, "Evolution of Social Monogamy in Primates Is Not Consistently Associated with Male Infanticide," *Proceedings of the National Academy of Sciences* 111, no. 17 (March 2014): E1674; A. F. Dixson, "Male Infanticide and Primate Monogamy," *Proceedings of the National Academy of Sciences* 110, no. 51 (December 2013): E4937.

23 C. Opie, Q. D. Atkinson, R. I. Dunbar, and S. Shultz, "Reply to Lukas and Clutton-Brock: Infanticide Still Drives Primate Monogamy," *Proceedings of the National Academy of Sciences* 111, no. 17 (April 2014): E1675.

(December 2020): 2753–55; "UN Women Raises Awareness of the Shadow Pandemic of Violence Against Women During COVID-19," press release, UN Women, May 27, 2020, https://www.unwomen.org/en/news/stories/2020/5/press-release-the-shadow-pandemic-of-violence-against-women-during-covid-19; B. Gosangi et al., "Exacerbation of Physical Intimate Partner Violence During COVID-19 Pandemic," *Radiology* 298, no. 1 (January 2021): E38–E45.

3 S. G. Smith, X. Zhang, K. C. Basile, M. T. Merrick, J. Wang , M-j Kresnow, and J. Chen, *The National Intimate Partner and Sexual Violence Survey: 2015 Data Brief—Updated Release 2018*, Centers for Disease Control and Prevention, November 2018, https://www.cdc.gov/violenceprevention/pdf/2015data-brief508.pdf.

4 "How a Law Meant to Curb Infanticide Was Used to Abandon Teens," *CBC News*, December 1, 2017, https://www.cbc.ca/radio/outintheopen/unintended-consequences-1.4415756/how-a-law-meant-to-curb-infanticide-was-used-to-abandon-teens-1.4415784.

5 Associated Press, "Nebraska Law Allows Abandonment of Teens," *NBC News*, August 22, 2008, https://www.nbcnews.com/health/health-news/nebraska-law-allows-abandonment-teens-flna1c9460299.

6 "Nebraska Approves 30-Day Age Limit on 'Safe Haven' Law," *CBC News*, November 21, 2008, https://www.cbc.ca/news/world/nebraska-approves-30-day-age-limit-on-safe-haven-law-1.765410.

7 David Brooks, "The Nuclear Family Was a Mistake," *The Atlantic*, March 2020, https://www.theatlantic.com/magazine/archive/2020/03/the-nuclear-family-was-a-mistake/605536/.

8 1965 Moynihan report: "The Negro Family: A Case for National Action," US Department of Labor, https://www.dol.gov/general/aboutdol/history/webid-moynihan.

9 Wendy D. Manning, Susan L. Brown, Krista K. Payne, and Hsueh-Sheng Wu, "Healthy Marriage Initiative Spending and U.S. Marriage & Divorce Rates, A State-Level Analysis," FP-14-02, National Center for Family & Marriage Research, 2014, http://www.bgsu.edu/content/dam/BGSU/college-of-arts-and-sciences/NCFMR/documents/FP/FP-14-02_HMIInitiative.pdf; Katherine Boo, "The Marriage Cure." *The New Yorker*, August 10, 2003, https://www.newyorker.com/magazine/2003/08/18/the-marriage-cure.

10 Susan L. Brown, "Marriage and Child Well-Being: Research and Policy Perspectives," *Journal of Marriage and Family* 72, no. 5 (October 2010): 1059–77.

11 W. Bradford Wilcox and Hal Boyd, "The Nuclear Family Is Still Indispensable," *The Atlantic*, February 21, 2020, https://www.theatlantic.com/ideas/archive/2020/02/nuclear-family-still-indispensable/606841/.

47 Dafna Shermer, "Kibbutz Life: Love It but Leave It?" *Jerusalem Institute*, January 27, 2015, https://jerusaleminstitute.org.il/en/blog/kibbutz-life-love-it-but-leave-it/.

48 Shlomo Getz, "Report on Cooperative Kibbutzim — 2018," Kibbutz Research Institute, University of Haifa, 2018, 1–2 (in Hebrew).

49 Noa Shpigel, "Kibbutzim Are Becoming a Magnet for the Younger Generation," *Haaretz*, June 1, 2017, https://www.haaretz.com/israel-news/.premium.MAGAZINE-kibbutzim-a-magnet-for-young-adults-1.5478900.

50 Dina Kraft, "Kibbutz in the City? The Healing Mission of Israel's New Communes," *Christian Science Monitor*, August 2, 2019, https://www.csmonitor.com/World/Middle-East/2019/0802/Kibbutz-in-the-city-The-healing-mission-of-Israel-s-new-communes.

51 Aaron Torop, "What I Learned at an Urban Kibbutz," *Reform Judaism*, September 19, 2017, https://reformjudaism.org/blog/what-i-learned-urban-kibbutz.

52 Twin Oaks Labor Policy: https://www.twinoaks.org/policies/labor-policy ?showall=1.

53 Jessica Ravitz, "Utopia: It's Complicated Inside New-Age and Vintage Communes," Great American Stories, CNN, September 2015, https://www.cnn.com/interactive/2015/09/us/communes-american-story/.

54 Twin Oaks Property Code: https://www.twinoaks.org/policies/property-code#pre-existing-assets.

55 Kenneth Mulder, Robert Costanza, and Jon Erikson, "The Contribution of Built, Human, Social and Natural Capital to Quality of Life in Intentional and Unintentional Communities," *Ecological Economics* 59, no. 1 (February 2006): 13–23.

56 Bjørn Grinde, Ragnhild Bang Nes, Ian F. MacDonald, and David Sloan Wilson, "Quality of Life in Intentional Communities," *Social Indicators Research* 137, no. 2 (June 2018): 625–40.

57 Grinde et al., "Quality of Life in Intentional Communities."

58 Jenny Odell, *How to Do Nothing: Resisting the Attention Economy* (New York: Melville House, 2019).

59 Little Free Library のウェブサイト : https://littlefreelibrary.org.

第6章　君をボス猿に喩えようか

1 Kate Sproul, "California's Response to Domestic Violence," California Senate Office of Research, June 2003, https://sor.senate.ca.gov/sites/sor.senate.ca.gov/files/Californiaspercent20Responsepercent20topercent20Domesticpercent 20Violence.pdf.

2 Brad Boserup, Mark McKenney, and Edel Elkbuli, "Alarming Trends in US Domestic Violence During the COVID-19 Pandemic," *American Journal of Emergency Medicine* 38, no. 12

com/2019/12/11/maine-voices-live-brother-arnold-talks-about-the-shaker-life-spiritual-and-otherwise/.

31 ブルーダーホフのウェブサイト : https://www.bruderhof.com/en.

32 Sam Wollaston, "'Just Don't Call It a Cult': The Strangely Alluring World of the Bruderhof," *The Guardian*, July 23, 2019, https://www.theguardian.com/tv-and-radio/2019/jul/23/just-dont-call-it-a-cult-the-strangely-alluring-world-of-the-bruderhof.

33 "Audit Technique Guide — Apostolic Associations — IRC Section 501(d)," IRS, https://www.irs.gov/pub/irs-tege/atg_apostolic_associations.pdf.

34 "Audit Technique Guide—Apostolic Associations—IRC Section 501(d)."

35 Samuel Brunson, "Taxing Utopia," LAW eCommons, Loyola University Chicago, 2016, https://lawecommons.luc.edu/cgi/viewcontent.cgi?article= 1572&context=facpubs.

36 Edward SanFilippo, "A Legal Alternative to Modern Living in a Changing America," *JURIST*, January 31, 2012, https://www.jurist.org/commentary/2012/01/edward-sanfilippo-intentional-community/.

37 Global Ecovillage Network のウェブサイト : https://ecovillage.org.

38 "Ecovillages," Foundation for Intentional Community, https://www.ic.org/directory/ecovillages/; Federation of Egalitarian Communities のウェブサイト : https://www.thefec.org/about/.

39 "About," Tamera, https://www.tamera.org/about/.

40 "How We're Funded," Tamera, https://www.tamera.org/how-were-funded/.

41 "Terra Nova," Tamera, https://www.tamera.org/terra-nova/.

42 Dave Darby, "The Yamagishi Association: Successful, Moneyless, Leaderless Network of Communes in Japan and Elsewhere," Lowimpact, November 17, 2015, https://www.lowimpact.org/the-yamagishi-association-successful-moneyless-leaderless-network-of-communes-in-japan-and-elsewhere/.

43 木の花ファミリーのウェブサイト : https://konohana-family.org/.

44 Wang Xuandi, "In China's New Age Communes, Burned-Out Millennials Go Back to Nature," Sixthtone.com, January 15, 2021, https://www.sixthtone.com/news/1006694/in-chinas-new-age-communespercent2C-burned-out-millennials-go-back-to-nature.

45 Huizhong Wu, "City Dwellers Find Simpler Life in Rural China Commune," *Reuters*, December 30, 2019, https://www.reuters.com/article/us-china-commune-widerimage/city-dwellers-find-simpler-life-in-rural-china-commune-idUSKBN1YY00V.

46 Isabel Kershner, "The Kibbutz Sheds Socialism and Gains Popularity," *New York Times*, August 27, 2007, https://www.nytimes.com/2007/08/27/world/middleeast/27kibbutz.html.

16 Thomas More, *Utopia* (1516), Project Gutenberg, https://www.gutenberg.org/ebooks/2130. 〔トマス・モア 著、平井正穂 訳『ユートピア』岩波書店、1957 年〕

17 "Alcohol and Drug Misuse and Suicide and the Millennial Generation—a Devastating Impact," Wellbeing Trust and the Trust for America's Health, June 2019, https://wellbeingtrust.org/wp-content/uploads/2019/06/TFAH-2019-YoundAdult-Pain-Brief-FnlRv.pdf.

18 John Stuart Mill, "Of the Stationary State," book IV, ch. VI, para. 2, in *Principles of Political Economy with Some of Their Applications to Social Philosophy* (1848), https://www.econlib.org/library/Mill/mlP.html?chapter _num=64#book-reader.

19 Ben Steverman, "Trillions Will Be Inherited Over the Coming Decades, Further Widening the Wealth Gap," *Los Angeles Times*, November 29, 2019, https://www.latimes.com/business/story/2019-11-29/boomers-are-thriving-on-an-unprecedented-9-trillion-inheritance.

20 "Almost One Third of All Wealth in the UK Is Inherited, Rather Than Earned," Inequality Briefing, http://inequalitybriefing.org/graphics/inequality_briefing_26.pdf.

21 Robert Nozick, *Anarchy, State, and Utopia* (New York: Basic Books, 2013), 152. 〔ロバート・ノージック 著、嶋津格 訳『アナーキー・国家・ユートピア：国家の正当性とその限界』木鐸社、1992 年〕

22 Christine Kearney, "Encyclopaedia Britannica: After 244 Years in Print, Only Digital Copies Sold," *Christian Science Monitor*, March 14, 2012, https://www.csmonitor.com/Business/Latest-News-Wires/2012/0314/Encyclopaedia-Britannica-After-244-years-in-print-only-digital-copies-sold.

23 *Encyclopaedia Britannica* 購読登録ページより。https://subscription.britannica.com/subscribe.

24 Monica Anderson, Paul Hitlin, and Michelle Atkinson, "Wikipedia at 15: Millions of Readers in Scores of Languages," Pew Research Center, January 14, 2016, https://www.pewresearch.org/fact-tank/2016/01/14/wikipedia-at-15/.

25 Friedrich Engels, *The Origin of the Family, Private Property, and the State*, Project Gutenberg, https://www.gutenberg.org/ebooks/33111. 〔エンゲルス 著、土屋保男 訳『家族・私有財産・国家の起源』新日本出版社、1999 年〕

26 Graeber and Wengrow, *The Dawn of Everything.*

27 "Frequently Asked Questions," Hutterites, http://www.hutterites.org/day-to-day/faqs/.

28 "An interview with Manitoba Hutterite Linda Maendel," Amish America, October 12, 2011, https://amishamerica.com/manitoba-hutterite-linda-maendel/.

29 "Community of Goods," Maine Shakers, https://www.maineshakers.com/about/#ourbeliefs.

30 Peggy Grodinsky, "Maine Voices Live: Brother Arnold Talks About the Shaker Life, Spiritual and Otherwise," *Portland Press Herald*, December 11, 2019, https://www.pressherald.

第５章　所有のない世界を想像する

1 David Graeber and David Wengrow, *The Dawn of Everything: A New History of Humanity* (New York: Farrar, Straus and Giroux, 2021), 特に第４章で詳しく議論されている。〔デヴィッド・グレーバー、デヴィッド・ウェングロウ 著、酒井隆史 訳『万物の黎明：人類史を根本からくつがえす』光文社、2023 年〕

2 Thomas Piketty. *Capital and Ideology* (Cambridge, MA: Belknap Press, 2020), 1.〔トマ・ピケティ 著、山形浩生、森本正史 訳『資本とイデオロギー』みすず書房、2023 年〕

3 Pierre-Joseph Proudhon, "What Is Property? An Inquiry into the Principle of Right and of Government" (1840), Project Gutenberg, https://www.gutenberg.org/ebooks/360.〔ピエール＝ジョゼフ・プルードン 著、伊多波宗周 訳『所有とは何か』講談社、2024 年〕

4 John Locke, Second Treatise of Government, ch. V, para. 27 (1689), Project Gutenberg, https://www.gutenberg.org/ebooks/7370.〔ジョン・ロック 著、加藤節 訳『完訳 統治二論』岩波書店、2010 年〕

5 John Thorley, *Athenian Democracy*, 2nd ed. (New York: Routledge, 2004).

6 Edwin L. Minar Jr., "Pythagorean Communism," *Transactions and Proceedings of the American Philological Association* 75 (1944): 34–46.

7 C. J. de Vogel, *Pythagoras and Early Pythagoreanism: An Interpretation of Neglected Evidence on the Philosopher Pythagoras* (Netherlands: Royal Van Gorcum, 1966); Christoph Riedweg, *Pythagoras: His Life, Teaching, and Influence* (Ithaca, NY: Cornell University Press, 2005).

8 Plato, *Republic*, Book III, 416d-e.〔プラトン『国家』上巻 p.244〕

9 His Holiness the Dalai Lama, *Beyond Dogma: Dialogues & Discourses* (Berkeley: North Atlantic Books, 1996), 109–10.

10 See the Leon Levy Dead Sea Scrolls Digital Library: https://www.deadseascrolls.org.il.

11 Joshua Ezra Burns, "Essene Sectarianism and Social Differentiation in Judaea After 70 C.E.," *Harvard Theological Review* 99, no. 3 (July 2006): 247–74.

12 Acts 2: 44–47 (New International Version).〔使徒言行録２章 44-47、共同訳聖書実行委員会『新約聖書：新共同訳』日本聖書協会、1987、1988 年〕

13 Acts 2: 32–35 (New International Version).〔使徒言行録４章 32-35、共同訳聖書実行委員会『新約聖書：新共同訳』日本聖書協会、1987、1988 年〕

14 Janko Lavrin, "Bogomils and Bogomilism," *Slavonic and East European Review* 8, no. 23 (1929): 269–83.

15 "The Discourse of the Priest Cosmas Against Bogomils," in *Christian Dualist Heresies in the Byzantine World, c. 650–c. 1450: Selected Sources*, ed. Janet Hamilton, Bernard Hamilton, and Yuri Stoyanov (Manchester, UK: Manchester University Press, 1998), 116.

(New York: Dial Press, 1998).〔カート・ヴォネガット・ジュニア 著、伊藤典夫ほか 訳『モンキー・ハウスへようこそ』収録「ハリスン・バージロン」早川書房、1989 年〕

37 "Honoring Kurt Vonnegut for Harrison Bergeron: Hall of Fame Acceptance Speeches," *Prometheus Blog*, http://lfs.org/blog/honoring-kurt-vonnegut-for-harrison-bergeron-hall-of-fame-acceptance-speeches/.

38 Mary Ann Lieser, "The High School Where Learning to Farm Is a Graduation Requirement." *Yes!*, May 9, 2018, https://www.yesmagazine.org/democracy/2018/05/09/the-high-school-where-learning-to-farm-is-a-graduation-requirement ?fbclid=IwAR1z8GuQais7MDG4szTYtMxZmaC_aNtEUqgCn_uOGMfkP WVSCZxq8BRBwCQ.

39 Anya Kamenetz, "Most Teachers Don't Teach Climate Change; 4 in 5 Parents Wish They Did," *National Public Radio*, April 22, 2019, https://www.npr.org/2019/04/22/714262267/most-teachers-dont-teach-climate-change-4-in-5-parents-wish-they-did.

40 Thomas Friedman, "Justice Goes Global," *New York Times*, June 15, 2011, https://www.nytimes.com/2011/06/15/opinion/15friedman.html.

41 Ed Stannard, "Yale 'Happiness' Professor Taking Leave as Burnout Looms," *New Haven Register*, February, 19, 2022, https://www.nhregister.com/news/article/Yale-professor-taking-leave-because-burnout-16930909.php.

42 Eric Merkely, "Many Americans Deeply Distrust Experts. So Will They Ignore the Warnings About Coronavirus?" *Washington Post*, March 19, 2020, https://www.washingtonpost.com/politics/2020/03/19/even-with√-coronavirus-some-americans-deeply-distrust-experts-will-they-take-precautions/.

43 "Alle Muurgedichten," Muur Gedichten Leiden, https://muurgedichten.nl/en/muurgedichten.

44 Ivan Dikov, "Wall-to-Wall Poetry: How the Dutch Bring European 'Unity in Diversity' to Sofia," *Novinite*, January 27, 2010, http://www.novinite.com/view _news.php?id=112440.

45 'Poetry in Motion," Poetry Society of America, https://poetrysociety.org/poetry-in-motion.

46 "Poems on the Underground," Transport for London, https://tfl.gov.uk/cor porate/about-tfl/culture-and-heritage/poems-on-the-underground.

47 Jonathan Watts, "Wordsworth Wanders on to the Shanghai Metro," *The Guardian*, March 17, 2006, https://www.theguardian.com/world/2006/mar/17/books.china.

48 "These New York Billboards Got Tons of Attention," *Times Square Chronicle*, June 28, 2021, https://t2conline.com/these-new-york-billboards-got-tons-of-attention/.

49 "Yoko Ono's Imagine Peace — 15 Giant Billboards at Times Square, New York," *Public Delivery*, October 30, 2021, https://publicdelivery.org/yoko-ono-times-square-nyc-imagine-peace/.

Work: Articles, Talks and Reminiscences (Honolulu: University Press of the Pacific, 2004), 37.

21 Maxim Gorky, "Across the Soviet Union," citied in Makarenko, *Makarenko, His Life and Work*, 50.

22 Anton Makarenko, "From My Own Practice," in Makarenko, *Makarenko, His Life and Work*, 272.

23 Makarenko, "From My Own Practice," 270.

24 "Българското образование между две стратегии" (Bulgarian education between two strategies), *Frontalno*, November 9, 2018, https://frontalno.com/българското-образование-между-две-ст/.

25 Neal Conan and Sue Shellenbarger, "The Burden of Being 'Most Likely to Succeed,'" *National Public Radio*, May 31, 2011, https://www.npr.org/2011/05/31/136824390/the-burden-of-being-most-likely-to-succeed.

26 Derek C. Mulenga, "Mwalimu Julius Nyerere: A Critical Review of His Contributions to Adult Education and Postcolonialism," *International Journal of Lifelong Education* 20, no. 6 (November 2001): 446–70.

27 Mulenga, "Mwalimu Julius Nyerere."

28 Yusuf Kassam, "Julius Kambarage Nyerere," *Prospects: The Quarterly Review of Comparative Education* 24, no. 1–2 (1994): 247–59.

29 Julius K. Nyerere, "Education for Self-Reliance," *Ecumenical Review* 19, no. 4 (1967): 382–403: 387, https://onlinelibrary.wiley.com/doi/10.1111/j.1758-6623.1967.tb02171.x.

30 Nyerere, "Education for Self-Reliance," 396.

31 Nyerere, "Education for Self-Reliance," 396.

32 Wim Hoppers and Donatus Komba, eds., *Productive Work in Education and Training: A State-of-the-Art in Eastern Africa* (The Hague: Center for the Study of Education in Developing Countries, 1993).

33 Candy Gunther Brown, "Conservative Legal Groups Are Suing Public School Yoga and Mindfulness Programs. This Explains Why," *Washington Post*, July 10, 2019, https://www.washingtonpost.com/politics/2019/07/10/conservative-legal-groups-are-suing-public-school-yoga-mindfulness-programs-this-explains-why/.

34 Sydney Bauer, "US School Books — The Latest LGBTQ+ Rights Battleground," Openly, February 4, 2022, https://www.openlynews.com/i/?id=9b222e47-1dd8-4e81-bbdc-e87823fc9361.

35 Susan Neiman, *Learning from the Germans: Race and the Memory of Evil* (London: Picador, 2020).

36 Kurt Vonnegut, "Harrison Bergeron," in *Welcome to the Monkey House: A Collection of Short Works*

Outlook, US Bureau of Labor Statistics, May 2020, https://www.bls.gov/careeroutlook/2020/data-on-display/education-pays.htm.

4 Melanie Hanson, "Student Loan Debt Statistics," Education Data Initiative, April 10, 2022, https://educationdata.org/student-loan-debt-statistics.

5 Malcolm Harris, *Kids These Days: Human Capital and the Making of Millennials* (New York: Little, Brown, 2017).

6 Milton and Rose Friedman, *Free to Choose: A Personal Statement* (New York: Harcourt, 1980).〔M&R・フリードマン 著、西山千明 訳『選択の自由：自立社会への挑戦』日本経済新聞出版社、2012 年〕

7 Zack Friedman, "Student Loan Debt Statistics in 2021: A Record $1.7 Trillion," *Forbes*, February 20, 2021, https://www.forbes.com/sites/zackfriedman/2021/02/20/student-loan-debt-statistics-in-2021-a-record-17-trillion/.

8 Jean-Jacques Rousseau, *Emile* (1763), trans. Barbara Foxley, Project Gutenberg, https://www.gutenberg.org/files/5427/5427-h/5427-h.htm.〔ルソー 著、今野一雄 訳『エミール』岩波書店、1962-1964 年〕

9 Rousseau, *Emile*.

10 Stephen Jay Gould, *The Panda's Thumb: More Reflections in Natural History* (New York: W. W. Norton, 1992), 151.〔スティーヴン・ジェイ・グールド 著、桜町翠軒 訳『パンダの親指：進化論再考』早川書房、1996 年〕

11 Plato, *Republic*, Book V, 451e5; 456c10.〔プラトン『国家』上巻 pp.326, 337-340〕

12 Plato, *Republic*, Book V, 451d5.〔プラトン『国家』上巻 p.325〕

13 Plato, *Republic*, Book V, 455d5.〔プラトン『国家』上巻 p.335〕

14 Thomas More, *Utopia* (1516), Project Gutenberg, https://www.gutenberg.org/ebooks/2130.〔トマス・モア 著、平井正穂 訳『ユートピア』岩波書店、1957 年〕

15 More, *Utopia*.

16 Tommaso Campanella, *City of the Sun* (1602), Project Gutenberg, https://gutenberg.org/files/2816/2816-h/2816-h.htm.〔カンパネッラ 著、近藤恒一 訳『太陽の都』岩波書店、1992 年〕

17 Campanella, *City of the Sun*.

18 G. N. Filonov, "Anton Makarenko," *Prospects: The Quarterly Review of Comparative Education* 24, no. 1–2 (1994): 77–91.

19 Orlando Figes, *A People's Tragedy: The Russian Revolution 1891–1924* (New York: Penguin, 1996), 780.

20 Y. M. Medinsky, "The Dzerzhinsky Commune," in Anton Makarenko, *Makarenko, His Life and*

published%2005-02-2013.pdf.

55 Anita Nyberg, "Lessons from the Swedish Experience," in *Kids Count: Better Early Child Education and Care in Australia*, ed. Elizabeth Hill and Barbara Pocock (Sydney: Sydney University Press, 2007), 38–56.

56 Leslie Boreen, "Study: Preschools Top Home-Based Care in Preparing Children for School," *UVA Today*, June 1, 2016, https://news.virginia.edu/content/study-preschools-top-home-based-care-preparing-children-school.

57 Sylvana M Côté et al., "Short-and Long-Term Risk of Infections as a Function of Group Child Care Attendance: An 8-Year Population-Based Study," *Archive of Pediatrics and Adolescent Medicine* 164, no. 12 (December 2010): 1132–37.

58 "Centre-Based Child Care: Long Hours Do Not Cause Aggression and Disobe-dience," Norwegian Institute of Public Health, January 28, 2013, https://www.fhi.no/en/news/2013/centre-based-child-care-long-hours-/.

59 "Centre-Based Child Care."

60 Kate Schweitzer, "New Study Finds Some BIG Behavioral Benefits to Kids Who Attend Daycare," *Popsugar*, October 3, 2018, Https://Www.Popsugar.Com/Family/Kids-Daycare-Better-Behaved-45342276; Ramchandar Gomajee, Fabienne El-Khoury, Sylvana Côté, Judith van der Waerden, Laura Pryor, and Maria Melchior, "Early Childcare Type Predicts Children's Emotional and Behavioural Trajectories into Middle Childhood. Data from the EDEN Mother–Child Cohort Study," *Journal of Epidemiological and Community Health* 72, no. 11 (November 2018): 1033–43.

61 Jean Kimmel and Rachell Connelly, "US Child Care Policy and Economic Impacts," in *The Oxford Handbook of Women and the Economy*, ed. Susan L. Averett, Laura M. Argys, and Saul D. Hoffman (Oxford, UK: Oxford University Press, 2018), 303–22; Deborah A. Phillips and Amy E. Lowen-stein, "Early Care, Education, and Child Development," *Annual Review of Psychology* 62, no. 1 (January 2011): 483–500.

第4章　学校は何を教えるのか

1 Fabius Wittmer and Christian Waldhoff, "Religious Education in Germany in Light of Religious Diversity: Constitutional Requirements for Religious Education," *German Law Journal* 20, no. 7 (October 2019): 1047–65.

2 Geschwister Scholl Gymnasium のウェブサイトより。https://www.gsg-waldkirch.de/unterricht/geisteswissenschaften/ethik.html.

3 "Learn More, Earn More: Education Leads to Higher Wages, Lower Unemployment," Career

Caregiving: Infant Interactions with Israeli Kibbutz Mothers and Caregivers," *Early Child Development and Care* 135, no. 1 (May 1997): 145–71.

41 Karen L. Kramer, "The Human Family — Its Evolutionary Context and Diversity," *Social Sciences* 10, no. 191 (May 2021): https://doi.org/10.3390/socsci10060191.

42 Alfred Meyer, *The Feminism and Socialism of Lily Braun* (Bloomington: Indiana University Press, 1986), 66.

43 Second International Conference of Socialist Women. 以下ウェブサイトで全文閲覧可能。https://archive.org/details/InternationalSocialistCongress1910SecondInternationalConferenceOf, 22.

44 Alexandra Kollontai, "Working Woman and Mother," in Alexandra Kollontai, *Selected Writings*, ed. Alix Holt (New York: W. W. Norton, 1980), 127–39.

45 Kollontai, "Working Woman and Mother."

46 Kollontai, "Working Woman and Mother."

47 Wendy Goldman, *Women State and Revolution: Soviet Family Policy and Social Life, 1917–1936* (Cambridge, UK: Cambridge University Press, 1993), 93.

48 Josie McClellan, *Love in the Time of Communism: Intimacy and Sexuality in the GDR* (Cambridge, UK: Cambridge University Press, 2011), 65.

49 J. Schmude, "Contrasting Developments in Female Labor Force Participation in East and West Germany Since 1945," in *Women of the European Union: The Politics of Work and Daily Life*, ed. M. D. Garcia-Ramon and J. Monk (New York: Routledge, 1996).

50 Susan L. Erikson, "'Now It Is Completely the Other Way Around': Political Economies of Fertility in Re-unified Germany," in *Barren States: The Population 'Implosion' in Europe*, ed. Carrie B. Douglas (Berlin: Berg, 2005).

51 Kristen Ghodsee, *Second World, Second Sex: Socialist Women's Activism and Global Solidarity During the Cold War* (Durham, NC: Duke University Press, 2019).

52 Amanda E. Devercelli and Frances Beaton-Day, "Better Jobs and Brighter Futures: Investing in Childcare to Build Human Capital," World Bank, December 2020, https://openknowledge.worldbank.org/bitstream/handle/10986/35062/Better-Jobs-and-Brighter-Futures-Investing-in-Childcare-to-Build-Human-Capital.pdf.

53 Devercelli and Beaton-Day, "Better Jobs and Brighter Futures."

54 "Early Childhood Education and Care Policy in Sweden," OECD, December 1999, https://www.oecd.org/education/school/2479039.pdf; Miho Taguma, Ineke Litjens, and Kelly Makowieki, "Quality Matters in Early Childhood Education and Care: Sweden," OECD, 2013, https://www.oecd.org/education/school/SWEDEN%20policy%20profile%20-%20

23 Friedrich Engels, "Draft of a Communist Confession of Faith," June 9, 1847, in *Birth of the Communist Manifesto*, ed. Dirk Struik (New York: International Publishers, 1971).

24 Friedrich Engels, "The Principles of Communism," in Struik, *Birth of the Communist Manifesto*.

25 Friedrich Engels and Karl Marx, *The Communist Manifesto*, Project Gutenberg [1848], https://www.gutenberg.org/ebooks/61.〔マルクス、エンゲルス 著、大内兵衛、向坂逸郎 訳『共産党宣言』岩波書店、1951 年、p.69〕

26 Geraldine Youcha, *Minding the Children: Child Care in America from Colonial Times to the Present* (New York: Scribner, 1995), 108.

27 Susan M. Matarese and Paul G. Salmon, "Heirs to the Promised Land: The Children of Oneida," *International Journal of Sociology of the Family* 13, no. 2 (Autumn 1983): 35–43.

28 Quoted in Youcha, *Minding the Children*, 99.

29 Harriet Worden, "Old Mansion House Memories," *Circular*, January 30, 1871, quoted in Constance Noyes Robertson, "History of the Oneida Community," https://library.syracuse.edu/digital/guides/o/OneidaCommunityCollection/umifilm.htm.

30 Quoted in Youcha, *Minding the Children*, 110.

31 *Hand-Book of the Oneida Community*, Syracuse University Library, https://library.syr.edu/digital/collections/h/Hand-bookOfTheOneidaCommunity/.

32 *Hand-Book of the Oneida Community*.

33 "Oneida Community (1848–1880)," Oneida Community Mansion House, https://www.oneidacommunity.org/our-history.

34 Nellie Munin, "Collectivism v. Individualism: Can the EU Learn from the History of the Israeli Kibbutz?" *Bratislava Law Review* 1 (January 2017): 29–47.

35 Henry Near, *The Kibbutz Movement: A History; Volume 1: Origins and Growth, 1909–1939* (Oxford, UK: Oxford University Press, 1992); Henry Near, *The Kibbutz Movement: A History; Volume 2: Crisis and Achievement, 1939–1995* (Oxford, UK: Oxford University Press, 2007).

36 Near, *The Kibbutz Movement*, vol. 2.

37 Noam Shpancer, "Child of the Collective," *The Guardian*, February 18, 2011, https://www.theguardian.com/lifeandstyle/2011/feb/19/kibbutz-child-noam-shpancer.

38 Miriam K. Rosenthal, "Daily Experiences of Toddlers in Three Child Care Settings in Israel," *Child and Youth Care Forum* 20 (February 1991): 37–58.

39 Ora Aviezer, Marimus H. van IJzendoorn, Abraham Sagi, and Carlo Schuengel, "'Children of the Dream' Revisited: 70 Years of Collective Early Child Care in Israeli Kibbutzim," *Psychological Bullentin* 116, no. 1 (July 1994): 99–116.

40 Marc H. Bornstein, Sharone L. Maital, and Joseph Tal, "Contexts of Collaboration in

Deutsche Welle, October 11, 2020, https://www.dw.com/en/germany-with-massive-shortage-in-day-care-spots-study-finds/a-55232526.

10 "3 in 4 German Daycare Children Not Getting Proper Care: Study." *Deutsche Welle*, August 25. 2020, https://www.dw.com/en/3-in-4-german-daycare-children-not-getting-proper-care-study/a-54693175.

11 "20 Hours ECE for ECE Services," New Zealand Ministry of Education, https://www.education.govt.nz/early-childhood/funding-and-data/20-hours-ece-for-ece-services/; "Help Paying For Early Childhood Education," New Zealand Government, https://www.govt.nz/browse/education/help-paying-for-early-childhood-education/.

12 "Births and Deaths: Year Ended June 2021," Stats NZ, August 16, 2021, https://www.stats.govt.nz/information-releases/births-and-deaths-year-ended-june-2021.

13 "Young Children Develop in an Environment of Relationships," Working Paper 1, National Scientific Council on the Developing Child, 2004, https://developingchild.harvard.edu/wp-content/uploads/2004/04/Young-Children-Develop-in-an-Environment-of-Relationships.pdf.

14 Brenda L. Bauman et. al, "Vital Signs: Postpartum Depressive Symptoms and Provider Discussions About Perinatal Depression — United States, 2018," *CDC Weekly* 69, no. 19 (May 2020): 575–81.

15 Anne Kingston, "I Regret Having Children," *Macleans*, January 2018, https://www.macleans.ca/regretful-mothers/.

16 Diana Karklin, "The Women Who Wish They Weren't Mothers: 'An Unwanted Pregnancy Lasts a Lifetime.'" *The Guardian*, July 16, 2022, https://www.theguardian.com/lifeandstyle/2022/jul/16/women-who-wish-they-werent-mothers-roe-v-wade-abortion.

17 Nancy Folbre, "Children as Public Goods," *American Economic Review* 84, no. 2 (May 1994): 86–90.

18 "Death Gratuity Fact Sheet," Military OneSource, https://www.militaryonesource.mil/products/death-gratuity-fact-sheet-263/; "Military Compensation," Department of Defense, https://militarypay.defense.gov/benefits/death-gratuity/.

19 Plato, *Republic*, Book V, 457d.〔プラトン『国家』上巻 p.341〕

20 Plato, *Republic*, Book V, 460b.〔プラトン『国家』上巻 p.348〕

21 Plato, *Republic*, Book V, 460b.〔プラトン『国家』上巻 p.348〕

22 Friedrich Engels. *The Condition of the Working Class in England*, Project Gutenberg [1844], https://www.gutenberg.org/ebooks/17306.〔エンゲルス 著、一條和生、杉山忠平 訳『イギリスにおける労働者階級の状態：19 世紀のロンドンとマンチェスター』岩波書店、1990 年〕

Commoning, Care, and the Promise of Co-Housing," *International Journal of the Commons* 13, no. 1 (May 2019): 62–83.

99 Peter Kropotkin, *The Conquest of Bread*, ed. Paul Avrich (1892; New York: New York University Press, 1972), 110–11.〔クロポトキン 著、幸徳秋水 訳『麺麭（パン）の略取』岩波書店、1960 年〕

100 Kathy McLaughlin, "Jeff Bezos Buys David Geffen's Los Angeles Mansion for a Record $165 Million," *Wall Street Journal*, February 12, 2020, https://www.wsj.com/articles/jeff-bezos-buys-david-geffens-los-angeles-mansion-for-a-record-165-million-11581542020?mod=e2tw;, "2020 Greater Los Angeles Homeless Count Results," Los Angeles Homeless Services Authority, June 12, 2020, https://www.lahsa.org/news?article=726-2020-greater-los-angeles-homeless-count-results.

第３章　子どもは社会の公共財

1 Sylvia Ann Hewlett, "Executive Women and the Myth of Having It All," *Harvard Business Review*, April 2020, https://hbr.org/2002/04/executive-women-and-the-myth-of-having-it-all.

2 Mark Lino, "The Cost of Raising a Child," US Department of Agriculture, February 18, 2020, https://www.usda.gov/media/blog/2017/01/13/cost-raising-child.

3 Anne Crittendon, *The Price of Motherhood: Why the Most Important Job in the World Is Still the Least Valued* (New York: Picador, 2010).

4 Andrew E. Clark, Ed Diener, Yannis Georgellis, and Richard E. Lucas, "Lags and Leads in Life Satisfaction: A Test of the Baseline Hypothesis," IZA Discussion Paper No. 2526, December 2006, http://ftp.iza.org/dp2526.pdf.

5 Jean M. Twenge, W. Keith Campbell, and Craig A. Foster, "Parenthood and Marital Satisfaction: A Meta-Analytic Review," *Journal of Marriage and Family* 65, no. 3 (February 2004): 574–83.

6 Jennifer Glass, R. W. Simon, and M. A. Andersson, "Parenthood and Happiness: Effects of Work-Family Reconciliation Policies in 22 OECD Countries," *American Journal of Sociology* 122, no. 3 (November 2016): 886–929.

7 Antti O. Tanskanen, Mirrka Danielsbacka, David A. Coall, and Markus Jokela, "Transition to Grandparenthood and Subjective Well-Being in Older Europeans: A Within-Person Investigation Using Longitudinal Data," *Evolutionary Psychology* 17, no. 3 (July–September 2019): 1–12.

8 Glass, Simon, and Andersson, "Parenthood and Happiness."

9 David VanOpdorp, "Germany with Massive Shortage in Day Care Spots, Study Finds."

tank/2020/03/10/older-people-are-more-likely-to-live-alone-in-the-u-s-than-elsewhere-in-the-world/.

87 Jacob Ausubel. "Globally, Women Are Younger Than Their Male Partners, More Likely to Age Alone," Pew Research Center, January 23, 2020, https://www.pewresearch.org/fact-tank/2020/01/03/globally-women-are-younger-than-their-male-partners-more-likely-to-age-alone/.

88 A. P. Glass and N. Frederick, "Elder Cohousing as a Choice for Introverted Older Adults: Obvious or Surprising?" 69th Annual Scientific Meeting of the Gerontological Society of America, New Orleans, LA, *The Gerontologist* 56, suppl. 3 (November 2016): 172.

89 Anne P. Glass, "Sense of Community, Loneliness, and Satisfaction in Five Elder Cohousing Neighborhoods," *Journal of Women & Aging* 32, no. 3 (October 2019): 1–25.

90 Vivian Puplampu, Elise Matthews, Gideon Puplampu, Murray Gross, Sushila Pathak, Sarah Peters, "The Impact of Cohousing on Older Adults' Quality of Life," *Canadian Journal on Aging/La Revue canadienne du vieillissement* 39, no. 3 (September 2020): 406–20.

91 J. Carrere, A. Reyes, L. Oliveras, et al., "The Effects of Cohousing Model on People's Health and Wellbeing: A Scoping Review," *Public Health Reviews* 41, no. 1 (October 2020): https://doi.org/10.1186/s40985-020-00138-1.

92 Graham Meltzer, "Cohousing: Verifying the Importance of Community in the Application of Environmentalism," *Journal of Architectural and Planning Research* 17, no. 2 (Summer 2000): 110–32; Jason R. Brown, *Comparative Analysis of Energy Consumption Trends in Cohousing and Alternate Housing Arrangement*, MIT MSc thesis, 2004.

93 Lee Wallender, "The Life Expectancy of Major Household Appliances," *The Spruce*, January 2, 2022, https://www.thespruce.com/lifespan-of-household-appliances-4158782.

94 Sabrina Helm, Joyce Serido, Sun Young Ahn, Victoria Ligon, and Soyeon Shim, "Materialist Values, Financial and Pro-Environmental Behaviors, and Well-Being," *Young Consumers* 20, no. 4 (July 2019): 264–84.

95 Krisztina Fehérváry, *Politics in Color and Concrete: Socialist Materialities and the Middle Class in Hungary* (Bloomington: Indiana University Press, 2013).

96 Maria L. Ruiu, "Differences Between Cohousing and Gated Communities. A Literature Review," *Sociological Inquiry* 84, no. 2 (May 2014): 316–35.

97 Holly Harper, "I'm a Single Mom Who Shares a House with Other Single Moms. Cohousing Saved Me $30,000 Last Year," *Business Insider*, January 31, 2022, https://www.insider.com/cohousing-single-mom-saved-over-30000-per-year-living-together-2022-1.

98 L. Tummers and S. MacGregor, "Beyond Wishful Thinking: A FPE Perspective on

71 Legrand, "Des béguines aux Babayagas."

72 "Finalist 2015: Nashira, a Song of Love, a Women-Led Project," World Habitat Awards, https://world-habitat.org/world-habitat-awards/winner-and-finalists/nashira-a-song-of-love-a-women-led-project/.

73 "Nashira Eco-Village in Colombia a Matriarchal Example of Women Empowerment," ACEI-Global blog, April 26, 2019, https://acei-global.blog/2019/04/26/nashira-eco-village-in-colombia-a-matriarchal-example-of-women-empowerment/.

74 Brian J. Burke and Beatriz Arjona, "Creating Alternative Political Ecologies Through the Construction of Ecovillages and Ecovillagers in Colombia," in eds., Joshua Lockyer and James R. Veteto, *Environmental Anthropology Engaging Ecotopia: Bioregionalism, Permaculture, and Ecovillages* (New York: Berghahn Books, 2013), 235–50.

75 Nashira のウェブサイトを参照。http://www.nashira-ecoaldea.org.

76 Kathryn McCamant, Charles Durrett, and Ellen Herzman, *Cohousing: A Contemporary Approach to Housing Ourselves*, 2nd ed. (Berkeley: Ten Speed Press, 1994).〔コウハウジング研究会、チャールズ・デュレ、キャサリン・マッカマン 著『コウハウジング：欲しかったこんな暮らし！　子育て、安心、支え合う仲間たち…アメリカの新しい住まいづくり』風土社、2000 年〕

77 de Melker and Saltzman, "Cohousing Communities Help Prevent Social Isolation."

78 Zeynep Toker, "New Housing for New Households: Comparing Cohousing and New Urbanist Developments with Women in Mind," *Journal of Architectural and Planning Research* 27, no. 4 (December 2010): 325–39: 334.

79 Toker, "New Housing for New Households," 334.

80 Toker, "New Housing for New Households," 334.

81 Cathrin Wassede, "Doing Family in Cohousing Communities," in *Contemporary Co-Housing in Europe: Toward Sustainable Cities?* ed. Pernilla Hagbert, Henrik Gutzon Larsen, Hakan Thörn, and Cathrin Wasshede (New York: Routledge, 2020).

82 Courtney Martin, "Coming of Age in Cohousing," *Curbed*, February 13, 2019, https://archive.curbed.com/2019/2/13/18194960/cohousing-families-communities-united-states-muir-commons.

83 Quoted in Martin, "Coming of Age in Cohousing."

84 Quoted in Martin, "Coming of Age in Cohousing."

85 Martin, "Coming of Age in Cohousing."

86 Jacob Ausubel, "Older People Are More Likely to Live Alone in the U.S. Than Elsewhere in the World," Pew Research Center, March 10, 2020, https://www.pewresearch.org/fact-

Municipa.pdf.

56 Miles Brignall, "Communal Living: Grand Designs on Living in Perfect Harmony," *The Guardian*, October 23, 2009, https://www.theguardian.com/money/2009/oct/24/communal-living-grand-designs.

57 Bodil Graae, "Børn skal have hundrede forældre," *Politiken*, April 9, 1987, 49–50.

58 J. Gudmand-Høyer, "Det manglende led mellem utopi og det forældede enfami-liehus," *Dagbladet Information*, June 26, 1968, 3.

59 Quoted in Saskia de Melker and Melanie Saltzman, "Cohousing Communities Help Prevent Social Isolation," *PBS NewsHour Weekend*, February 12, 2017, https://www.pbs.org/newshour/show/cohousing-communities-help-prevent-social-isolation.

60 Lucy Sargisson, "Second-Wave Cohousing: A Modern Utopia?" *Utopian Studies* 23, no. 1 (January 2012): 28–56.

61 Website of the Ibsgården intentional community: http://www.ibsgaarden.dk.

62 de Melker and Saltzman, "Cohousing Communities Help Prevent Social Isolation."

63 Sargisson, "Second-Wave Cohousing."

64 Dansk Bygningsarv, *Fremtidens bofællesskaber* (*Co-housing Communities of the Future*) (Copenhagen: Udlaendinge-, Integrations-og Boligministeriet, 2016), quoted in Henrik Gutzon Larsen, "Three Phases of Danish Cohousing: Tenure and the Development of an Alternative Housing Form," *Housing Studies* 34, no. 8 (2019): 1349–71.

65 Larsen, "Three Phases of Danish Cohousing," 1363.

66 Tong-Jin Smith, "Rich and Sexy: Booming Berlin Is Driving Up Real Estate Prices," *German Times*, October 2018, https://www.german-times.com/rich-and-sexy-booming-berlin-is-driving-up-real-estate-prices/.

67 Kristien Ring, "Reinventing Density: How Baugruppen Are Pioneering the Self-Made City," *The Conversation*, November 21, 2016, https://theconversation.com/reinventing-density-how-baugruppen-are-pioneering-the-self-made-city-66488.

68 Jessica Bridger, "Don't Call It a Commune: Inside Berlin's Radical Cohousing Project," *Metropolis*, June 10, 2015, https://www.metropolismag.com/architecture/residential-architecture/dont-call-it-a-commune-inside-berlin-radical-cohousing-project/.

69 Max Pedersen, "Senior Co-Housing Communities in Denmark," *Journal of Housing for the Elderly* 29, nos. 1–2 (January 2015): 126–45.

70 V. Quinio and G. Burgess, "Is Co-Living a Housing Solution for Vulnerable Older People?" Cambridge Center for Housing & Planning Research Technical Report, University of Cambridge, 2018.

42 引用は2021年5月時点でスターシティ社のウェブサイトに書かれていた内容。スターシティ社は2021年にコモン社に買収され、ウェブサイトも統合された。

43 "About Us," Collective, https://www.thecollective.com/about-us.

44 Zoë Bernard, "Take a Look Inside the Stylish, Modern-Day Communes That Are Taking Over US Cities," *Business Insider*, February 28, 2018, https://www.businessinsider.com/common-co-living-spaces-is-spreading-into-more-us-cities-2018-2.

45 "Welcome to the New Frontier of Shared Housing," Common brochure, https://www.common.com/common-in-metropolitan-home.pdf.

46 "Why Common," Common, https://www.common.com/why-common/.

47 Nellie Bowles, "Dorm Living for Professionals Comes to San Francisco," *New York Times*, March 4, 2018, https://www.nytimes.com/2018/03/04/technology/dorm-living-grown-ups-san-francisco.html.

48 Patrick Sisson, "Can Coliving Help Solve the Urban Housing Crunch?" *Curbed*, March 10, 2016, https://archive.curbed.com/2016/3/8/11178598/cooperative-housing-city-living-coliving.

49 Will Coldwell, "'Co-Living': The End of Urban Loneliness — Or Cynical Corporate Dormitories?" *The Guardian*, September 3, 2019, https://www.theguardian.com/cities/2019/sep/03/co-living-the-end-of-urban-loneliness-or-cynical-corporate-dormitories.

50 "Coliving Spaces: The Ultimate Guide to Coliving," Outsite, https://www.outsite.co/coliving-spaces.

51 Rob Warnock, "Apartment List's 2021 Millennial Homeownership Report," Apartment List, February 9, 2021, https://www.apartmentlist.com/research/millennial-homeownership-2021.

52 Bérénice Magistretti, "Starcity Raises $30 Million in a Post–WeWork, COVID Crisis to Scale Its Affordable Co-Living Spaces," *Forbes*, April 27, 2020, https://www.forbes.com/sites/berenicemagistretti/2020/04/27/starcity-raises-30-million-in-a-post-wework-covid-crisis-to-scale-its-affordable-co-living-spaces/?sh= 557e14ff48f7.

53 "Habyt Acquires Quarters and Becomes the Leading Co-Living Player in Europe," Quarters press release, https://global.quarters.com/habyt-acquires-quarters/.

54 Kynala Phillips, "Did Shawnee really ban roommates? Here's what the new 'co-living' restrictions mean." *Kansas City Star*, May 6, 2022, https://www.kansascity.com/news/politics-government/article260995857.html.

55 City of Shawnee, Ordinance to amend Shawnee Municipal Code Title 17-Zoning, related to room rental in residential zoning district, April 25, 2022. https://cityofshawnee.civicweb.net/document/88149/Consider%20an%20 ordinance%20to%20amend%20Shawnee%20

Magazine (New York: Harper and Bros, 1872), 701–16: 712.

29 "Original Miscellany: Le Familistére de Guise. Description and Character of the Industry Upon Which the Working People of the Social Palace Depend," *American Artisan*, October 1, 1875, 271.

30 Howland, "The Social Palace at Guise," 716.

31 "Familistery of Guise," *The American Socialist: Devoted to the Enlargement and Perfection of Home* 1, no. 15 (July 6, 1876): 114.

32 "Original Miscellany: Le Familistére de Guise," 271.

33 Friedrich Engels, "Part Two: How the Bourgeoisie Solves the Housing Question," in *The Housing Question*, 1872. Free online at: Marxists Internet Archive, https://www.marxists.org/archive/marx/works/1872/housing-question/ch02.htm.〔フリードリヒ・エンゲルス 著、大内兵衛 訳『住宅問題』岩波書店、1949 年〕

34 Website of Le Familistère de Guise: https://www.familistere.com/fr/decouvrir/collections-ressources/references-documentaires-sur-le-familistere; François Bernardot, Le Familistère de Guise, Association du Capital et du Travail et son fondateur, Jean-Baptiste André Godin. Étude faite au nom de la Société du Familistère de Guise Dequenne & Cie, deuxième édition (Guise: Imprimerie de E. Barré, 1889).

35 Faith Hillis, *Utopia's Discontents: Russian Émigrés and the Quest for Freedom*, 1830s–1930s (London and New York: Oxford University Press, 2021).

36 *Stilgayi* (*Hipsters*), dir. Valeriy Todorovskiy, Kino Lorber, 2008, https://www.imdb.com/title/tt1239426/.

37 Ilya Utekhin, Alice Nakhimovsky, Slava Paperno, and Nancy Ries, "Communal Living in Russia: A Virtual Museum of Soviet Everyday Life," Colgate University, https://kommunalka.colgate.edu/cfm/essays.cfm?ClipID= 361&TourID=910.

38 Svetlana Boym, *Common Places: Mythologies of Everyday Life in Russia* (Cambridge, MA: Harvard University Press, 1994), 123.

39 Eli Rubin, *Amnesiopolis: Modernity, Space, and Memory in East Germany* (London and New York: Oxford University Press, 2016).

40 15-Minute City Project のウェブサイトを参照。https://www.15minutecity.com.

41 Łukasz Stanek, "Gift, Credit, Barter: Architectural Mobilities in Global Socialism," e-flux Architecture, July 2020, https://www.e-flux.com/architecture/housing/337850/gift-credit-barter-architectural-mobilities-in-global-socialism/; Łukasz Stanek, *Architecture in Global Socialism: Eastern Europe, West Africa, and the Middle East in the Cold War* (Princeton, NJ: Princeton University Press, 2020).

12 "Introduction and History," University of Oxford, https://www.ox.ac.uk/about/organisation/history.

13 Thomas More, *Utopia*, Project Gutenberg [1516], https://www.gutenberg.org/ebooks/2130.〔トマス・モア 著、平井正穂 訳『ユートピア』岩波書店、1957 年〕

14 Walter Simons, *Cities of Ladies: Beguine Communities in the Medieval Low Countries, 1200-1565* (Philadelphia: University of Pennsylvania Press, 2003).

15 Carol Neel, "The Origins of the Beguines," *Signs* 14, no. 2 (Winter 1989): 321–41.

16 Hadewijch of Antwerp, "Letter 6: Live in Christ," in *Hadewijch: The Complete Works*, trans. Mother Columba Hart, O.S.B. (Mahwah, NJ: Paulist Press, 1980), 59.

17 "Flemish Béguinages," World Heritage List, UNESCO, http://whc.unesco.org/en/list/855.

18 Manon Legrand, "Des béguines aux Babayagas, quelles alternatives de logement pour les femmes?" Alter Échos, April 2019, https://www.alterechos.be/wp-content/uploads/2019/04/AE472_web-25-30_focale.pdf; "Beguinal Movement Today," *Beguinal Movement*, https://beguines.info/?p=319&lang=en.

19 Frank E. Manuel and Fritzie P. Manuel, *Utopian Thought in the Western World* (Cambridge, MA: Harvard University Press, 1979), 584.〔フランク・E・マニュエル、フリッツィ・P・マニュエル 著、門間都喜郎 訳『西欧世界におけるユートピア思想』晃洋書房、2018 年〕

20 Leslie F. Goldstein, "Early Feminist Themes in French Utopian Socialism: The St.-Simonians and Fourier," *Journal of the History of Ideas* 43, no. 1 (January– March 1982): 91–108.

21 Charles Fourier, *Theory of the Four Movements*, eds. Gareth Stefan Jones and Ian Patterson, Cambridge Texts in the History of Political Thought (Cambridge, UK: Cambridge University Press, 1996), 132.〔シャルル・フーリエ 著、巖谷國士 訳『四運動の理論』現代思潮新社、2002 年〕

22 Fourier, *Theory of the Four Movements*, 137.

23 Fourier, *Theory of the Four Movements*, 148.

24 Gregory Claeys, *Searching for Utopia: The History of an Idea* (London: Thames & Hudson, 2011), 134〔グレゴリー・クレイズ 著、巽孝之 監訳、小畑拓也 訳『ユートピアの歴史』東洋書林、2013 年〕; Fourier, *Theory of the Four Movements*, 4.

25 Fourier, *Theory of the Four Movements*, 50nd.

26 Jonathan Beecher and Richard Bienvenu, eds., *The Utopian Vision of Charles Fourier: Selected Texts on Work, Love, and Passionate Attraction* (Cambridge, MA: Beacon Press, 1971).

27 André Godin quoted in Michel Lallement, "An Experiment Inspired by Fourier: J. B. Godin's Familistere in Guise," *Journal of Historical Sociology* 25, no. 1 (March 2012): 37.

28 André Godin quoted in Edward Howland, "The Social Palace at Guise," *Harper's New Monthly*

45 Richard Duff, "'Star Trek' actress Nichelle Nichols: Martin Luther King Jr. Impacted Decision to stay on Enterprise." *Daily News*. January 17, 2011, https://www.nydailynews.com/entertainment/tv-movies/star-trek-actress-nichelle-nichols-martin-luther-king-jr-impacted-decision-stay-enterprise-article-1.154674.

46 Dave Nemetz, "Whoopi Goldberg Explains Why She Wanted to Be on 'Star Trek.'" *Yahoo! Entertainment*, June 24, 2014: https://www.yahoo.com/entertainment/blogs/tv-news/exclusive-video-whoopi-goldberg-star-trek-213710247.html.

47 Albert Einstein, *Einstein: On Cosmic Religion and Other Opinions and Aphorisms* (London: Dover, 2009), 97.

第２章　家庭とは壁のあるところ？

1 "Combatting Loneliness One Conversation at a Time: A Call to Action," Jo Cox Commission on Loneliness, April 2018, https://www.ageuk.org.uk/globalassets/age-uk/documents/reports-and-publications/reports-and-briefings/active-communities/rb_dec17_jocox_commission_finalreport.pdf.

2 "Loneliness at Epidemic Levels in America," Cigna, https://newsroom.cigna.com/loneliness-in-america.

3 Elisheva Levy, "Beyond Monogamous Architecture; Rebellious Homes for Communism," *From the Margins* podcast, May 24, 2020, https://anchor.fm/from-the-margins-arch/episodes/Elisheva-Levy — -Beyond-Monogamous-architecture-Rebellious-homes-for-communism-eee948.

4 "Neolithic Site of Çatalhöyük," World Heritage List, UNESCO, https://whc.unesco.org/en/list/1405/.

5 Marin A. Pilloud and Clark Spencer Larsen, "'Official' and 'Practical' Kin: Inferring Social and Community Structure from Dental Phenotype at Neolithic Çatalhöyük, Turkey," *Physical Anthropology* 145, no. 4 (August 2011): 519–30.

6 Pilloud and Larsen, "'Official' and 'Practical' Kin," 527–28.

7 Plato, *Republic*, Book III, 417a.〔プラトン『国家』上巻 p.245〕

8 James 1: 27 (New International Version).〔ヤコブの手紙１章27、共同訳聖書実行委員会『新約聖書：新共同訳』日本聖書協会、1987、1988年〕

9 George W. Bernard, "The Dissolution of the Monasteries," *History* 96, no. 324 (September 2011): 390.

10 "Heaven on Earth: The Plan of St. Gall," *The Wilson Quarterly* 4, no. 1 (Winter 1980): 171–79.

11 Campus Galli's website: https://www.campus-galli.de.

Academic Couples: What Universities Need to Know, Michelle R. Clayman Institute for Gender Research, Stanford University, 2008, https://stanford.app.box.com/s/y5bicy7o3cxwtmgy22iu.

34 Gretchen Livingston, “Stay-at-Home Moms and Dads Account for About One-in-Five U.S. Parents,” Pew Research Center, September 24, 2018, https://www.pewresearch.org/fact-tank/2018/09/24/stay-at-home-moms-and-dads-account-for-about-one-in-five-u-s-parents/.

35 Aliya Hamid Rao, “Even Breadwinning Wives Don’t Get Equality at Home,” *Atlantic*, May 12, 2019, https://www.theatlantic.com/family/archive/2019/05/breadwinning-wives-gender-inequality/589237/.

36 原書のプラトン『国家』からの引用はすべて C. D. C. Reeve の英訳版による。オンラインでは Benjamin Jowett による英訳版が Project Gutenberg で全文参照できる : https://www.gutenberg.org/ebooks/55201; Plato, *The Republic*, trans. C. D. C. Reeve (Indianapolis: Hackett, 2004), 465c.〔日本語訳の引用はすべて藤沢令夫訳を参照した。プラトン 著、藤沢令夫 訳『国家』(電子書籍版) 岩波書店、2017 年、上巻 p.361〕

37 Plato, *The Republic*, Book V, 464c-d.〔プラトン『国家』上巻 pp.358-359〕

38 Dwight E. Neuenschwander, ed., *Dear Professor Dyson: Twenty Years of Correspondence Between Freeman Dyson and Undergraduate Students on Science, Technology, Society and Life* (Hackensack, NJ: World Scientific, 2012), 17–18. Online at: https://www.worldscientific.com/worldscibooks/10.1142/9592.

39 Mark Matousek, “The Eros of Friendship: What to Do with Platonic Passion?” *Psychology Today*, May 12, 2013, https://www.psychologytoday.com/us/blog/ethical-wisdom/201305/the-eros-friendship-what-do-platonic-passion.

40 Elle Hunt, “BirthStrikers: Meet the Women Who Refuse to Have Children Until Climate Change Ends.” *The Guardian*, March 12, 2019, https://www.theguardian.com/lifeandstyle/2019/mar/12/birthstrikers-meet-the-women-who-refuse-to-have-children-until-climate-change-ends.

41 Eli Finkel, *The All-or-Nothing Marriage: How the Best Marriages Work* (New York: Dutton: 2017).

42 Kayleen Devlin, “The World’s First Artificial Womb for Humans,” *BBC News*. October 16, 2019. https://www.bbc.com/news/av/health-50056405.

43 Rebecca Solnit, *Hope in the Dark: Untold Histories, Wild Possibilities* (Chicago: Haymarket Books, 2016), 4.〔レベッカ・ソルニット 著、井上利男、東辻賢治郎 訳『暗闇のなかの希望：語られない歴史、手つかずの可能性』筑摩書房、2023 年〕

44『Star Trek: Prodigy』でキャスリン・ジェインウェイ大佐のホログラムが語ったセリフより。*Star Trek: Prodigy*, season 1, episode 3, https://memory-alpha.fandom.com/wiki/Starstruck _ (episode).

22 Lucy Robinson, "Whose Last Name Should You Give Your Baby?" BabyCenter, November 26, 2018, https://www.babycenter.com/0_whose-last-name-should-you-give-your-baby_10327041.bc.

23 "Giving a Name," Kingdom of Belgium Foreign Affairs, Foreign Trade and Development Cooperation, May 4, 2022, https://diplomatie.belgium.be/en/services/services_abroad/registry/giving_a_name.

24 Sandra Dijkstra, *Flora Tristan: Feminism in the Age of George Sand* (New York: Verso, 2019).

25 Jayne Orenstein, "How My Great-Grandmother Lost Her U.S. Citizenship the Year Women Got the Right to Vote," *Washington Post*, August 13, 2020, https://www.washingtonpost.com/history/2020/08/13/expatriation-act-citizenship-women-suffrage/; Meg Hacker, "When Saying 'I Do' Meant Giving Up Your U.S. Citizenship," *Prologue*, spring 2014, https://www.archives.gov/files/publications/prologue/2014/spring/citizenship.pdf.

26 Helen Fink, *Women After Communism: The East German Experience* (Lanham, MD: University Press of America, 2001).

27 *Dunn v. Palermo*, 522 S.W.2d 679, 1975, Supreme Court of Tennessee, https://law.justia.com/cases/tennessee/supreme-court/1975/522-s-w-2d-679-2.html.

28 Thisanla Siripala, "Japan's Same Surname Law for Married Couples Is in the Hands of the Diet," *The Diplomat*, July 08, 2021, https://thediplomat.com/2021/07/japans-same-surname-law-for-married-couples-is-in-the-hands-of-the-diet/.

29 Heather Long, "Should Women Change Their Names After Marriage? Consider the Greek Way," *The Guardian*, October 6, 2013, https://www.theguardian.com/commentisfree/2013/oct/06/women-change-name-after-marriage-greece; "Charter of Human Rights and Freedoms," *Légis Québec*, November 21, 2021, http://legisquebec.gouv.qc.ca/en/ShowDoc/cs/C-12.

30 Chelsea Vowel, "Giving My Children Cree Names Is a Powerful Act of Recla-mation," *CBC News*, November 4, 2018, https://www.cbc.ca/amp/1.4887604.

31 Kim Parker and Renee Stepler, "Americans See Men as the Financial Providers, Even as Women's Contributions Grow," Pew Research Center, September 20, 2017, https://www.pewresearch.org/fact-tank/2017/09/20/americans-see-men-as-the-financial-providers-even-as-womens-contributions-grow/.

32 Claire Cain Miller and Quoctrong Bui, "Equality in Marriages Grows, and So Does Class Divide," *New York Times*, February 23, 2016, https://www.nytimes.com/2016/02/23/upshot/rise-in-marriages-of-equals-and-in-division-by-class.html.

33 Londa Schiebinger, Andrea Davies Henderson, and Shannon K. Gilmartin, *Dual-Career*

Goldman Reader, ed. Alix Kates Shulman, freely available at the Anarchist Library, https://theanarchistlibrary.org/library/emma-goldman-socialism-caught-in-the-political-trap.

8 Karl Mannheim, *Ideology and Utopia: An Introduction to the Sociology of Knowledge* (1936; New York: Martin, 2015): 341–43.〔マンハイム 著、鈴木二郎 訳『イデオロギーとユートピア』未來社、1968 年〕

9 William Samuelson and Richard Zeckhauser, "Status Quo Bias in Decision-Making," *Journal of Risk and Uncertainty* 1, no. 1 (February 1988): 7–59.

10 Daniel Kahneman and Amos Tversky, "The Psychology of Preferences," *Scientific American* 246, no. 1 (January 1982): 160–73.

11 Scott Timberg, "The Novel That Predicted Portland," *New York Times*, December 12, 2008, https://www.nytimes.com/2008/12/14/fashion/14ecotopia.html.

12 Mannheim, *Ideology and Utopia*, 232–33.〔マンハイム『イデオロギーとユートピア』〕

13 Thomas Piketty, *Capital in the 21st Century* (Cambridge, MA: Harvard University Press, 2013).〔トマ・ピケティ 著、山形浩生、守岡桜、森本正史 訳『21 世紀の資本』みすず書房、2014 年〕

14 Rutger Bregman, *Utopia for Realists: How We can Build the Ideal World* (New York: Little, Brown, 2017).〔ルトガー・ブレグマン 著、野中香方子 訳『隷属なき道：AI との競争に勝つベーシックインカムと一日三時間労働』文藝春秋、2017 年〕

15 Wade Davis, "Keynote Speech: The Ethnosphere and the Academy," 2014, https://www.wheretherebedragons.com/wp-content/uploads/2014/09/DavisEthnosphereAcademy.pdf.

16 ジョブズがナレーションを担当した「Think Different」の動画は以下で視聴できる。http://www.thecrazyones.it/spot-en.html.

17 ケンブリッジ大学気候修復センターのウェブサイトを参照。https://www.climaterepair.cam.ac.uk.

18 Fred Pearce, "Geoengineer the Planet? More Scientists Now Say It Must Be an Option," YaleEnvironment360, May 29, 2019, https://e360.yale.edu/features/geoengineer-the-planet-more-scientists-now-say-it-must-be-an-option; Pallab Ghosh, "Climate Change: Scientists Test Radical Ways to Fix Earth's Climate," *BBC News*, May 10, 2018, https://www.bbc.com/news/science-environment-48069663.

19 Coalition for the Radical Life Extension のウェブサイトを参照。https://www.rlecoalition.com/about.

20 International Society for Artificial Life のウェブサイトを参照。https://alife.org.

21 Maddy Savage, "Why Do Women Still Change Their Names?" *BBC*, September 23, 2020, https://www.bbc.com/worklife/article/20200921-why-do-women-still-change-their-names.

原註

はじめに

1　イアンブリコス『ピタゴラス的生き方』〔水地宗明 訳、京都大学学術出版会、2011 年〕30 章を参照。

2　Alisha Haridasani Gupta, "Why Some Women Call This Recession a 'Shecession.'" *New York Times*, May 9, 2020, https://www.nytimes.com/2020/05/09/us/unemployment-coronavirus-women.html.

3　Alexandra Topping, "UK Working Mothers Are 'Sacrificial Lambs' in Corona-virus Childcare Crisis," *The Guardian*, July 24, 2020, https://www.theguardian.com/money/2020/jul/24/uk-working-mothers-are-sacrifical-lambs-in-coronavirus-childcare-crisis.

4　"Parenting in Lockdown: Coronavirus and the Effects on Work-Life Balance," Office for National Statistics, July 22, 2020, https://www.ons.gov.uk/people populationandcommunity/healthandsocialcare/conditionsanddiseases/articles/parentinginlockdowncoronavirusandtheeffectsonworklifebalance/latest.

第 1 章　未踏の知に向けて勇敢に踏みだす

1　Jill Lepore, *The Secret History of Wonder Woman* (London: Vintage, 2015).〔ジル・ルポール 著、鷲谷花 訳『ワンダーウーマンの秘密の歴史』青土社、2019 年〕

2　Thucydides, *The History of the Peloponnesian War*, Project Gutenberg, https://www.gutenberg.org/ebooks/7142.〔トゥキュディデス 著、久保正彰 訳『戦史』中央公論新社、2013 年〕

3　Nikolai Chernyshevsky, *What Is to Be Done?*, trans. Michael Katz (Ithaca, NY: Cornell University Press, 1989).〔チェルヌィシェーフスキイ 著、金子幸彦 訳『何をなすべきか』岩波書店、1978 年〕

4　Peter Kropotkin, "Anarchist Morality," Anarchist Library, https://theanarchistlibrary.org/library/petr-kropotkin-anarchist-morality.〔クロポトキン 著、幸徳秋水 訳『麵麭（パン）の略取』岩波書店、1960 年〕

5　Christopher Klien, "The Real History That Inspired 'Star Wars,'" *History*, August 22, 2018, https://www.history.com/news/the-real-history-that-inspired-star-wars.

6　Aristophanes, *A Parliament of Women*, in *Four Plays by Aristophanes*, trans. Paul Roche (New York: Signet Classics, 2004), 203.〔アリストパネース 著、村川堅太郎 訳『女の議会』岩波書店、1954 年〕

7　Emma Goldman, "Socialism Caught in the Political Trap," in *Red Emma Speaks: An Emma*

図版出典

p19　トマス・モアのユートピアの地図（ウィキメディア・コモンズ）
p20　トマス・モアの肖像（ウィキメディア・コモンズ）
p21　トマソ・カンパネッラの肖像（ウィキメディア・コモンズ）
p55　ザンクト・ガレンの修道院平面図（9世紀）に基づく建物の復元図（ウィキメディア・コモンズ）
p59　フーリエのファランステールの全体像（ウィキメディア・コモンズ）
p63　ギーズのファミリステールを描いたスケッチ（パブリックドメイン、American Artisan）
p67　ノヴィ・ベオグラードの23街区、2021年撮影（著者提供）
p73　トゥーエコー・コハウジング敷地内に並ぶ家、2021年撮影（著者提供）
p107　オナイダ・コミュニティの教室風景（米国議会図書館）
p109　オナイダ・マンション・ハウスのポストカード、1907年
p113　キブツ・デガニアとガラリヤ湖の風景（ウィキメディア・コモンズ）
p119　アレクサンドラ・コロンタイ（米国議会図書館）
p141　アントン・マカレンコ（ウィキメディア・コモンズ）
p143　ゴーリキー村の生徒たちとアントン・マカレンコ、1928年（Makarenko.edu.ru）
p147　ジュリウス・ニエレレ（ウィキメディア・コモンズ）
p159　2021年のモデナ哲学フェスティバル会場設営の様子（著者提供）
p161　ベルギーのオーステンデにある壁の詩、2021年撮影（著者提供）
p186　サバスデイ湖のシェーカー教徒村。コロナのため閉鎖中の看板（著者提供）
p187　1880年のサバスデイ湖、シェーカー教徒村のドローイング（米国議会図書館）
p202　ペンシルベニアの無料の本交換所（著者提供）
p207　著者の父母、最初の結婚式（著者提供）
p209　著者の幼少期の家族写真、1974年撮影（著者提供）
p251　アウグスト・ベーベルを描いたストリートアート。プレンツラウアー・ベルク地区、ベルリン、2019年撮影（著者提供）

わ行

その他

や行

ら行

ま行

な行

は行

た行

さ行

か行

索引

あ行

クリステン・R・ゴドシー
Kristen R. Ghodsee

ペンシルベニア大学教授（ロシア・東欧学学科長）。2012年にグッゲンハイム・フェローを獲得。記事や論説は世界25か国語以上に翻訳され、ニューヨーク・タイムズ、ワシントン・ポスト、ミズ・マガジン、ディセント、フォーリン・アフェアーズなど国内外の多数の紙誌に掲載。東欧の社会主義崩壊と資本主義への移行が社会にもたらした影響を、普通の人びと（とりわけ女性）の暮らしに焦点を当てて研究してきた。これまでに11冊の著書があり、話題作『あなたのセックスが楽しくないのは資本主義のせいかもしれない』は15か国語で翻訳出版された。

高橋璃子
Rico Takahashi

翻訳家。京都大学卒業、ラインワール応用科学大学修士課程修了。訳書にゴドシー『あなたのセックスが楽しくないのは資本主義のせいかもしれない』、マルサル『アダム・スミスの夕食を作ったのは誰か？』、ノーデル『無意識のバイアスを克服する』、バークマン『限りある時間の使い方』、マキューン『エッセンシャル思考』など多数。

Everyday Utopia
What 2,000 Years of Wild Experiments Can Teach Us About the Good Life
By Kristen R. Ghodsee

Published by arrangement with the original publisher, Simon & Schuster, Inc.
through Japan UNI Agency, Inc., Tokyo

エブリデイ・ユートピア

2024年5月20日　初版印刷

2024年5月30日　初版発行

著　　者　クリステン・R・ゴドシー

訳　　者　高橋璃子

装　　幀　大倉真一郎

発 行 者　小野寺優

発 行 所　株式会社河出書房新社
〒162-8544
東京都新宿区東五軒町2-13
電話 03-3404-1201（営業）
03-3404-8611（編集）
https://www.kawade.co.jp/

組　　版　株式会社キャップス

印　　刷　株式会社暁印刷

製　　本　大口製本印刷株式会社

Printed in Japan　ISBN978-4-309-23152-5